D0358025

D'acier

SILVIA
AVALLONE

D'acier

ROMAN

Traduit de l'italien
par Françoise Brun

Traduit avec le concours
du Centre national du livre

Titre original :
ACCIAIO

À Eleonora, Erica et Alba
mes meilleures amies

et à tous ceux qui font l'acier

Les plus belles choses sont illuminées par la peur.

Don DELILLO, *Libra*

PREMIÈRE PARTIE

Amies pour la vie

1

Dans le cercle flou de la lentille, la silhouette bougeait à peine, sans tête.

Une portion de peau zoomée à contre-jour.

Ce corps, d'une année sur l'autre, avait changé, peu à peu, sous les vêtements. Et maintenant il explosait, dans les jumelles, dans l'été.

De loin, l'œil grignotait les détails : la bride du maillot, le triangle du bas, un filament d'algue sur la hanche. Les muscles tendus au-dessus du genou, la courbe du mollet, la cheville où le sable colle. L'œil s'ouvrait plus grand, devenait rouge, à sonder cette lentille.

Le corps adolescent bondit hors champ et se jeta dans l'eau.

Un instant après, objectif repositionné, mise au point faite, il reparut, avec cette chevelure blonde magnifique. Et ce rire si violent que même à cette distance, même juste à le voir, ça t'électrisait. Comme si tu y pénétrais réellement, entre ces dents blanches. Et les fossettes sur les joues, et la cavité entre les omoplates, et le creux du nombril et tout le reste.

Elle s'amusait comme à son âge, ignorant qu'on l'observait. Sa bouche était ouverte. Qu'est-ce qu'elle peut bien dire ? Et à qui ? Elle piqua une tête dans une vague, émergea de l'eau, le soutien-gorge tout de travers. Une piqûre de moustique sur l'épaule. La pupille de l'homme se rétrécissait, se dilatait, comme sous l'effet d'une drogue.

Enrico regardait sa fille, c'était plus fort que lui. Du balcon, après le déjeuner, quand il n'était pas d'équipe chez Lucchini, il espionnait Francesca. Il la suivait, l'observait, à travers les lentilles de ses jumelles de pêche. Francesca trottinait avec sa copine Anna sur le sable mouillé, elles se poursuivaient, se touchaient, s'attrapaient par les cheveux, et lui, là-haut, figé, il transpirait, son cigare toscan à la main. Lui, le géant, en débardeur ruisselant de sueur, l'œil écarquillé, planté là dans la chaleur effroyable.

Il la surveillait, comme il disait, depuis qu'elle s'était mise à aller à la plage avec certains individus, des garçons plus âgés qui ne lui inspiraient aucune confiance. Ils fumaient, et des pétards aussi, sûrement. Quand il en parlait à sa femme, de ces marginaux que fréquentait sa fille, il se mettait à crier comme un malade. Ils fument des pétards, ils prennent de la cocaïne, ils revendent des médocs, sûrement qu'ils veulent s'envoyer ma fille ! Ça, il ne le disait pas explicitement. Il tapait du poing sur la table ou dans le mur.

Mais l'habitude d'espionner Francesca, il l'avait prise avant : depuis que le corps de sa petite s'était comme débarrassé de ses écailles pour acquérir peu à peu une peau et une odeur précises, nouvelles, primitives peut-être. Tout à coup, de la petite Francesca, avaient jailli un petit cul et une paire de nichons insolents. Le bassin s'était cambré, dessinant les galbes du buste et du ventre. De tout ça, il était le père.

En ce moment il regardait sa fille se démener au bout de ses jumelles, se jeter en avant de toutes ses forces pour attraper un ballon. Ses cheveux trempés qui collaient à son dos et ses hanches, sa peau incrustée de sel.

Les ados jouaient au volley en cercle, autour d'elle. Elle, Francesca, tout élan et mouvement, dans un même et unique tumulte de cris et d'éclaboussures à la lisière de l'eau. Mais Enrico ne s'intéressait pas au jeu. Enrico pensait au maillot de sa fille : nom de Dieu, on voit tout. Ça devrait être interdit, des maillots pareils. Si un seul de ces salauds se hasarde à me la tripoter, je descends sur la plage avec ma matraque.

« Qu'est-ce que tu fais ? »

Enrico se retourna vers sa femme qui, debout au milieu de la cuisine, le regardait avec une expression mortifiée. Oui, Rosa se sentait mortifiée, diminuée, de voir son mari ainsi, les jumelles à la main à trois heures de l'après-midi.

« Je surveille ma fille, si tu permets. »

Ça n'était pas toujours facile non plus de soutenir le regard de cette femme. L'accusation constante, plantée là, dans les yeux de son épouse.

Enrico fronça les sourcils, avala sa salive.

« C'est le minimum quand même...

— Tu es ridicule », siffla-t-elle.

Il regarda Rosa, comme un objet qui vous encombre et vous met en rogne, pas plus.

« Tu trouves ridicule de garder un œil sur ma fille, par les temps qui courent ? Tu vois pas avec qui elle traîne à la plage ? C'est qui, ces types, hein ? »

Cet homme-là, quand il sortait de ses gonds – et c'était souvent –, son visage se congestionnait, les veines de son cou gonflaient à faire peur.

Il n'avait pas autant de colère en lui, à vingt ans, avant de se laisser pousser la barbe et de prendre tous ces kilos. C'était un beau garçon, qui venait d'être engagé chez Lucchini, et qui depuis l'enfance s'était forgé les muscles à travailler la terre. Il s'était transformé en géant dans les champs de tomates, et plus tard à pelleter le charbon. Un homme comme tant d'autres, monté de la campagne à la ville, son baluchon sur l'épaule.

« Tu vois pas ce qu'elle fait, à son âge… Et comment elle est fagotée, merde ! »

Ensuite, avec les années, il avait changé. Jour après jour, imperceptiblement. Ce géant qui n'avait jamais franchi les limites du Val di Cornia, qui n'avait jamais vu le moindre bout d'Italie, s'était comme gelé de l'intérieur.

« Réponds ! Tu vois pas comment elle se promène, ta fille ? »

Rosa se contenta de serrer plus fort le torchon avec lequel elle venait d'essuyer les assiettes. Elle avait trente-trois ans, des mains abîmées, elle s'était laissée aller après son mariage. Sa beauté méridionale s'était noyée dans les lessives, sur le périmètre de ce carrelage frotté jour après jour depuis dix ans.

Dans son silence, il y avait une dureté. Un de ces silences immobiles, prêts à l'attaque.

« C'est qui, ces types, hein ? Tu les connais ?

— Des braves garçons…

— Ah, alors tu les connais ! Et pourquoi tu me dis rien ? Pourquoi dans cette maison on me dit jamais rien, hein ? Elle te cause à toi, Francesca ? Oui, évidemment, elle reste des heures à causer avec toi… »

Rosa jeta le torchon sur la table.

« Demande-toi donc plutôt, lâcha-t-elle, pourquoi elle te cause pas, à toi. »

Mais déjà il n'écoutait plus.

« On me dit rien, à moi ! On me dit jamais rien, nom de Dieu de merde ! »

Rosa se pencha sur la bassine d'eau sale. Il y avait des femmes de son âge, l'été, qui allaient encore dans les boîtes de nuit. Elle, elle n'y avait jamais mis les pieds.

« Et moi, je suis quoi ? Un con ? Tu me prends pour un con ? Elle se balade attifée comme une pute ! C'est comme ça que tu l'élèves, hein ? Bravo ! Mais moi, un de ces quatre... »

Elle souleva la bassine et la vida dans l'évier du balcon, les yeux sur les grumeaux de crasse dans le tourbillon du siphon. Elle aurait voulu le voir crever là, écroulé par terre, agonisant.

« Et puis je vous emmerde, toi comme elle ! C'est pour quoi que je travaille ? Pour toi ? Pour cette traînée ? »

Après, lui rouler dessus avec la voiture, l'écrabouiller sur la chaussée, le réduire en bouillie, comme le ver de terre qu'il était.

Francesca comprendrait. Le tuer. Si je n'étais pas tombée amoureuse, si j'avais cherché du travail, si j'étais partie il y a dix ans.

Enrico lui tourna le dos et appuya son corps gigantesque à la balustrade dans le soleil qui, à trois heures de l'après-midi, pèse comme l'acier et qui écrase tout. La plage, de l'autre côté de la rue, s'emplissait de parasols et de cris. Ça grouille de monde, se dit-il. Et il ralluma le mégot de cigare, éteint entre ses doigts. Des doigts rouges, trapus, calleux. Les doigts d'un ouvrier qui ne met jamais de gants, même pour jauger la température de la fonte.

D'un côté, il y avait la mer, envahie par les ados en cette heure étouffante. De l'autre, le museau plat des barres d'immeubles. Et tous les stores baissés le long de la rue déserte. Les scooters encombraient les trottoirs, garés n'importe comment, chacun avec son autocollant, et des inscriptions au marqueur : *Francesca, je t'aime*.

La mer et le mur des barres d'immeubles, le soleil brûlant de juin, c'était comme la vie et la mort qui s'insultent. Pas de doute : vue de l'extérieur, pour ceux qui n'y habitaient pas, la via Stalingrado c'était une désolation. Pire : la misère.

Au balcon du dessus, au quatrième, un autre homme s'appuyait à la rambarde rouillée et regardait la plage.

Enrico et lui étaient les seules silhouettes humaines visibles dans l'immeuble.

Le soleil cognait. Le crépi tombait par plaques.

L'homme, petit, torse nu, venait de refermer le clapet de son portable. Un nain, comparé au géant à jumelles du troisième. Il avait gueulé tout le temps de la communication : il n'était pas spécialement en colère, c'était son ton normal. Il avait parlé d'argent, des sommes astronomiques, sans qu'un seul instant ses petits yeux vifs se détachent de la plage, comme s'il cherchait quelque chose, qu'à cette distance et sans ses lunettes il ne risquait pas d'y trouver.

« Un de ces jours, j'irai à la plage, moi aussi. Et qu'est-ce qui m'en empêche ? Au fond, je suis au chômage », ricanait-il comme pour lui-même, à voix haute.

De l'intérieur de l'appartement arriva un hurlement.

« Quooooi ?

— Rien », répondit le petit homme, qui venait de se rappeler qu'il avait une femme.

Sandra apparut sur le balcon, le balai serpillière dégoulinant d'ammoniaque.

« Artù ! s'écria-t-elle en brandissant son balai. T'es dingue ou quoi ?

— Je plaisantais ! fit-il avec un geste évasif de la main.

— Tu trouves que c'est des plaisanteries à faire ? Avec le lave-vaisselle à payer, les traites pour l'autoradio de ton fils… Plus d'un million pour un autoradio, je vous jure ! Et celui-là qui fait des blagues… »

Ça n'était pas une blague. Chez Lucchini, il s'était fait choper à piquer des jerrycans de gasoil.

« Allez, pousse-toi. Faut que je balaie. »

Depuis qu'il avait été embauché, Arturo piquait du gasoil à monsieur Lucchini, comme ça, histoire de faire le plein et d'en revendre un peu aux paysans. Pendant trois ans, personne ne s'en était aperçu. Et maintenant, putain de salauds…

« Je t'ai dit pousse-toi, il est dégueulasse ce carrelage. »

Il s'éloigna en sifflotant. Rentra dans la cuisine. C'était un petit bonhomme gai, expansif : il avait des tas de copains. Il s'était fait licencier, il était couvert de dettes, et il sifflotait.

Il attrapa une nèfle dans le compotier sur la table, y planta les dents sans penser à rien. Dans sa tête se montaient des combines incroyables : du genre zéro stress et tout bénef.

« Mais arrête de nettoyer. Faut toujours que tu nettoies !

— Et pourquoi, à ton avis ? C'est toi qui vas le faire ? »

Arturo n'avait connu qu'occasionnellement les affres du boulot. Sa femme en revanche les affrontait rigoureusement depuis l'âge de seize ans, ce qui leur avait permis, entre autres, de payer le loyer tous les mois et d'élever deux enfants. Il avait été, dans l'ordre chronologique : voleur à la tire, ouvrier chez Lucchini, à la Dalmine, à la Magona d'Italia, puis Lucchini de nouveau, comme chef d'équipe. Né dans l'île de Procida, il était parti à dix-neuf ans travailler en usine à Piombino, une nouvelle vie : une vie finalement en règle, honnête. Pour lui, ceux qui prenaient la carte du syndicat, c'étaient des pauvres types. Une seule certitude dans la vie : travailler fatigue.

« Anna ? Elle est à la plage ?

— Oui, avec Francesca.

— Et Alessio ? »

Sûr : demain il gagnerait au poker, et avec le fric, il monterait des affaires. Il le sentait. Comment on dit, déjà ? *C'est écrit*. Et après il lui achèterait un diamant, à Sandra, parce que... Comment c'est la phrase, déjà ? *Un diamant est éternel.*

« Je crois qu'il est à la plage aussi.

— Faut que je lui parle, à ton fils. Il veut absolument une Golf GT... Mais quel besoin il a d'une Golf GT ? »

Sandra releva la tête du carrelage déjà sec et resta comme ça, dans la lumière – laisse-le dire, de toute façon il n'a pas l'argent –, avec la sueur qui coulait sous ses bigoudis.

Elle rentra et s'assit à la table de la cuisine. Elle se mit à observer attentivement son mari : malgré les années, il ne changeait pas. « À partir de demain... », c'est ce qu'il disait toujours, et elle, chaque fois, s'y laissait prendre.

« Ton fils, il vote Berlusconi, dit Sandra en faisant semblant de sourire. La justice sociale, il s'en fiche, ce qu'il veut c'est une belle bagnole. Il veut parader, quoi, il veut frimer... Mais toi, tu peux parler, avec ta voiture à cinquante briques. À propos, t'as payé la vignette ?

— La vignette ? »

Le sourire feint disparut aussitôt de son visage.

« Avant de penser au fric de ton fils, tu ferais mieux de pas jouer le tien.

— On va pas recommencer ? » Arturo gonfla les joues et souffla comme un taureau.

« Non, justement : on va pas recommencer. »

Sandra bondit sur ses pieds et moulina des bras dans la chaleur étouffante qui stagnait dans la cuisine.

« Pas la peine de jouer les offensés, hein. Me prends pas pour une conne. Il est passé où, ton dernier salaire ?

— Sandra !

— À la banque, il est jamais arrivé ! T'es allé le jouer, dis-le ! Il est allé le jouer, avant même de le mettre à la banque... Y a pas écrit "poire" là, t'entends ? », dit-elle, passant l'index sur son front trempé de sueur, au-dessus de ses sourcils mal épilés.

Arturo ouvrit les bras. « Allez, fais-moi un petit bisou... »

Cet homme ne changerait jamais. Quand il ne savait plus à quelle branche se rattraper, il devenait tout tendre.

Ils disparurent ensemble dans le ventre de l'appartement.

Le store des époux Sorrentino était baissé maintenant, comme tous les autres dans l'immeuble (tous, sauf un). Baissé, mais coincé à mi-course.

« Tu vas le réparer quand, ce store, Artù ? »

Silence. Puis dans la salle de bains on entendit l'eau du robinet couler, le bruit d'un rasoir à lame sur le bord du lavabo. Et Arturo se mit à chanter. Sa chanson préférée : *Maracaibo, mare forza nove, fuggire sì ma dove ? Za-zà*[1].

1. « Maracaibo, mer force neuf, s'enfuir mais où ? » : célèbre chanson de Raffaella Carrà. *(Les notes sont de la traductrice.)*

À trois heures de l'après-midi, en juin, les vieux et les mômes allaient dormir. La lumière, dehors, était de feu. Assis devant la télé, les ménagères et les retraités en pantalon de polyester, les survivants des hauts-fourneaux, inclinaient la tête, asphyxiés par la chaleur.

Après le déjeuner, la façade de ces barres d'immeubles toutes pareilles, collées les unes aux autres, ressemblait à un mur de niches funéraires dans un cimetière. Des femmes aux jambes gonflées, les fesses ballottant sous la blouse, descendaient s'asseoir dans la cour à l'ombre, autour d'une table de camping. Elles jouaient aux cartes et agitaient frénétiquement leur éventail en parlant de tout, et surtout de rien.

Les maris, s'ils n'étaient pas au travail, ne mettaient pas le nez dehors. Ils restaient là, avachis, torse nu, ruisselants de sueur, à manier la télécommande. Pas pour écouter ces connards de la télé. Juste pour mater les bimbos, ces petites garces, le contraire absolu de leurs femmes. L'an prochain je mets la clim, au moins dans le salon. Ils ont intérêt à me payer mes heures sup demain, sinon je te jure que je vais gueuler.

Arturo se rasait le menton et chantait une chanson de son enfance, l'époque du boum des logements sociaux, quand on avait bâti ces barres d'immeubles devant la plage pour les ouvriers des aciéries. L'idée de la municipalité communiste, c'était que les métallos aussi avaient droit à un appartement avec vue. Sur la mer, pas sur l'usine.

Quarante ans plus tard, tout avait changé : il y avait l'euro, la télé à la carte, les paraboles, mais il n'y avait plus de Démocratie chrétienne ni de Parti communiste. C'était une vie complètement différente maintenant, en 2001. Mais les barres d'immeubles étaient toujours là, et l'usine, et la mer.

La plage de via Stalingrado, à cette heure, était pleine à craquer de gosses hurlant, de glacières, de parasols encastrés les uns dans les autres. Anna et Francesca se couraient après sur le rivage, tombaient à l'eau en poussant des cris de victoire et en éclaboussant partout. Autour d'elles, des bandes d'ados, muscles tendus, s'élançaient pour rattraper un frisbee ou une balle de tennis.

Pour beaucoup, cette plage était nulle parce qu'il n'y avait pas de cabines, que le sable s'y mêlait à la rouille et aux ordures, que les égouts passaient au milieu, il n'y avait que la racaille pour y aller, et ceux de la via Stalingrado.

Partout de grands tas d'algues, qu'à la mairie personne ne donnait l'ordre de ramasser.

En face, à quatre kilomètres, les plages blanches de l'île d'Elbe brillaient comme un paradis impossible. Le royaume préservé des Milanais, des Allemands, des touristes à la peau satinée, en lunettes de soleil et Porsche Cayenne noire. Mais pour les jeunes qui vivaient dans les barres, pour les fils de personne qui suaient leur sueur et leur sang dans les aciéries, la plage devant chez soi c'était déjà le paradis. Le seul vraiment vrai.

Quand le soleil faisait fondre le bitume, que l'air chaud empestait et que les toux crachées par les cheminées de la Lucchini stagnaient au-dessus de la tête, ceux de la via Stalingrado allaient pieds nus à la plage. Il n'y avait que la rue à traverser pour se jeter dans l'eau tête la première.

Anna et Francesca y passaient leur vie, dans l'eau. Elles étaient impressionnantes à voir, nageant en parallèle jusqu'à la dernière bouée. Un jour, elles iraient jusqu'à l'Elbe – à la nage, disaient-elles – et elles ne reviendraient plus.

Ceux de vingt ans, avant d'aller se baigner, se retrouvaient au bar en larges cercles. Ils se déplaçaient en bande, une bande généralement formée autour d'un repère élémentaire : le numéro d'immeuble, le boulot plus ou moins violent, la qualité de la drogue ou, pour finir, l'équipe de foot préférée.

Ils n'avaient pas l'obsession de se jeter à l'eau des préados. L'apéro d'abord, la clope, une partie de poker. Ils avaient des pectoraux et des abdominaux, ou bien de gros ventres qui débordaient. Ils étaient comme des dieux de l'Olympe. Et pendant que leurs petits frères auraient tout donné pour un pot d'échappement trafiqué, pour entrer dans les boîtes où ils n'avaient pas l'âge, eux faisaient la loi, à coups de gueulantes et de beignes, dans des bolides bardés d'ailerons qui, le samedi soir – vitres baissées, coude à la portière –, frôlaient les cent quatre-vingt-dix à l'heure.

Les femmes aussi cognaient. Elles cognaient quand un beau mec comme Alessio se pointait à l'horizon. L'été était leur grand moment, le défilé de mode entre les cabines, cheveux dénoués. Celles qui pouvaient se le permettre, celles qui avaient le corps et l'âge pour. L'amour dans l'obscurité de la cabine. Sans réfléchir, sans préservatif, et celle qui tombait enceinte sans que le type la jette avait gagné le pompon.

« C'est pour bientôt », se chuchotaient Francesca et Anna. Quand une fille plus âgée arrivait à la plage sur un scooter flambant neuf, elles la viraient en imagination pour monter en selle à sa place. « Bientôt », quand les autres filles le samedi soir sortaient avec des paillettes sur les joues, du gloss et des talons hauts et qu'elles, elles restaient à la maison à essayer des fringues, la stéréo à fond.

Le monde était encore à venir. Le monde, c'est quand on a quatorze ans.

Elles plongeaient dans l'écume des vagues, ensemble, dès qu'un ferry passait et que la peau de la mer se fronçait pour de bon. Depuis quelques années déjà on parlait d'elles, dans les bars, aux tables des jeunes : on disait qu'elles étaient vraiment pas mal. Et attends un peu qu'elles grandissent.

Anna et Francesca, *treize-ans-presque-quatorze*. La brune et la blonde. Là-bas, au milieu de tous ces types, tous ces yeux, tous ces corps que l'eau faisait à nouveau semblables, muets et enthousiastes. Au moment où un garçon allait marquer, elles jouaient à lui piquer le ballon. Les poteaux, deux bouts de bois plantés dans le sable. Et la flambée de hurlements pour souligner le but.

Elles couraient au milieu de la foule, se retournaient pour se regarder, se prenaient par la main. Elles savaient que la nature était avec elles, que c'était une force. Dans certains milieux, pour une fille, tout ce qui compte c'est qu'elle soit jolie. Si t'es un boudin, ta vie sera nulle. Si les garçons n'écrivent pas ton nom sur les piliers de la cour de l'immeuble et ne glissent pas des petits mots sous ta porte, tu n'es rien ; à treize ans, tu as déjà envie de mourir.

Anna et Francesca lançaient des sourires à la cantonade. Nino, quand il les portait à califourchon sur ses épaules, sentait leur sexe chaud contre sa nuque. Massimo, avant de les balancer à l'eau, les pressait de chatouillis et de morsures. Devant tout le monde. Et elles se laissaient faire n'importe quoi par le premier venu, sans le moindre scrupule, sans la moindre clairvoyance. Comme ça, le monde à portée de la main, au nez et à la barbe de ceux qui regardent.

Mais elles n'étaient pas les seules à percevoir des nouveautés dans leur corps. Les nulles, les boudins comme Lisa, planquée sous sa serviette, auraient bien aimé elles aussi se rouler dans le sable devant tout le monde et courir à perdre haleine se jeter dans l'eau.

Dans la course d'Anna et Francesca, qui se cognaient à des bras, des sourires et des balles de tennis, le haut du maillot un peu défait, il y avait un défi. Et celles qui les regardaient jalousaient ces seins, ce cul, ce sourire insolent qui disait : j'existe.

Dans les eaux basses, le sable se mêlait aux algues et se faisait chair. Elles couraient, la blonde et la brune, dans la mer. Sentaient les regards masculins les fouiller. C'était ce qu'elles voulaient, qu'on les regarde. Sans raison précise. Elles jouaient, on voyait bien, mais c'était sérieux aussi.

La brune et la blonde. Ensemble, toujours et exclusivement. Quand elles sortaient de l'eau, elles se tenaient par la main comme un petit couple. Et au bar, elles entraient dans les toilettes ensemble. Elles se promenaient sur toute la longueur de la plage, se retournant quand elles recevaient un compliment, l'une d'abord, l'autre ensuite. Elles te la faisaient sentir, leur beauté. Elles en usaient avec violence. Et si Anna, quelquefois, te disait bonjour même si t'étais un boudin, Francesca jamais, et jamais elle ne souriait. Sauf à Anna.

Cet été 2001, personne ne peut l'oublier. Et la chute des tours jumelles ne fut, au fond, pour Anna et Francesca qu'une des composantes de cette immense exaltation de découvrir que leur corps changeait.

À présent, il n'y avait plus qu'un seul store relevé. Un seul homme qui transpirait à son balcon, jumelles à la main.

Enrico s'obstinait à chercher la tête blonde de sa fille au milieu des vagues, parmi les corps adolescents qui jouaient au volley, au foot, aux raquettes. Dans cet enchevêtrement de bras, de seins et de jambes, il isolait dans ses lentilles le buste de Francesca, réglait la distance, observait tel un animal aux aguets ses mouvements au contact de la mer.

Le dos de Francesca, sous les cheveux blonds ruisselants d'eau. Son derrière rond : il ne faut pas le regarder, personne ne doit, jamais. Il le regardait pourtant, Enrico, dégoulinant de sueur. Ce corps élancé et parfait qui avait jailli de sa fille, sans crier gare, sous les yeux de tous.

2

À la place du casque il portait une vieille casquette des Chicago Bulls, avec deux clous dorés de chaque côté de la visière.

Il venait de lui balancer un coup de poing, à ce connard. En prenant soin de descendre les bretelles de sa salopette avant, pour bien dégager sa droite. La charge suspendue en l'air, fixée au treuil géant du pont-roulant, oscillait comme un pendule dans la chaleur moite. Son biceps en tension, comme son visage noirci par la fonte.

« Répète ça ! hurlait Alessio par-dessus le vacarme. Répète ce que t'as dit, nom de Dieu ! »

Le gamin se tâtait le bleu que l'autre lui avait collé en pleine poire.

« Tu le vois, ce truc-là ? » et il tapa du plat de la main sur le dos rugueux d'une poche de coulée de seize tonnes.

Il n'avait pas seize ans, ce môme.

« Qu'est-ce que tu dis qu'elle fait, ma sœur ? » Il cracha un glaviot. « Ose le redire encore une fois… Tu l'as bien regardé, ce truc ? » et il montra de nouveau la poche de coulée. « Je te jette dedans. »

Mille cinq cent trente-huit degrés, la température de l'alliage en fusion. L'acier n'existe pas dans la nature, ce n'est pas une matière élémentaire. Une sécrétion produite par des milliers de bras humains, de compteurs électriques, de bras mécaniques, et même parfois les poils d'un chat qui passait par là.

Le gamin baissa les yeux. Il venait d'être embauché, il avait à tout casser dix poils au menton. Tout le monde le regardait, les collègues, ravis de l'empoignade.

« Je te jette dedans », répéta Alessio, en grondant. Et il alluma une cigarette.

Un vieux, un type de la maintenance, grimpa sur le pont-roulant pour vérifier les câbles et engueula Alessio qui avait laissé la poche de coulée suspendue en l'air, sans aucune sécurité. Un type tourna la page du calendrier Maxim, resté sur celle du mois de mai. Remplaçant une brune en string, photographiée de dos, par les nichons énormes d'une blonde à cheval sur une moto.

Alessio enleva son tee-shirt trempé de sueur. Personne, même pas son meilleur copain, n'avait intérêt à venir dire de sa sœur… Le mot prononcé par le gamin lui revint en mémoire. Il dut s'avaler une gorgée grosse comme ça, de salive et de limaille de fer, pour garder son calme.

Ils étaient au milieu d'un terrain vague à l'herbe sèche, une steppe comprise entre les bobines de fil machine et la tour noire du quatrième haut-fourneau. Alessio jeta son mégot, l'écrasa aussitôt du pied : à deux heures de l'après-midi, n'importe quoi pouvait flamber ici. Il éteignit le clavier qui, sur le pont-roulant haut de dix mètres et large de vingt-quatre, commandait le système de poids et de contrepoids. Un vrai zoo : dans le ciel se dressaient les tours crénelées, les grues de toute espèce et dimension. Oiseaux-monstres à tête cornue, couleur de rouille.

« Connard ! » cria le type de la maintenance.

En bloquant les câbles, Alessio avait failli lui sectionner le pied.

L'épais magma noir et rouge du métal en fusion bouillonnait dans les poches de coulée, des fûts ventrus transportés depuis les wagons-torpilles. Citernes sur roues, semblables à des créatures des premiers âges. Alessio avait fini son service, il se versait une bouteille entière d'eau sur la tête.

Le métal était partout, à l'état naissant. Cascades ininterrompues d'acier et de fonte rougeoyante, de lumière visqueuse. Des rapides, des torrents, des estuaires de métal en fusion pris entre les digues de la coulée, enfermé dans les cuves des poches, transvasé par les entonnoirs et déversé dans les trains à bandes.

Si tu levais les yeux, tu voyais bouillonner le mélange de fumées grasses, dans un vacarme de robots. À toute heure du jour et de la nuit la matière était transformée. Le minerai et le charbon arrivaient par la mer, accostaient au port industriel sur de gigantesques navires minéraliers : un carburant, qu'acheminaient dans les airs les bandes transporteuses, ces autoroutes aériennes en sauts-de-mouton qui filaient sur une infinité de kilomètres, des quais jusqu'à la cokerie, jusqu'aux hauts-fourneaux. Au milieu de tout ça, tu sentais ton sang circuler à un rythme dingue, des artères jusqu'aux capillaires, et tes muscles gonfler par à-coups : tu régressais à l'état animal.

Dans ce gigantesque organisme, Alessio était minuscule, et vivant.

Il jeta un coup d'œil à la blonde du calendrier Maxim. L'envie de baiser, constante, là-dedans. La réaction du corps humain dans le corps du Titan industriel : bien plus qu'une usine, c'était la matière elle-même en transformation.

Elle avait un nom et une formule. $Fe_{26}C_6$. La fécondation assistée s'opérait dans une cuve haute comme un gratte-ciel, l'urne rouillée de l'Afo 4[1], avec son ventre et ses centaines de bras, sa tête en tricorne. Mais un seul ventre ne suffit pas. Il en faut d'autres : des convertisseurs, des laminoirs, des poches vertigineuses et brûlantes par douzaines, des conduits et des buses, inévitables excroissances de l'obligation de gagner sa vie.

À moitié nu, il marchait vers la sortie sud, le jeune homme blond qui, après huit heures de pont-roulant, s'envoyait encore deux heures de boxe et sortait en boîte le mardi, le vendredi et le samedi. Il pensait à sa sœur, Anna. Elles exagéraient, avec sa copine Francesca : le rouge à lèvres, les maillots de bain transparents, les après-midi en douce avec des types… Il faudrait les surveiller, ou plutôt, les freiner.

Il traversa le parc à bobines : des murailles de rondelles d'acier, au milieu desquelles il était un nain. On l'ignorait, dehors, mais là-dedans il y avait des péages et des gares routières, des échangeurs, des places, des carrefours. Alessio franchit des rails, sans se préoccuper des trains de torpilles qui déboulaient tous les quarts d'heure. Il salua les chauffeurs routiers, à la queue leu leu sous la canicule, vitres baissées, jambes allongées sur le tableau de bord. Attendant de charger des poutrelles, des lingots, des billettes. Bientôt ils s'en iraient dans toutes les villes d'Europe dans leurs semi-remorques pareils à des éléphants, un christ lumineux vert ou fuchsia bien en vue sur la grille du moteur.

Il chassa du pied un cadavre de rat qui pourrissait. Déboucha dans l'allée secondaire, celle où Cristiano aimait faire des courses de Caterpillar.

1. Afo, pour *altoforno*, haut-fourneau.

Il sentait sur sa nuque la pression de la tour noire de l'Afo 4, l'araignée géante qui digère, mélange, éructe. Il sentait au-dessus de sa tête peser les grandes cheminées, certaines à moitié écroulées, les autres qui vivaient encore, crachant le feu comme des dragons. Des fluorescences bleuâtres, un nuage toxique qui suffisait à infecter le Val di Cornia et même la Toscane tout entière.

Il laissait derrière lui le cœur : le gazomètre, qui ferait sauter toute la ville de Piombino s'il explosait, les carcasses posthumes des trois hauts-fourneaux non encore démantelés et, là-bas, au fond, la cokerie où on chargeait encore à la pelle comme au XIXe siècle.

Le ciel n'en était pas un. C'était une volière. Les flammes violettes des fours, les bras des grues, les tonnes de métal enchaînées aux becs des palans. La succession sans fin des hangars, des bureaux, des soutes. Une obsession auto-engendrée. Les cheminées, actives ou pas. Elles crépitaient sans discontinuer au-dessus de sa tête : violettes, rouges et noires les flammes. Jaunes, verts les bras des grues qui tournaient, les tonnes de métal voltigeant comme des oiseaux, jaunes les nuages de carbone, noirs quand ils sortaient de la gueule des cheminées. Ils appellent ça le cycle intégral continu.

Alessio piétinait des orties et des fragments de briques réfractaires. La terre était saturée de métal, comme sa peau.

D'autres chauffeurs arrivaient, d'autres poids lourds. Un énorme lombric de semi-remorques qui attendaient, parce qu'il y avait un problème, pour changer. Le temps s'allongeait, se liquéfiait. Ils coupaient les moteurs.

Si tu voulais faire le compte des failles dans le système, tu n'aurais pas assez de doigts, même avec les deux mains et les pieds.

Alessio marchait d'un pas rapide, brûlant l'eau et les kilomètres dans la chaleur de la ville parallèle. Les millions de pistons des moteurs à excitation en série – oui, l'excitation et la série – fonctionnaient tous en même temps à un rythme frénétique, le mouvement élémentaire de la machine, qui est celui de la vie. Quelquefois, pour résister à l'ennui ou à la peur, tu étais obligé d'aller t'asseoir dans un coin et d'ouvrir ta braguette.

Alessio était énervé, il pensait à sa sœur, à la Golf GT tellement super. S'il y avait des gens qu'il ne supportait pas, c'était bien ces trous-du-cul gâteux de la gauche. DS, Rifonda[1]. Quelle daube, ces cocos : les airs qu'ils se donnaient, les grands mots qu'ils débitaient. Aux élections du 13 mai, il avait voté *Forza Italia*. Il était sûr d'une chose : les mots, ça ne sert à rien.

Il y avait des pancartes tordues aux carrefours. Les ouvriers les tournaient exprès pour faire la nique aux chauffeurs et aux contrôles. Il l'avait fait aussi, une fois, avec Cristiano : ils avaient envoyé les visiteurs au parc rails au lieu du parc billettes. Une façon comme une autre de rigoler, dans ce luna-park rouillé, à moitié démantelé maintenant. Mais il y avait encore trente ans, vingt mille personnes travaillaient là, le marché était en pleine expansion, l'Occident qui reproduit son monde et qui l'exporte.

Ils n'étaient plus que deux mille aujourd'hui, sous-traitants compris. Les patrons délocalisaient à l'Est. Certaines branches de l'usine mouraient, on faisait sauter cheminées et hangars à la dynamite. Tout partait en couilles. Mais eux, les ouvriers de la septième génération, ils rigolaient

1. *Democratici di Sinistra et Rifondazione* sont les deux principaux partis issus de la scission du Parti communiste italien en 1998.

bien, à chevaucher leurs bulldozers comme des taureaux, transistor à fond la caisse, une amphète sous la langue.

On s'adapte. Et ceux qui s'adaptent le mieux, c'est encore les chats. Il y en avait des centaines, dans les caves sous la cantine, tous malades, tous noir et blanc, à force de se croiser entre eux.

Alessio traversait les landes désolées des derniers hangars, vers la fin du cycle de production. Quand on arrivait à l'usinage des rails, l'espace se raréfiait : là commençaient les roseaux, les marais, et tu pouvais pousser un ouf de soulagement.

Moi, je vote pas pour des pauvres types. Ils sont nuls, ces cocos. Ils feraient mieux d'aller jouer au boulodrome.

Alessio pointa, salua la femme qui se fanait dans sa guérite, se retrouva dehors.

Dehors, il y avait la mer.

Au changement d'équipe, un essaim d'ouvriers se dispersait dans le parking. Avant de monter en voiture, une Peugeot avec jupe latérale et aileron, arrière, Alessio s'arrêta pour le regarder. Le haut-fourneau. Vous pouvez l'appeler par son nom : Afo 4. Ou l'estropier en Ufo, comme tout le monde. *Unidentified Flying Object*. Un ovni. La guerre mondiale ferait rage autour de lui (c'était arrivé pour de bon, en 1944, l'usine envahie par les nazis) qu'il resterait là, imperturbable, à faire son travail. Et toujours il t'arrache un sourire, de peur et d'étonnement. Comme à Alessio en ce moment.

Sa longue trompe à aspirer le charbon, les testicules où cuit l'acier, son museau en tricorne, son puissant squelette de cathédrale à l'état d'ébauche. Le commencement. Le corps duveteux et rose de sa sœur qui commençait à développer des seins, des hanches, à exciter. La fourrure blonde à l'aine, sous les aisselles. L'odeur animale, quand elle rentrait de la plage et dénouait son maillot pour prendre une douche.

Il refusait de le croire, qu'Anna allait déjà dans les cabines avec des types. Faire Dieu sait quoi.

3

C'était un jeu et pas un jeu.

Au-dessus du lavabo, dans le miroir taché de dentifrice, la blonde et la brune se reflètent dans leur version la plus délurée. Immobiles et trépidantes. Lèvres avancées en bouderie, cheveux défaits. La stéréo en équilibre précaire sur le lave-linge, volume au maximum. Un vieux CD d'Alessio, des années 90.

Anna et Francesca, quand chez Anna il n'y a personne.

Leur corps pulse comme la musique, avec la musique. Elles attendent que la chanson commence pour se déshabiller.

La fenêtre est ouverte. Elles se sont enfermées à clé dans la salle de bains. Elles le font tous les lundis matin, l'été, quand la classe est finie et que tout le monde est au travail. Elles relèvent le store, ouvrent les rideaux. Elles se tiennent là, à moitié nues, au milieu de la pièce. Dans l'immeuble en face, seuls sont restés les retraités et les tire-au-flanc.

Elles se sont maquillées, outrageusement. Le rouge à lèvres déborde, le rimmel coule avec la chaleur et plâtre leurs cils, mais elles s'en fichent. C'est leur carnaval à elles, la provocation qu'elles lancent par la fenêtre. Au fond, elles le savent que quelqu'un pourrait les mater et tomber le pantalon.

Dès que la chanteuse attaque, Anna et Francesca, pieds nus, se démènent férocement. Elles improvisent des figures à la Britney Spears. Et ça marche du tonnerre, à en croire les paires d'yeux qui les fixent dans les appartements d'en face.

The summer is magic, is magic. Oh, Oh, Oh... the summer is magic...

Anna, dans le rectangle de la fenêtre, est celle qu'on voit la première. Elle a mis le soutien-gorge en dentelle de sa mère, qui jure avec sa petite culotte rose à fleurs.

Francesca reste derrière, dans l'ombre. Elle porte un tee-shirt blanc qui ne laisse deviner ses petits seins qu'en transparence. Elle s'y risque, mais habillée. Elle ne sourit pas. Le haut de son string dépasse de son jean taille basse : pour bien montrer qu'elle porte un string, ce que son père ne veut pas.

L'envie de faire un truc qu'on ne doit pas faire, que le monde doit voir.

The summer is magic, is magic. Oh, Oh, Oh... the summer is magic...

En réalité, elles ne chantent pas. Elles bougent seulement les lèvres. Et quand le refrain revient pour la centième fois, Anna dégrafe son soutien-gorge. Elle danse. Ou plutôt, agite sauvagement le bassin. Joue avec l'élastique de sa culotte. Secoue la vapeur de ses cheveux en soufflant sur les mèches qui retombent sur son front. Dans la glace elle ne voit que ses seins et son ventre, nus devant la fenêtre, dans le soleil du matin qui frappe ce côté-ci de l'immeuble. L'air étouffant recuit dans le béton.

Elles font semblant d'ignorer que des hommes qu'elles croisent dans l'escalier les regardent.

Francesca fait pareil. Elle enlève son tee-shirt. La voilà torse nu, une nudité presque masculine.

Elle est pâle et osseuse. Tout en elle est clair, même en été. Elle ne bronze pas, elle n'a même pas l'air italienne. Elle danse à sa façon : lente et dure. Francesca ne se lâche jamais. Son visage est sérieux, il veut provoquer mais reste fermé. Elle regarde son amie, elle fait comme elle. Elle cherche ses mains, en attrape une, l'embrasse.

This is the rhythm of the night, the night... oh, yes. This is the rhythm of the night...

La musique résonne contre les carreaux de céramique, s'ajoute au magma des bruits qui montent de la cour, des balcons. Les carreaux de la salle de bains sont verts, la céramique s'écaille ici ou là. L'oncle de Lisa, à sa fenêtre, allume une cigarette. Et les regarde.

Du strip-tease elles ont une idée absurde. Elles mixent les clips qui passent sur MTV avec les interludes des bimbos de la télé. Mais elles n'ont que treize ans, elles ignorent tout. Et dans un ensemble de quatre immeubles qui se font face, il y a bien une centaine de fenêtres d'où l'on peut zyeuter cette salle de bains.

C'est ce qu'elles veulent. Leur petit jeu du lundi matin à dix heures et demie. Et la rumeur se répand de ce qu'elles font – dans les couloirs, les cages d'escalier, les ascenseurs.

Des gens prennent leur petit déjeuner, à cette heure-là. Certains se réveillent exprès, maintenant.

Francesca tourne le dos à la glace, rassemble la masse de ses cheveux blonds au-dessus de sa nuque. Le miroir sale, taché de rouille sur les bords, renvoie une poitrine et un dos adolescents, côte à côte, en contrepoint parfait.

La colonne vertébrale s'arque légèrement. Francesca se penche pour déboutonner son short. L'enlève. Et Anna à son tour retire sa petite culotte.

Si mon père savait.

Elles se meuvent comme deux tentacules, elles ont cessé de se regarder. En face, des femmes mariées battent les tapis sur les balcons. Les mêmes à-coups du bassin, les mêmes caresses du nombril à la poitrine, puis elles glissent un doigt en bas, puis un autre. Elles s'enlacent, adhèrent parfaitement l'une à l'autre, comme des serpents. Peau contre peau. Les yeux clos.

Francesca appuie son visage contre l'épaule d'Anna, entre ses bras. Elle fait glisser lentement ses lèvres sur son cou, derrière l'oreille. Et Anna renverse la tête en arrière. Elle a un sourire qui inquiète.

La première chose qui te venait à l'esprit, c'était : merde, pour qui elles se prennent ? La seconde : petites vicieuses.

Elles s'enlacent devant le miroir. Elles ne dansent plus, maintenant. Elles sont enlacées, c'est tout, et bougent lentement. Et l'on ne sait où commence l'une, où finit l'autre. Elles se caressent le visage, les mains glissent le long des hanches, de la colonne vertébrale. Et peut-être ont-elles peur. Elles se cherchent du nez et des lèvres, se font tendres et absentes.

This is the rhythm of the night, the night... oh, yes. This is the rhythm of the night...

Quelqu'un les regarde derrière un rideau. Et ça leur est complètement égal.

Cette espèce de furie qui accompagne l'éclosion du corps, quand tu as treize ans et que tu ne sais pas quoi en faire. Ta meilleure amie est là devant toi, frottant son ventre contre le tien.

Elles s'enlacent et restent ainsi, à se câliner. Tombent dans une lenteur animale, un oubli.

Anna sourit, les yeux mi-clos. Elles se frottent le nez contre le nez, les joues, la figure. Anna effleure Francesca. Francesca ouvre les yeux. Anna la caresse et Francesca la retient. Son visage tremble à peine. Elle enfonce un peu les ongles dans la peau de sa meilleure amie. Anna pose les lèvres sur ses lèvres.

Oh, yes. The rhythm of the night...

Mais le sortilège cesse d'un coup. À un moment, elles se séparent. Elles éteignent la stéréo et tirent le rideau devant la fenêtre.

C'était toujours Anna qui s'écartait la première. Ni l'une ni l'autre ne pouvait, ne savait comment continuer. Mais les hommes qui les avaient regardées ne s'arrêtaient pas. L'oncle de Lisa se réveillait exprès pour se branler sur les gamines de l'immeuble d'en face. Et Lisa aussi tirait le rideau, le cœur en émoi, fermait les battants, et quelquefois avait envie de pleurer.

Anna se plaça dans le rectangle de la fenêtre, nue comme elle était, les coudes sur le rebord. Elle regarda une cuillère en bois tourner dans un faitout, et une femme costaude batailler avec de longues côtes de céleri.

Dans l'immeuble d'en face, de l'autre côté de la cour infestée par ces deux petites pestes, beaucoup de femmes s'occupaient déjà de préparer le repas : la sauce des pâtes, par ici, on la met à bouillir dès le milieu de la matinée. Anna regardait les gamins jouer au ballon dans la cour, un jeune couple se disputer sur le balcon, le type balançait un coup de pied dans un pot de basilic.

Et puis, il y avait le ciel, limpide.

Elle aimait cet endroit. Elle voyait les barres, le bordel généralisé, Emma enceinte à seize ans qui rentrait avec les sacs des courses, et elle se sentait faire partie de tout cela.

« C'est dingue. Tu nous vois aller en classe en scooter ! On prend la descente de Montemazzano...

ça fonce là-bas, tu sais ? Mon frère a dit qu'il me donnera son scooter, de toute façon il ne s'en sert plus. »

Francesca restait cachée dans l'ombre, assise sur le bidet.

« Ils nous feront plus chier, ils pourront plus nous empêcher de sortir ! »

Francesca avait les jambes n'importe comment et les yeux baissés.

« Personne te rattrape, en scooter. Le babouin, il te dit : ce soir, tu sors pas. Mais toi, tu prends ton scooter, tu te barres et tu reviens jamais ! » Elle rayonnait, Anna.

Francesca, non. Elle avait peur.

« Toi, t'en as rien à foutre qu'on soit séparées », lâcha-t-elle. Elle se leva brusquement et regarda Anna, le visage dur : « Rien à foutre. »

La chaleur humide stagnait dans les barres, faisait le siège des appartements, les transformait en marécage.

« Qu'est-ce que tu racontes ? »

Francesca se tourna vers la glace.

Ça l'agaçait qu'Anna se monte la tête en pensant à l'avenir, et même, ça la blessait carrément qu'elle saute de joie à l'idée d'aller dans une autre école que la sienne, une autre classe. Et qu'elles ne puissent plus se voir à la récréation, partager leur goûter.

En plus, il y avait qu'Anna irait au lycée classique, qu'elle était sortie du collège avec de très bonnes notes et qu'elle aimait les études. Anna n'avait pas de problème pour se laisser embrasser par les garçons, Anna n'avait pas de bleus dans le dos ni sur le ventre. Francesca, elle n'aimait pas l'école.

« Tu sais bien que l'Institut professionnel est juste en face du lycée, dit Anna, le matin on partira ensemble, et on rentrera ensemble aussi.

— Super ! » rigola Francesca, en se passant du démaquillant sur les yeux.

« Je déteste quand tu fais ça... La fausse peau de vache. Au lieu de penser à tout ce qui va changer, tu balances des vannes.

— Pousse-toi, laisse-moi faire pipi. »

Il était midi passé. Les mères commençaient à appeler les enfants par la fenêtre.

« Ça vient pas ? se mit à rire Anna.

— Pas si tu regardes. »

Ça veut dire quoi, grandir dans un ensemble de quatre barres d'immeubles d'où tombent des morceaux de balcon et d'amiante, dans une cour où les enfants jouent à côté des jeunes qui dealent et des vieilles qui puent ? Quel genre d'idée tu te fais de la vie, dans un endroit où il est normal de ne pas partir en vacances, de ne pas aller au cinéma, de ne rien savoir du monde, de ne pas feuilleter les journaux, de ne pas lire de livres, où la question ne se pose même pas ?

Cet endroit-là, elles s'y étaient rencontrées et elles s'étaient choisies.

Maintenant Francesca baissait les yeux, écoutait le jet crépiter dans la cuvette des waters, et elle avait envie de rire. Anna la regardait à nouveau. Francesca tirait un bout de papier toilette, en faisait une boulette, qu'elle lui lançait. Et l'autre la renvoyait en riant.

« On se douche ? » demanda Anna en ouvrant le robinet.

Déjà, elles étaient réconciliées. Francesca sourit et entra dans la cabine, la porte coinçait. La vue, l'ouïe se brouillaient sous le jet. Il restait le toucher, fesses de l'une contre fesses de l'autre.

Elles ne parlaient plus, à présent. Les mots, ça ne sert à rien, la plupart du temps à se disputer. Elles se nettoyaient doucement à l'éponge et s'étonnaient de leurs différences : un grain de beauté, la forme oblongue ou arrondie des ongles. Elles s'en étonnaient comme d'une chose qui n'a pas de sens.

Pourquoi Anna avait-elle les hanches plus larges et la poitrine plus grosse ? Et pourquoi Francesca avait-elle le derrière plus rond et plus haut placé ? Et le nombril plus enfoncé ?

« Pourquoi on n'est pas pareilles ? demanda Francesca en massant les boucles d'Anna.

— Parce qu'on est différentes, même si on est pareilles.

— Et pourquoi ?

— Parce qu'on est nées ensemble, on habite ensemble, on mourra ensemble et on fera tout ensemble.

— Et comment on fera pour mourir ensemble ?

— Je sais pas. »

Elles s'essuyèrent à toute vitesse. Elles ne voulaient pas être surprises par Sandra, qui pouvait rentrer d'un instant à l'autre.

Quand elles sortirent sur le palier, les cheveux encore humides, Francesca s'arrêta sur la première marche. Elle avait changé de visage. Elle se retourna vers son amie avec des yeux devenus plus grands.

« J'ai pas envie de rentrer. Le babouin, il revient déjeuner, aujourd'hui... »

Dans la pénombre de l'escalier poussiéreux et malodorant, Francesca se tenait en équilibre sur le bord de la première marche, elle ne pleurait pas : elle n'avait jamais aimé pleurer.

Anna s'approcha et tenta de l'encourager par une caresse.

« De toute façon on se voit après, à deux heures pile... » Sa voix s'était faite plus douce.

« Ok », dit Francesca. Mais elle ne bougeait pas. Elle restait là, paraissait s'amenuiser.

De la cage d'escalier, de la pénombre des couloirs, montaient toutes les cinq minutes des échos de gifles suivies de hurlements. Un enfant éclatait en sanglots. Une mère poursuivait son fils sur le palier pour lui arracher des mains le pistolet à eau Exterminator avec lequel il l'avait aspergée. Elle lui donnait une fessée, puis la porte se refermait. On ne comprenait pas pourquoi il fallait toujours qu'ils gueulent : au fond, les gamins jouaient seulement aux gendarmes et aux voleurs dans les escaliers.

« Je passe te prendre dès que j'ai fini de manger et on va tout de suite à la plage.

— Oui, mais entre. Reste pas juste sur le palier.

— Tu pourrais peut-être déjeuner avec moi ?

— Tu parles ! dit Francesca en essayant de sourire sans y arriver. Je l'entends gueuler d'ici... »

Les hurlements des enfants, les balles des carabines à air comprimé qui laissaient des marques sur les murs. Et les objets qui tombent, les claques qui partent, un homme qui crie à sa femme : « T'es qu'une pute ! »

4

Francesca était rentrée chez elle.

Anna savait.

Elle passa le balai serpillière dans la salle de bains, essuya le sol trempé, ôta les cheveux de la grille d'écoulement dans la douche. Elle n'avait pas envie d'entendre hurler sa mère.

Anna savait, elle était la seule à savoir.

Mais ne savait pas quoi faire.

Elle commença à mettre la table, fit chauffer l'eau pour les pâtes. Elle voulait que sa mère soit contente, que tout soit prêt à son arrivée. Elle disposa soigneusement les serviettes de table, à droite de l'assiette. Mais sa pensée restait fixée sur Francesca.

Elle attrapa la télécommande et appuya sur le bouton. L'indicatif du journal de la Une retentit, ponctuel.

Explosion d'indicatifs dans tous les téléviseurs, par toutes les fenêtres ouvertes des mille appartements de la via Stalingrado. Elle adorait cet indicatif, il la faisait se sentir adulte, appartenir à quelque chose de plus grand. Rome, Milan : l'Italie qu'elle n'avait jamais vue, bien qu'elle y vive.

« Tu es un amour, dit Sandra quand elle ouvrit la porte et vit sa fille remuer l'eau des pâtes. Si tu n'étais pas là… Avec ton imbécile de père et ton malheureux frère ! »

Sandra était fatiguée. Elle posa ses sacs, étira un instant son dos qui lui faisait mal.

Puis elle se précipita vers le tambour du lave-linge, qu'elle avait mis en route le matin, avant d'aller travailler.

Anna aimait sa mère : une femme qui travaillait beaucoup, et trouvait encore l'énergie d'aller distribuer des tracts et d'organiser la fête de l'Unità. Et puis elle lisait les journaux, *La Repubblica* et *Liberazione*, et elle lui disait toujours de bien travailler à l'école, qu'un jour elle serait députée au parlement. Et Anna la croyait, un peu.

« Tu peux égoutter les pâtes, lui cria sa mère. Ils ne rentrent pas déjeuner, les deux autres. »

Sandra chargea sur son épaule la panière de draps, culottes et chaussettes, et sortit sur le palier appeler l'ascenseur.

Pendant qu'elle l'attendait, elle regarda autour d'elle. Du haut en bas de la cage d'escalier, une rumeur continue de pieds traînés et de jurons égrenés. Les relations avec les voisins n'étaient pas faciles. Capables de faire la guerre pour une chaussette envolée sur leur balcon. Mais Sandra avait été à l'école, et elle tenait bon : à chaque campagne électorale, elle s'entêtait à distribuer des tracts que pas grand monde ne lisait.

Quand elle arriva sur le toit, au onzième étage, le ciel était si puissant que ce fut douloureux. Sur le moment, elle ferma les yeux. L'été vibrait de la stridulation de millions d'insectes invisibles.

Elle les rouvrit lentement : du bleu partout, à l'infini, le ciel et la mer ensemble. Tellement de bleu, à en chavirer. Le silence limpide du soleil, le profil bleuté des îles au loin, ça t'arrachait vraiment un sourire, c'était un vertige, une libération. Même si tu n'avais pas envie de sourire, même si tu savais bien que toutes ces îles, l'Elbe, Capraia, le Giglio, tu n'irais jamais.

Là, entre les fils tendus et le linge qui séchait, elle reconnut la mère de Francesca. Dans la blancheur des draps qu'elle étendait, dans le vent qui ébouriffait ses cheveux et faisait s'envoler les mouchoirs.

« Rosa ! » appela-t-elle.

L'autre se retourna lentement, craintive.

Elle portait des chaussons d'hiver éculés et un tablier plein de taches par-dessus une robe de chambre noire. Elle s'habille comme ma grand-mère, se dit Sandra, et pourtant elle est jeune, dix ans de moins que moi.

« Toi aussi, c'est maintenant que tu mets à sécher ? » dit-elle pour dire quelque chose.

Les yeux de Rosa, plus noirs que ses cheveux, s'allumèrent un instant. Elle resta où elle était, mais on voyait qu'elle avait envie de parler.

« Ça m'ennuie qu'on ne se voie jamais... dit Sandra. Pourquoi tu ne passes pas chez moi de temps en temps boire le café ? Le samedi, je travaille pas. »

Rosa se raidit légèrement.

« J'aimerais bien... »

La militante et la ménagère s'observaient, tentaient une approche, comme deux bêtes d'espèces différentes. L'une avançait, l'autre reculait, tandis que montait jusqu'à elles une odeur de chou bouilli.

« Je t'attends, alors ! » dit Sandra pour l'encourager.

Elle savait comment parler aux gens : c'était une femme qui rêvait de prendre la parole dans les meetings, même si elle s'était toujours contentée de la distribution des tracts.

« C'est dommage, on est voisines, nos filles sont tellement amies, et nous, on se connaît à peine.

— Tu as raison, dit Rosa avec un sourire, je viendrai. Je passerai te voir un de ces jours... »

Puis elle recommença à plier ses draps, en évitant de croiser son regard. Sandra considérait la petite silhouette de Rosa. Elle ne savait quasiment rien d'elle, et pourtant, sans le savoir, elle savait.

« Si tu veux, je t'apporterai un gâteau », hasarda la mère de Francesca en s'illuminant un peu. Elle était si différente de sa fille, elles ne se ressemblaient absolument pas.

« Oui, apporte-moi un gâteau, je ne sais pas les faire. Anna me le reproche tout le temps. Elle dit qu'une maman qui ne sait pas faire les gâteaux, c'est pas une vraie maman », dit-elle en riant.

Rosa éprouvait un mélange d'attirance et de peur à l'égard de cette femme si énergique, qui se maquillait tous les jours et mettait des talons même pour aller travailler. Une sympathie instinctive, comme au temps de l'école. Elle n'avait plus eu d'amie depuis qu'elle avait quitté la Calabre pour la Toscane, à dix-huit ans. Après, elle s'était mariée.

Elle surmonta sa timidité : « Anna est devenue bien jolie.

— Espérons qu'elle va pas s'en apercevoir, sinon elle deviendra infernale... soupira Sandra. Francesca aussi est devenue bien jolie. Je la regardais justement hier rentrer de la plage en maillot de bain, et je me disais : dis donc, mais qu'est-ce qu'elle a poussé ! »

Les yeux de Rosa brillèrent.

L'Elbe aussi brillait, et la Corse et Capraia au loin.

Les deux femmes étendaient leurs draps aux quelques fils restés libres sur la terrasse du toit.

« Ton mari ? Tout va bien ? »

Rosa laissa échapper son panier de pinces à linge. Elles s'éparpillèrent sur le sol.

« Oui », dit-elle. Elle avait changé de visage.

Sandra le vit, aperçut une marque sur le cou de la femme.

Le vent se leva de la mer. Et entortilla le linge.

Rosa s'était penchée pour ramasser les pinces. Elle n'avait qu'une envie maintenant, partir.

« Je t'attends, hein, n'oublie pas », répéta Sandra.

Rosa se redressa et fit oui de la tête, mais se dirigea aussitôt vers l'escalier en évitant presque de la saluer.

Sa frêle silhouette se déplaçait maladroitement. Comme si elle avait peur à chaque pas d'être agressée. Elle regardait par terre, poings serrés. Toute pâle. Mais sur ce toit, avec l'été au plus fort de sa puissance, elle se rendit compte l'espace d'un instant qu'elle était encore jeune, et même, peut-être, jolie.

Alors elle s'arrêta, resta comme suspendue une seconde sur le seuil puis se retourna avec résolution vers Sandra.

« Ciao ! lui cria-t-elle. Je passerai te voir ! »

L'autre sourit, tandis qu'elle accrochait les dernières chaussettes.

« J'y compte bien ! » répondit-elle d'une voix pleine.

Rosa était heureuse. Après tout, quoi de mal à vouloir une amie ?

5

À deux heures pile, Anna sonna chez les Morganti.

Ce fut la mère qui vint ouvrir. Elle écarta le battant juste assez pour voir qui c'était.

« Bonjour, Francesca a fini de manger ? Elle est prête ? »

Rosa eut un instant l'air ahuri.

Elle jouait avec la chaîne de sécurité, sans se décider à l'enlever. Des doigts fins, qui hésitaient. Elle évitait de regarder dans les yeux la gamine impatiente qui lui faisait face.

« Sinon, je repasse plus tard… »

Anna plongea son regard dans la pénombre pour mieux voir ce qui, de cette femme aussi raide qu'une sentinelle, se découpait. Elle avait l'impression que Rosa voulait lui barrer le passage et la vue.

Anna n'était jamais entrée dans l'appartement. Elles étaient amies depuis leur naissance, mais jamais on ne l'avait laissée entrer.

Elle remarqua sur sa figure quelque chose de bizarre. Une ombre violette sur la joue, sous l'œil qui maintenant la fixait. Un œil liquide, comme du pétrole.

« Francesca n'ira pas à la plage, aujourd'hui.

— Et pourquoi ? »

Rosa sursauta en entendant ce « pourquoi » ainsi prononcé : bouche et visage ébahis d'une petite fille en maillot de bain, les pieds dans des sabots, des pinces dans les cheveux et du rouge à lèvres à la fraise qu'on sentait jusqu'ici. Elle vit dans le corps d'Anna, avec son sac à l'épaule, sa crème solaire, sa serviette de bain et son filet pour attraper les poissons-chats, l'incarnation du monde que sa fille aurait eu le droit, elle aussi, d'habiter. Alors, un court instant, elle sourit, désarmée.

« Elle ne se sent pas très bien, il vaut mieux qu'elle reste à la maison.

— Mais on est en juin ! Qu'est-ce qu'elle a ? »

Anna ne s'en laissait pas conter.

« Demain… Demain, je suis sûre que Francesca ira mieux. »

De l'appartement, en tout cas, n'arrivait même pas le murmure de la télévision.

À la façon dont elle serra les lèvres et rétrécit les pupilles, Rosa devina qu'Anna avait compris.

Elle coupa court :

« Je te promets que demain elle descendra. »

Puis elle referma la porte et pensa qu'elle n'avait pas une promesse à faire, mais une justice à accomplir.

Elle pensa qu'aussitôt le monstre parti, elle parlerait avec sa fille. Lui dirait qu'elle méritait de sortir, comme toutes les filles de son âge. Que maintenant ça suffisait, qu'elles en avaient assez supporté. De la force, elle en avait : elle trouverait du travail et porterait plainte contre ce monstre. Sûr et certain. Et elle demanderait le divorce.

Le problème c'était le travail, il faudrait que Francesca comprenne. Le problème, c'était l'argent et rien d'autre. Elle haïssait son mari, et elle ne permettrait plus jamais que ça recommence.

Anna avait attendu quelques instants, plantée devant la porte fermée comme un chat pétrifié dans les phares d'une auto.

Qu'est-ce que je vais faire ? Je n'ai plus envie d'aller à la plage. Quel salaud, le babouin de Francesca... Elle aurait voulu lui mettre son poing dans la figure. Pourquoi faut-il qu'il y ait des pères ?

De l'autre côté de la porte, pas un bruit, rien : un silence de tombe. Alors elle descendit dans la cour, lança un coup de pied dans un caillou. Puis elle jeta son sac par terre et s'assit sur une carcasse de banc.

Tant que Fra ne sortira pas, je resterai là.

Un peu plus loin, quelques vieilles jouaient à tré-sept avec enthousiasme, agitant vivement leur éventail. Elles parlaient du dernier épisode de *Derrick*. Anna leur lança un regard en biais.

Elle ne pouvait pas retourner sonner. Elle avait vu son visage, à cette femme, et elle avait compris : les coups et le reste. Elle serra les poings. Elle était seule en pleine chaleur, au beau milieu d'une cour en ciment. Elle aurait préféré ne pas se sentir aussi impuissante. Agir, d'une manière ou d'une autre, grimper le long de la gouttière jusqu'à la fenêtre de Francesca.

Mais cet homme lui faisait peur.

Elle se mit à examiner les murs : des parois hautes de dix étages qui barraient la vue sur les quatre côtés. Elle aimait regarder. Elle aimait s'arrêter sur les détails. Il y avait de tout sur les rebords de fenêtres : des plantes desséchées, des chaussures, des casseroles mises à sécher. D'ici, on ne voyait pas la mer. On voyait les pans de crépi écaillé, les pointes de fer rouillées qui sortaient comme des ongles du béton armé des piliers.

Sa mère lui avait expliqué : il y a deux classes sociales. Et les classes sociales luttent entre elles, parce qu'il y a une classe de salauds qui ne fait rien, et qui opprime la classe honnête qui se donne du mal. C'était comme ça que le monde marchait. Sa mère était à *Rifondazione comunista*, elle faisait partie de ces cinq pour cent-là de la population italienne. Et Alessio, à cause de ça, la traitait de minable. Son père avait le mythe d'Al Capone et du Parrain – celui de Coppola. Son frère avait sa carte au syndicat des métallos, la FIOM, mais il votait Forza Italia. Parce que Berlusconi, lui, *c'est sûr que c'est pas un minable.*

Anna examinait la cour avec attention. C'était son monde. Elle vit Emma passer avec son gros ventre : elle s'était mariée en toute hâte à seize ans avec Mario qui en avait dix-huit. Le jour du mariage, les jeunes des barres avaient fait une grande fête avec des chips, du Coca et des cotillons, comme à l'école quand il y a un anniversaire.

Elle se dit qu'elle ne croyait ni à ce que disait sa mère ni à ce que gueulait son frère, encore moins aux conneries de son père. Elle ne croyait qu'à la cour de son immeuble. Les poutrelles, les piliers, le béton armé. Elle aimait cette architecture de caissons qui ressemblaient à des niches de cimetière. Et elle n'enviait pas ceux qui habitaient le centre-ville ou des pavillons mitoyens : elle les ignorait complètement.

Fra, pourquoi tu descends pas ?

« Elle ne se sent pas très bien... » : ce n'était pas la première fois.

Un terre-plein sans un pouce de verdure. On y jouait au foot, on y faisait du commerce, on y prenait le frais. C'était toujours le souk, à n'importe quelle heure, sauf les après-midi d'été. Ça ressemblait à un désert alors, le plus aride qu'on puisse imaginer.

Anna y était née, mais elle voyait bien que les papiers gras, les mégots et quelquefois les seringues par terre, ça n'était pas bon signe. Que tout le monde pissait sous les piliers : les chiens, les enfants, les toxicos. Qu'il y avait une puanteur à se boucher le nez. Qu'un homme qui s'injecte une dose d'héroïne dans le bras ou le cou, devant les enfants, ça n'est pas joli comme spectacle. Mais cracher sur tout ça, c'était comme se cracher dessus. Et quelquefois, elle s'arrêtait parler avec certains camés.

Anna savait qu'aucun homme n'est un monstre. À part le père de Francesca.

Pourquoi elle sort pas ? Qu'est-ce qu'il lui a fait ?

Elle se mit à lire les inscriptions sur le banc. Une stratification géologique d'amours et de fâcheries, les siennes aussi. La première marque au canif qu'elle déchiffra disait : *Francesca est superbandante by Nino*. Puis elle reconnut sa propre écriture au crayon-feutre : *Anna et France forever together*.

Un bruissement de mémés en savates entamait à la marge le silence asphyxiant du cube. Anna était plongée dans la lecture du banc.

Marta + Aldo = amour ; *Sonia, tu n'es qu'une salope* (salope était barré) ; *Jennifer et Cristiano 3 mètres au-dessus du ciel*[1]. Elle sourit avec fierté en découvrant une nouvelle inscription : *Anna T super, sauf que T ma meilleure amie... by Massi 84*. Elle éclata de rire quand elle lut : *Alessio = 24 cm*, et juste en dessous : *Je t'aime, ta Sonia*.

1. *Trois mètres au-dessus du ciel*, best-seller italien de Federico Moccia racontant des amours d'adolescents. Gallimard Jeunesse, Coll. Scripto, 2006. Traduit de l'italien par Monique Baccelli.

C'est quelqu'un, mon frère, se dit-elle.

Évidemment, cette Sonia, qui regardait des pornos avec Alessio dans la chambre, on ne pouvait pas dire que c'était sa tasse de thé. Si au moins ils mettaient de la musique par-dessus... mais non : on entendait tout. Et elle était obligée de se réfugier dans la cuisine en attendant que ça soit fini. C'était le prix à payer, quand on avait un frère aussi beau mec. T'imagines s'il était moche : la honte... Elle était fière d'Alessio. Avec un frère aussi blond et musclé, elle pouvait marcher la tête haute.

Sonia, Jessica et toutes les grandes lui disaient toujours bonjour, lui proposaient des tours en scooter, lui passaient du vernis sur les ongles et même lui apprenaient comment mettre l'eye-liner. Tout ça, évidemment, pour lui soutirer des infos sur Alessio.

« Sa-lut A-nna. »

Anna se retourna brusquement en direction de la voix.

Donata, tentant un effort immense pour soulever sa main et dire bonjour, approchait dans son fauteuil roulant poussé par Lisa. La main, qui ne répondait pas aux ordres, resta à pendre dans le vide comme une griffe incohérente.

« Salut, Donata, répondit Anna sans le moindre naturel. Qu'est-ce que tu fais de beau ? » Personne ne s'y serait laissé prendre : même son sourire était gêné.

Lisa et Anna ne se dirent pas bonjour.

« Je vi-ens pren-dre le frais. »

Pour dire un mot, un mot seulement, de deux syllabes, elle concentrait toute son énergie comme si elle se préparait à un lancer de javelot. La partie gauche de sa bouche s'était engourdie à jamais, elle ne lui permettait pas de sourire. Ses jambes, elle ne pouvait plus les bouger. Et son bras gauche non plus, depuis un an. Il s'était recroquevillé sur lui-même, ce bras. Sa main, le poing serré, ne saisissait plus les objets, ne saluait plus, ne caressait plus ni les chats ni les gens. Elle tremblait seulement, comme le reste de son corps.

Anna essayait de ne pas le regarder, ce corps de quinze ans qui n'était pas un corps de quinze ans.

« Et t-oi tu fais qu-oi ? Pour-quoi t'es p-as à la pla-a-ge ? »

Pourtant, en dépit de son corps martyrisé, c'était visible à l'œil nu : Donata avait envie de vivre. D'aller se promener, de parler avec les autres, de comprendre quelque chose du monde pour le peu d'années qui lui restaient, avant que tous ses muscles ne s'engourdissent pour de bon. Tous : de ceux des doigts à ceux des sourcils, jusqu'à ceux de l'abdomen, petit à petit, jusqu'au cœur.

Anna savait une chose : à sa place, elle resterait chez elle. Et aussitôt que possible se balancerait dans l'escalier avec son fauteuil roulant.

« Je n'avais pas envie d'aller à la plage aujourd'hui... » Elle lança un regard vers la fenêtre de Francesca puis ajouta, l'air sombre : « J'ai besoin de réfléchir.

— T'es u-ne phi-lo-sophe a-lors ! »

Donata plaisantait, elle venait même d'essayer de rire. Et la jolie Anna, avec son prénom écrit par Massi sur le banc, se sentait comme une gamine qui vient de recevoir la fessée.

« N'exagérons pas... mais je vais en faire, de la philosophie, l'an prochain je serai dans ton lycée. »

Si on regardait attentivement les yeux de Donata, on ne pouvait pas dire qu'on n'y voyait pas la maladie.

« A-lors tu seras en cla-asse a-vec Li-isa ! »

Anna fit une grimace. « Ah oui ? »

Ce boulet de Lisa, c'était tout juste si elle la regardait. Elle n'avait aucune envie de l'avoir dans sa classe, celle-là.

Le soleil tapait. Les gens commençaient à sortir, apportaient des chaises et des tables dans la cour. L'heure était hostile. Ils se réfugiaient à l'ombre et faisaient la causette. Dizaines de transistors en fond sonore. Ça n'était pas évident de s'installer au milieu du béton bouillant, mais c'était toujours mieux que de rester enfermé dans ces appartements qui se transformaient en four l'été.

Donata forçait sur ses lèvres, sa langue, sa gorge pour réussir à sortir les mots qu'elle avait en elle. En elle, les mots étaient infinis : complets, avec leur intonation et leur rythme pour s'adresser à toutes ces magnifiques personnes en bonne santé comme Anna. Sauf que les muscles de sa bouche les estropiaient, les rendaient moches et douloureux. Donata le savait bien : c'était une guerre qu'elle menait.

À présent, elle expliquait dans les grandes lignes ce que c'était que la philosophie, le grec et le latin, ces matières qu'Anna étudierait bientôt. Le mythe de la caverne de Platon, avec les esclaves enchaînés. Et puis *L'Iliade* et *L'Odyssée*, le grandiose de l'être humain : tout ça au milieu du boucan de via Stalingrado.

Mais Anna comprenait à moitié. Et voir la sueur couler le long des tempes de Donata à cause du seul effort de parler, c'était comme un coup de poing dans l'estomac. Ça l'intéressait ce que Donata lui disait, elle l'aimait bien mais… Quelqu'un comme elle, ça ne peut pas être né.

C'était déjà difficile pour elle, malgré ses seins et toute son insolence. Pour elle, qui avait tous les garçons de son âge à ses pieds et une amie aussi fantastique que Francesca. Elle se retrouvait toujours à devoir faire du mal à quelqu'un pour qu'on ne lui en fasse pas, à elle. Donata n'aurait pas dû exister.

Alors, dès qu'elle aperçut Nino qui traînait son scooter flambant neuf à l'ombre des piliers, le mettait sur la béquille, ouvrait sa boîte à outils, y prenait une clé à molette, elle dit au revoir à Donata en l'espace d'une demi-seconde, ne dit rien à Lisa, et s'enfuit vers ce blond de seize ans à tomber.

Si tu avais une sœur comme ça, tu le rabaisserais, ton caquet, et vite, pensait Lisa en la regardant du coin de l'œil se précipiter vers Nino. Et elle s'éloigna en poussant le fauteuil.

Elle aussi, elle se regardait dans la glace, longuement, enfermée dans la salle de bains. Sitôt qu'elle voyait un bouton sur son front, elle prenait un coup au cœur. Quand elle réalisait que son ventre et ses hanches et ses cuisses grassouillettes n'allaient pas mincir aussi facilement, une colère lui venait... Elle se sentait moche. Et moche, elle l'était. Avec cette petite figure pointue, genre souris, ce nez trop grand, qui retombait au bout, et ses cheveux fins, mous et rares.

Puis elle pensait à sa sœur. Détournait les yeux du miroir et se sentait coupable.

Maintenant elle promenait Donata dans la cour et elle lui en voulait un peu. Enfin, non : pas à elle, à sa maladie. Et dès qu'elle pensait que dans quelques années Donata ne serait plus là, elle sentait une injustice la brûler. Qu'est-ce qu'elle savait, Anna ? Elle n'avait aucune idée de ce que c'est que la souffrance, cette fille.

Elle avait envie de balancer des coups de poing à tout le monde, au monde entier. C'était dur de pousser ce fauteuil, d'être partie intégrante de cette maladie, sous les yeux de tous. De ces deux petites connes d'Anna et Francesca, qui s'amusaient avec les garçons, qui se frottaient contre les garçons, se laissaient embrasser par les garçons.

Ces deux petites connes. Lisa se mordait les lèvres, comprimait en elle sa colère. Ces deux petites connes de merde, quand elles avaient leurs règles, on aurait dit qu'elles étaient les seules. Et Maria, et Jessica, et cette autre idiote de Sonia : et bites par-ci, et bites par-là, pompiers par-ci, pompiers par-là. On ne les voyait jamais, d'ailleurs, ces pompiers.

Ce qu'elle savait, c'est que c'était injuste. Dans le monde, y a ceux qui ont tout et ceux qui n'ont rien. Rien de rien.

De loin, elle les voyait, Nino et Anna : couchés par terre sous le scooter, à démonter le pot d'échappement. Elle les entendit rire comme jamais elle-même n'avait ri. Et elle s'engouffra à toute vitesse par la porte de son bâtiment, le numéro huit : face à la fenêtre de la salle de bains d'Anna, où on voyait tout.

Dans la salle d'attente du cabinet médical, le père et la fille étaient assis en silence, sans se regarder. Corps raides et glacés dans la lumière immobile des néons.

Enrico avait insisté auprès de Rosa pour accompagner lui-même Francesca chez le médecin. Il n'avait rien voulu entendre. Si c'était Rosa, des phrases lui échapperaient, il en était sûr. Elle éclaterait en sanglots, Dieu sait ce qu'elle irait inventer. Et des mots, il ne fallait pas trop en dire. Quelques-uns, mais convaincants surtout.

Les yeux de Francesca étaient vides. Fixant un point abstrait dans l'espace. Elle pressait avec force un tampon de coton grossièrement appliqué sur son poignet gauche. Et le tampon, lentement, s'imbibait de sang.

Chez le médecin, pas aux urgences. À l'hôpital ils auraient posé trop de questions.

Ils attendaient depuis une heure, il y avait encore sept ou huit personnes avant eux. Ni Enrico ni Francesca n'avaient l'air pressés. Ils avaient l'air, en fait, complètement absents.

Je le connais, le docteur Satta. Il posera pas de questions, il se mêlera de rien. Il fera ce qu'il y a à faire, point. C'était ça plus ou moins, dans la tête d'Enrico. Des pensées qui se concentraient sur les points pratiques, la base : désinfecter, recoudre, pansement, et pas question de lui faire enlever le tee-shirt. Pas question qu'il l'examine.

Soudain la porte du cabinet s'ouvrit et un petit vieux à lunettes de soleil sortit au bras d'une dame blonde, diaphane, à l'accent de l'Est marqué. Le vieux souriait en l'exhibant aux autres vieux, assis en demi-cercle dans la salle d'attente.

« Oh, fit l'un, il avait pas une femme, lui ? »

Le vieux à peine parti, les autres s'en donnèrent à cœur joie.

« Je crois qu'elle est morte y a deux ans, sa femme…

— Ah, je comprends mieux ! »

Quelques-uns se levèrent. Un autre replia le *Tirreno* et le rangea.

« Ces blondes, hein, c'est pas comme les bonnes femmes de Piombino…

— Si ma femme venait à passer, Dieu la garde », et il se toucha les couilles, « je me prendrais bien une blonde, tiens ! »

Père et fille, immobiles, continuaient de regarder le bout de leurs pompes.

« Sûr. Les Italiennes elles veulent aller au restaurant, au cinéma, mais pour venir chez toi tu peux toujours te brosser, tes chaussettes elles viendront pas te les laver.

— Sauf que les Russes, elles boivent, et pas qu'un peu...

— Peut-être, mais elles ont un cul en béton !

— Et elles te cassent pas les couilles.

— Et toujours d'accord pour te faire un *bis*, et même un *tris*, les Ukrainiennes. »

Enrico n'écoutait pas. Il repassait compulsivement les trois phrases à dire au docteur, les construisait, les peaufinait, les testait jusqu'à l'obsession. Francesca, elle, écoutait. Elle fixait un point au milieu du néant, les yeux écarquillés, mais entendait tout. Et elle éprouvait un sentiment de nausée, physique, lancinant, à l'idée qu'un de ces vieux, là, dans sa chemise sale avec des halos de sueur aux aisselles, pouvait grimper sur une gamine émigrée d'on ne sait quelle misère.

« Les Russes, elles sont pas mal. À Piombino, t'en as tant que t'en veux. »

Quand elle était entrée, ils l'avaient tous dévisagée. Puis son père était apparu et tous avaient détourné le regard.

« Les gars, faut mettre du fric de côté ! Ta pension, elle va pas suffire. Faut la payer, faut y donner des bijoux, et puis des robes, et puis des chaussures...

— Espérons que ma femme va me durer. »

Francesca n'était ni là ni ailleurs. Elle feuilletait distraitement de vieux numéros de *Novella 2000*. Elle s'arrêtait sur les photos, celles qui montraient les starlettes à Formentera, des filles à moitié nues avec la super coupe de cheveux, ou qui posaient dans les boîtes chics de Milan, devant les vitrines étincelantes à New York...

Elle n'y arriverait jamais, à s'enfuir. Il l'en empêcherait, il la retrouverait partout. À dix-huit ans, peut-être. Oui, à dix-huit ans elle pourrait participer à Miss Italia, être remarquée par quelqu'un, et partir. Avec Anna. Mais en attendant ? Elle était incapable de rêver, elle n'en avait pas la force. D'ailleurs, elle ne désirait qu'une chose : la mort de son père. La mort de tous ces vieux dégueulasses, qui sentaient mauvais et voulaient une femme pour leur laver le cul, une petite Ukrainienne arrachée à son foyer.

Elle en était sûre : elle ne se marierait jamais. Les hommes la dégoûtaient. Oui, ça, elle arrivait à le penser clairement : les hommes la dégoûtaient, jamais elle ne se laisserait toucher par un seul d'entre eux, jamais de la vie. Un jour, elle partirait, avec Anna. Rien qu'elles deux, pour toujours.

Enrico avait cessé de penser. Les trois phrases, il les savait par cœur, c'était bon. Regard bovin. Les choses s'imbriquaient dans sa tête comme les phases du cycle de production, la température de l'acier, les temps de refroidissement, le laminoir qui profile, le rail qui sort. Comme à la pêche : monter la canne, enrouler le moulinet, nouer l'hameçon, enfiler le ver.

Ses jumelles de pêche.

Sa fille.

Qui ne doit pas devenir une pute. Qui cet après-midi s'est emparée d'un couteau de cuisine, un grand à découper la viande, et qui s'est tranché le poignet sous ses yeux.

Il faudra dire qu'elle est tombée sur du fil de fer.

Le métal était propre : ça ne peut pas s'infecter. La coupure est profonde, elle a perdu beaucoup de sang, mais les veines n'ont rien. C'est ce qui compte.

Les vieux s'étaient calmés. Ils étaient entrés l'un après l'autre se faire prescrire les médicaments à prendre chaque jour. Un comprimé pour le cœur, un autre pour la tension, un autre pour le taux de glycémie. En sortant, chacun avait dit au revoir à voix basse, serrant l'ordonnance d'une main mal assurée. Ce corps, ils le savaient bien, ne fonctionnait plus, ça se débinait de partout. Et l'Ukrainienne qui viendrait tout arranger n'était qu'illusion : déjà beaucoup s'ils arrivaient à marcher sans douleur jusqu'à la pharmacie...

Francesca : la seule chose bien qu'il avait faite dans sa vie. Il se rappelait chaque minute, depuis qu'elle était née. La première fois où elle avait balbutié « papa ». Quand elle avait gagné la course de natation à l'école. Ce petit visage impossible à décrire, gros comme une poignée de riz, entrevu dans la couveuse. Mais il avait des mains trop larges, trop dures, il n'arrivait pas à la manier avec assez de précaution.

Quand vint leur tour, ils se levèrent en même temps et entrèrent ensemble, sans hésiter. Le médecin leur sourit. Enrico sourit à son tour. Francesca ne desserra pas les lèvres. Elle fixa l'homme avec des yeux qui disaient seulement : recouds-moi. Puis Enrico commença à expliquer, à sa façon, comme il pouvait. C'était un homme fruste, et il craignait les docteurs. Mais il savait convaincre quand il le fallait, en s'aidant du geste.

Le médecin comprit, ne posa pas de questions. Il prit le poignet de Francesca, ôta le coton trempé de sang, passa de l'alcool. Il commença à suturer la plaie avec une grosse aiguille métallique.

Francesca le regardait, sans expression, réunir les deux bords. Sans intérêt pour sa chair ouverte, le sang qu'il fallait constamment tamponner. Immobile dans le silence irréel, elle se laissait recoudre, bien sagement, dans le cabinet du docteur Satta.

« Pas la peine de l'examiner, docteur. Y a pas besoin. »

Le médecin comprit, ne posa pas de questions. Ce n'était pas la première gamine avec des bleus qui venait dans son cabinet. Il n'aimait pas quand il découvrait des hématomes. Il n'avait pas envie de s'identifier à ces gens. Ce sont des bêtes, on le sait. Et lui, il n'était qu'un médecin de base, pas une assistante sociale, pas un policier. D'ailleurs, ça n'aurait rien changé.

« Dans une semaine, on enlève les points, d'accord mademoiselle ? »

Francesca acquiesça, impassible.

Quand ils sortirent, la cheminée la plus haute de l'usine cracha un nuage de monoxyde de carbone. Le nuage resta là, immobile dans le ciel limpide. Puis, de l'autre côté du promontoire, le vent se mit à souffler et nettoya le ciel.

Rien ne s'était passé.

Par la vitre de la voiture, en descendant la route panoramique puis l'avenue du bord de mer, Francesca regardait l'île briller. Si proche, et pourtant hors d'atteinte. Il suffit de prendre le ferry, et pourtant je n'y suis jamais allée, à l'Elbe, je ne l'ai jamais vue. Juste quatre kilomètres. Avec Anna, on pourrait les faire à la nage.

Enrico conduisait tranquillement, en respectant les limitations de vitesse et le code de la route. Si la limite était cinquante, il roulait à cinquante, si c'était trente, il roulait à trente. Et puis il avait cette faculté : oublier ce dont ses mains étaient capables. Ne jamais penser aux choses compliquées, penser les choses une à une, séparément, sans les relier à d'autres dans le temps et dans l'espace.

La lumière commençait à décliner. Et les villages sur l'île d'Elbe devenaient des crèches de Noël qui, vues de loin, ne semblaient pas de ce monde.

Aujourd'hui je me suis rebellée. Aujourd'hui, pour la première fois. C'est ce que dit Anna : tu dois te rebeller, tu dois lui faire comprendre que tu n'es pas un objet à sa disposition, que tu es une personne. Elle sait se servir des mots, Anna. Moi, je ne sais pas. Je voulais me tuer. Mon cul, oui : c'est lui que je voulais tuer. Et il s'est passé quoi ? Rien. On est vivants tous les deux. Maintenant on rentre dans le garage, il éteint le moteur, on claque les portières. Anna, pourquoi tu n'es pas avec moi ? Pourquoi on ne s'en va pas ensemble ? Maintenant il ferme le garage à clé, on ne se regarde pas, on monte l'escalier sans rien se dire, on dit bonjour à maman et on se met à table pour dîner.

6

Arturo était là, accoudé, à six heures du matin. Seul. Appuyé au muret du petit port. Il tâta son poignet, cherchant la Rolex qui n'y était plus. Les yeux gonflés et la bouche pâteuse de nicotine.

Il s'étonna en voyant son portefeuille : hier, il y avait deux millions de lires dedans, et maintenant dix mille cinq cents, en billets de mille et en pièces. Comment c'est possible ? En une nuit. J'ai tout cramé en une nuit. Merde, ma dernière paie.

Les réverbères sur l'île palpitèrent encore une fois puis s'éteignirent, six heures et demie du matin.

Arturo n'en croyait pas ses yeux. Il comptait et recomptait son argent, disposait les coupures sur le muret, retournait son portefeuille vide. Il ôta son imper d'été, la chaleur était déjà terrible. Déboutonnant sa chemise, il resta poitrine à l'air, avec sa chaîne en or et sa croix qui brillait entre les poils.

Soudain, il entendit un sifflement. Il se retourna, comme un animal mordu.

« Qu'est-ce que t'as à siffler comme ça ? Tout le monde dort, crétin ! »

Le retraité qui venait de sortir de chez lui s'arrêta net, toisa le drôle d'olibrius qui devait avoir passé une nuit blanche et qui maintenant lui gueulait dessus.

« Espèce d'ivrogne ! T'as pas vu le soleil ! »

Arturo regarda le ciel. Merde, il fait jour ! Mais quel jour ? Faut que j'aille bosser ! Ah non, c'est vrai, j'y vais plus. Faut que j'appelle Pasquale, voilà. C'est bien aujourd'hui qu'ils arrivent, les faux ? Oui, aujourd'hui : on est samedi.

Il sortit ses deux portables de sa poche de pantalon et s'aperçut qu'ils étaient éteints tous les deux.

« Excusez-moi, vous pouvez me dire quelle heure il est ? »

Pas normal, celui-là, pensa le vieux. Il sortait acheter le pain et le *Tirreno*, et voilà qu'il tombait sur un individu qui commençait par lui crier dessus avant de devenir tout miel, et puis il avait les yeux comme les drogués.

« Sept heures moins le quart. »

Arturo déglutit : en ce moment, Sandra ouvre les yeux, elle se tourne vers mon oreiller et elle s'aperçoit qu'il n'y a personne.

Pendant quelques instants, il resta ainsi, muet et déstabilisé. Son visage parlait pour lui : ma femme va me tuer.

« Excusez-moi, hein, mais vous avez pas l'air fin », ricana le vieux en tricot de corps.

Arturo restait là, son portefeuille retourné dans la main, ses téléphones déchargés dans l'autre, et dix mille cinq cents lires posées sur le muret. Il n'arrivait pas à bouger un seul muscle, impossible. Il pensait à sa femme. Et au lave-vaisselle, à l'autoradio de son fils, à ses dettes avec ce fumier de la banque.

« T'as fait la noce ?

— Tu parles. J'ai tout perdu...

— Ta femme t'a chopé avec une chérie ? Ou tu t'es fait plumer au poker ? »

Arturo s'étonna : perspicace, le papy.

« La deuxième que t'as dit… Mais tout compte fait », et ses joues reprirent couleur, « il me reste assez pour le petit déj. »

Sur les quais du port pendant ce temps s'empilaient des caisses de poulpes, de bars, de daurades. Les pêcheurs faisaient le comptage à voix haute, et le poisson encore à moitié vivant devenait marchandise. Les grossistes se pressaient sur les jetées, les commerçants s'interpellaient en criant d'un étal à l'autre, et les restaurateurs vérifiaient attentivement les ouïes des thons.

En moins d'un quart d'heure, c'était le bordel. Les camions frigorifiques garés en tous sens. Les voiturettes de nettoyage dans les rues du centre, et des Maghrébins le regard perdu, le balai à la main. En rasant certains murs, au long des ruelles de la vieille ville, et par certaines fenêtres ouvertes avec des géraniums sur le rebord, on entendait les cafetières gargouiller sur le feu et les petites cuillères tinter dans les tasses.

À présent que Sandra tournait dans toute la maison en balançant des coups de pied dans les portes et dans les murs au papier déchiré depuis si longtemps, Arturo lui adressait une pensée pleine de tendresse. « Où il est passé, encore, ce salaud ? » criait Sandra comme une folle à son fils, qui revenait à l'instant de sa nuit en boîte. « Il est pas rentré dormir, tu te rends compte ? Tu te rends compte qu'il est pas rentré ? Où il est ? Merde, mais où il est ? »

Arturo savait qu'elle était en train d'envoyer au diable la voix enregistrée annonçant que les portables de son mari étaient éteints, et de fulminer tout ce qu'elle pouvait à l'idée que son mari avait encore flambé un paquet de fric au poker.

Il entra au Nazionale avec son nouveau copain l'octogénaire.

« Deux cafés et deux croissants. Arrosés, les cafés, hein ?

— Comme d'habitude ? fit le barman.

— Oui, à la sambuca.[1] » Et en se tournant vers le retraité : « T'aimes ça, la sambuca, pas vrai ? »

Pour Arturo, nouer une amitié était un art. Il était capable de ramasser n'importe qui dans la rue. Le pli de son pantalon tout de travers, la brillantine incrustée dans les cheveux, ça le rendait aussitôt sympathique.

« J'aime tout, répondit le vieux, quand c'est offert. »

Convaincu, Arturo, d'être le plus malin. Il lui suffisait de sortir ses Ray-Ban, de débiter une histoire drôle, le coude appuyé au comptoir : il était le roi de Piombino.

Sandra, en effet, fulminait tant qu'elle pouvait. Et Alessio, à peine rentré et en pleine phase de redescente, n'avait aucune idée d'où était son père, et encore moins envie d'écouter sa mère.

« Tu te calmes un peu, merde ! Va bosser et tais-toi !

— Je l'étrangle, je te jure que je l'étraaangle ! »

Elle allait et venait dans l'appartement, furieuse. Préparant vaguement ses affaires : la blouse, la coiffe de protection... et mon mascara, où il est passé ? Envoyant valdinguer le reste : chaussettes, rouges à lèvres, tout ce qu'elle trouvait, balancé contre le mur.

Une silhouette à moitié déshabillée parut dans le couloir, appuyée contre un coin de porte, se frottant les yeux.

« Maman, qu'est-ce qui se passe ? gémit-elle.

— Retourne te coucher.

---

1. Liqueur forte à base d'anis, de réglisse et d'autres herbes.

— Maman... », marmonna Anna, le visage bouffi, pieds nus sur le carrelage froid. Ses boucles en désordre retombaient sur ses épaules nues, ses grands yeux brillaient, dénués de reproche. Elle s'était réveillée en sursaut et pourtant elle était calme, prête à se rendre utile.

« Ton père est un imbécile, lui lâcha Sandra en pleine figure. Voilà, maintenant tu peux retourner te coucher. »

Anna repartit dans sa chambre sans dire un mot. Elle regarda son frère enlever son tee-shirt et les chaînes qu'il portait au cou. Ça se voyait à des kilomètres qu'il était mort, alors de près n'en parlons pas. Ses cheveux fixés au gel ne tenaient plus en l'air : ils retombaient, les uns raides, les autres mous, chacun pour soi. Comme tous les vendredis soir, il s'était bien ravagé.

Anna le regardait comme on regarde un singe dans sa cage au zoo, d'un air à la fois curieux et chagriné. Qu'avait-il donc fait toute la nuit ? Elle était peut-être née d'avant-hier mais elle n'était pas idiote. À vivre dans ce genre de coin où règne sans partage la loi du plus fort, et avec le père qu'elle avait, elle connaissait la vie, c'était rien de le dire.

Elle s'approcha, lui claqua une bise sur la joue en se dressant sur la pointe des pieds. Alessio en fit autant, avec un sourire de martyr. Mort de chez mort.

Il était d'équipe à deux heures, et rien que d'y penser il en aurait chialé. Il n'avait même pas la force de pester comme d'habitude, après dix heures de musique assourdissante, d'extas et de bagarres. Il défit son jean, regarda Anna, là devant lui, à moitié nue.

Il ne s'était pas rendu compte que sa sœur avait grandi, ce n'était plus une gamine, elle était même devenue super canon. Il en prenait conscience maintenant, en pleine remontée d'amphète. Vu le bordel qu'était devenue sa famille, c'était à lui de veiller sur sa sœur à présent.

Ce fut une pensée d'une seconde. Il se laissa tomber sur son lit, en slip. T'as cinq heures pour dormir, te raser, te faire un joint et hop : les joies du pont-roulant ! Il s'était jeté à plat ventre, son grand corps bronzé, trempé par l'acier, tombant comme un cadavre.

Anna baissa le store, alluma le ventilateur, il faisait déjà chaud à crever. Elle resta torse nu elle aussi, comme hésitante, à regarder son petit lit rose, et le dos large de son frère dans l'autre lit.

Sa mère continuait de hurler, là-bas, et de claquer les portes.

Peut-être que c'est pas bien, se dit-elle, peut-être qu'il faut plus le faire. Mais elle chassa de la main cette pensée-moustique. Si ! et elle rit. Et se catapulta sur le lit d'Alessio. En se nichant contre son flanc, la tête calée sous son aisselle, le nez collé à sa peau. C'était le corps de son frère : son rocher. Et parfois elle s'y accrochait, comme aurait fait une moule.

Ils restèrent ainsi tous les deux, encastrés l'un dans l'autre, sur le lit éternellement défait, le matelas une place tout défoncé. Ils se serrèrent l'un contre l'autre malgré la chaleur et la lumière qui filtrait par les persiennes, et plongèrent dans le sommeil. Sandra claqua violemment la porte en partant. Les vitres des fenêtres tremblèrent mais ils n'en eurent pas conscience. Au fond, ils avaient l'habitude. Et c'était bien pour ça qu'à leur âge, de temps en temps, ils dormaient encore ensemble.

« Et qu'est-ce que tu fais dans la vie, Arturo ?

— Moi ?

— Ben oui, toi !

— Moi... Euh... » Arturo neutralisa en une demi-seconde la confusion dans sa tête, s'éclaircit la voix avant d'annoncer : « Je suis un homme d'affaires... un marchand d'art. »

Devant le Nazionale passaient des hommes habillés en blanc qui livraient des corbeilles de pain.

Si t'es marchand d'art, pensa le vieux, moi je suis Rockefeller.

Les rideaux métalliques s'ouvraient sur le corso Italia, un premier, puis un autre, dans un grincement de fer. Le vendeur de journaux, le garagiste au coin. Le type qui répare les vélos, et le Napolitain qui occupe tout le trottoir avec ses caddies de bimbeloterie. L'homme d'affaires – le marchand d'art – discuterait avec chacun. Il s'arrêterait, parlerait, arriverait bien à se faire payer à déjeuner, et se tiendrait le plus loin possible de sa femme et de sa banque.

Il se baladerait de long en large, sans fric, sans montre. Irait se réfugier dans la vieille cabine téléphonique de la piazza Bovio, celle qui portait encore le logo de la Sip[1]. Et avec ses dernières mille lires défierait le hasard au grattage.

1. Principale société de télécommunications italienne jusqu'en 1994, où elle est intégrée dans Telecom Italia.

7

Le lendemain matin, de bonne heure, pendant que Sandra était au travail et que sûrement ses enfants dormaient encore, Arturo traversa la cour avec circonspection. Il se glissa furtivement dans l'entrée du numéro sept.

C'était chez lui, certes, mais il n'était pas censé être là.

Surtout, personne ne devait le voir s'introduire à l'intérieur pour rassembler quelques objets indispensables, comme ses chargeurs de téléphone et pourquoi pas cent mille lires, s'il les trouvait.

Il monta l'escalier en regardant derrière lui à chaque marche. Gorge serrée, se sentant vaguement coupable. Ça ne lui plaisait pas, soyons clairs. Mais il n'avait pas le choix. Quelques jours encore, le temps de régler certaines affaires, et il reviendrait chez lui la tête haute, parlerait à sa femme, embrasserait ses enfants. Mais pour le moment mieux valait raser les murs, se fondre dans le noir des étages et retenir son souffle.

Perdu dans ses pensées, tendu à l'extrême, il atteignait le tournant du palier du troisième étage.

Quand Enrico surgit devant lui, Arturo faillit pousser un hurlement.

Ils se cognèrent l'un à l'autre. Aucun des deux ne s'y attendait, dans ce désert de tombe qu'était l'immeuble à cette heure-là. Dans l'obscurité, ils restèrent un instant interdits.

Enrico ne l'avait jamais trop apprécié, ce mec. Il savait qui c'était par ouï-dire, il savait que c'était le père d'Anna. Un type pas très recommandable. Qui faisait des trafics. Et sa fille valait pas grand-chose non plus, cette petite pute qui cherchait à dévoyer sa Francesca.

Il vit qu'Arturo était nerveux, regardait autour de lui comme un voleur et lui adressait un sourire ridicule, comme pour dire : je suis innocent, je te jure. Mais il n'en avait rien à foutre. Il allait au boulot, comme tous les jours, il voulait juste arriver à l'heure et faire l'acier comme il doit être fait.

Il dit : « Salut. » Et poursuivit son chemin.

Arturo aussi dit : « Salut. »

Des siècles qu'ils se disaient : « Salut. » Et c'était tout.

Le père de famille indigne poursuivit son ascension et, arrivé au quatrième, à quelques pas de la porte, s'arrêta pour chercher sa clé. En fait pour gagner du temps, prendre courage, parce que ça ne l'emballait pas vraiment ce qu'il s'apprêtait à faire. Avant de glisser la clé dans la serrure, il pensa que ce mec, Enrico, il ne lui avait jamais plu. C'était un imbécile, ça se voyait à ses yeux : ronds et plats comme ceux des poules. Un géant peut-être, mais pas un poil de cervelle.

Il se rappela la fois où il l'avait entendu discuter avec le plombier : à répéter cent fois la même chose pour dire que son compteur ne marchait pas. Le plombier acquiesçait, hébété de surprise qu'on puisse être aussi con. C'était un truc de rien, un minuscule défaut dans le compteur. Mais l'autre n'arrêtait pas de répéter la même phrase, sans pouvoir la relier à ce truc cassé, qui lui échappait, tandis que sa phrase faisait du surplace.

Enrico, en tournant la clé de contact de sa Uno blanche, ne pensait à rien. Sinon au trajet qu'il allait faire, trois feux et deux ronds-points. Se garer dans le grand parking, devant l'entrée de la via della Resistenza, pointer à la machine, se changer dans les vestiaires, arriver à destination : la cokerie.

Il y avait quelque chose d'immobile dans son regard, comme celui d'un animal qui fixe la gorge de sa proie. La nature dans son accomplissement quotidien : la fatigue de l'acier, les mains fermes sur le volant. S'il fallait pelleter, il pelletait. Si on le mettait au contrôle, il contrôlait. Noter les températures dans le carnet, enfoncer la pelle dans le charbon et la soulever : pour lui, tout était pareil.

Ils se croyaient malins, les autres. Cet Arturo, devenu chef d'équipe on se demandait comment, qui ne bougeait jamais le petit doigt sauf pour piquer du gasoil. Et ces imbéciles, là, les jeunes, ces gamins de vingt ans qui se suspendaient aux câbles comme si c'étaient des lianes. Ils s'en fichaient pas mal de la production, ils jouaient à Tarzan. Mais c'est pas comme ça que ça marche.

Enrico le savait, lui, comment ça devait marcher. Il y faisait attention, lui, à la température de l'acier. Il vérifiait le thermomètre deux fois, trois fois même. Pour être sûr. Pour bien faire son boulot. Il respirait le coke à pleins poumons, scrupuleusement, sans se distraire, et faisait le même geste pendant huit heures d'affilée.

En conduisant, la seule image qu'il avait en tête c'était Francesca. Pas son visage congestionné quand elle s'était planté le couteau dans le poignet. Mais son corps à moitié nu, celui qui échappait à son contrôle, celui qu'il fallait discipliner.

Il devait la faire rentrer dans le rang, sa gamine. Parce que là, ça n'allait pas. Ils allaient finir par la lui mettre en cloque, si ça continuait. L'un ou l'autre de ces fumiers. Enceinte. Sa gamine. Pas question.

8

Francesca se retourna, cria quelque chose à Anna qui fut avalé par le vacarme des pots d'échappement. Quelque chose comme : je suis contente. Sans casque, ses cheveux se plaquaient contre sa bouche. Elle riait parce qu'elle sentait les chatouillis du vent sous son tee-shirt, entre ses jambes à califourchon sur le scooter. Elle se retourna encore, serrée contre le corps de Nino, et posa le visage sur son épaule en y frottant la joue.

Massi poussait les gaz au maximum pour essayer de les rattraper, mais le SR de Nino filait à quatre-vingt-dix, et son Typhoon n'allait pas aussi vite. Anna, peu habituée à être à la traîne, l'encourageait par de petites tapes dans la nuque, des coups de poing dans le dos.

Ils fonçaient sur la route panoramique. Direction : la sortie de Piombino. À l'heure où les mères sont à la maison, les pères au travail et les autres jeunes à la plage. Anna et Francesca regardaient la route se perdre entre les collines arides de chênes verts et les cheminées de la Lucchini. L'usine assiégeait le ciel. Mais elles, silencieuses, souriaient. Les bras serrés autour de deux mecs magnifiques, elles se sentaient puissantes.

Quand ils furent au carrefour avec la nationale, la mer avait déjà disparu, comme les maisons, les plages, les magasins fermés. Devant leurs yeux dominait maintenant l'usine, exhalant dans ses tubes et ses gazoducs une vibration lointaine, tendant ses grands bras, ses fours incrustés de rouille. Nino tourna à gauche, Massi suivait dans sa roue. Ils étaient presque arrivés.

Sans casque, sans clés, sans portefeuille. T'étais un nul si tu restais chez toi. Et si tu sortais, le top c'était de foncer sur la selle d'un scooter trafiqué pour aller dans un endroit secret.

Nino tourna une fois encore à gauche, Massi collé derrière.

Voilà, ils y étaient.

Le Cotone, le quartier de l'acier. Nu comme une tombe. Pas une boulangerie, pas une épicerie, pas un kiosque à journaux. Le rideau baissé d'un garage peut-être.

Tu sentais la poussière générée par le charbon entrer dans tes poumons, te coller après, te noircir la peau. Les deux scooters filaient sans ralentir entre les maisons démolies par le temps. Elles dataient des années 1900, ces ruines éventrées où n'habitaient plus que des immigrés.

À un mètre, la frontière.

Deux enfants à la peau sombre, un ballon à la main, sur un balcon, les seules présences humaines. Mais partout des chats errants, jaillissant des trous dans les murs et des carrés d'herbe sèche transformés en décharge. Il fallait faire attention pour ne pas les écraser. L'endroit avait dû être plein de vie autrefois, aujourd'hui ce n'étaient que décombres. Le peu de linge aux fenêtres était gris. Un silence de fantômes pesait, dans les rues, dans les cours. Une mémoire muette. Et partout des rats et des ronces, une préhistoire.

Nino et Massi longèrent le grillage de l'usine sur quatre kilomètres. Elle n'était plus le monstre qu'elle avait été trente ans plus tôt : vingt mille salariés, une vraie ville. Ils avaient réduit le personnel, démantelé des cheminées, et le monstre s'était racorni. Via della Resistenza, au numéro deux, l'entrée principale. Quelque chose comme dix millions de mètres carrés. En lettres capitales : LUCCHINI S.p.A.

Francesca et Anna écarquillèrent les yeux, elles n'en avaient pas trop de deux pour englober toute cette masse de bunkers, d'engins de chantier, de cheminées, de conduits, de rails morts, de bandes transporteuses. Le corps de l'usine battait fort, au rythme des métaux dans les fours. Barres, lingots, billettes : le rythme de son cœur, de ses artères, de son aorte. Impossible d'y trouver un ordre, un sens.

Nino freina à l'approche d'un trou dans le grillage.

Ils coupèrent les moteurs. Aussitôt descendus des scooters, ils restèrent tous les quatre silencieux. Le gémissement rauque, permanent, des aciéries, tu le sentais vibrer dans tes os. Ce qu'ils ressentaient pour cet endroit à la périphérie de tout, c'était quelque chose à mi-chemin entre la crainte et l'admiration.

Une terre aride et rouge, transformée, à deux heures de l'après-midi, en fournaise. Ou pas un brin d'herbe ne pouvait pousser. Même pas de rats ici, juste des reptiles. Ce sol desséché au fil du temps était dur comme de l'asphalte. Le plomb, l'odeur lourde du fer qui brûlait poumons et narines.

Pas une mouche ne volait.

Nino s'introduisit le premier. Les autres le suivirent dans le trou du grillage rouillé. C'était peut-être la centième fois. Ils y allaient quand ils avaient envie d'être tranquilles, ou quand ils séchaient la classe. Ils étaient les seuls, dans tout Piombino, à y pénétrer. Les seuls à avoir le cran de le faire.

Maintenant, la limite franchie, ils étaient pour de bon à l'intérieur.

Ce bras mort de l'usine n'était plus qu'une carcasse de rouille. Ils restèrent là un moment, tous les quatre, comme tétanisés. Éblouis par l'éclat de la lumière sur le métal. La gorge sèche. Le corps trempé de sueur, minuscule et vivant. Souffle coupé face aux géants de béton.

C'était un peu comme être dans un aquarium. La coulée du haut-fourneau là-haut enflammait le ciel, l'infestait de nuées et de poisons, et tu sentais ton corps fondre. Tu transpirais, le cœur battant la chamade.

En face, les restes d'une cheminée. Plus loin, un hangar désaffecté. Et au milieu, une pelleteuse au bras tordu, godet retourné. Tout ça mort, et brûlant.

Nino poussa un hurlement, comme ça, pour le plaisir. Et tous les quatre s'élancèrent dans le cimetière industriel, courant à perdre haleine, comme des animaux brusquement libérés.

Là, tout était permis.

Ils piquaient des cent mètres, grimpaient dans le godet de l'engin, sur les blocs écroulés de la cheminée, d'où ils sautaient jusqu'au sol, sans peur de se blesser sur la rouille ou de buter sur des restes de rails et de pneus. Ils criaient par-dessus le ronflement colossal de l'usine et, pendant quelques instants, ils étaient plus forts qu'elle.

Nino attrapa Francesca par le bras et l'entraîna dans l'obscurité, à l'intérieur du hangar désaffecté.

« Maintenant dis-moi ce que tu t'es fait au poignet.

— Rien, je t'ai dit. »

Dans ce ventre, leur respiration et leur silhouette se discernaient à peine. Impossible de voir où on mettait les pieds, sur quoi on marchait.

« T'es une idiote », dit Nino.

Il s'approcha de ce corps qui respirait près de lui.

« Et alors ? » chuchota-t-elle en reculant d'un pas.

Nino imagina cette tête à claques, la moue d'agacement qui tordait si souvent les lèvres de Francesca, et rougit.

« T'es une idiote... Mais faut que je t'embrasse. »

Il lui prit la main. À ce contact, il sentit un incendie, lentement, se propager dans ses artères. Il l'attira avec la douceur de celui qui ne sait pas attendre.

Aucune lumière, pas même un rayon de lune.

Francesca s'écarta. Se dégageant de ce corps d'homme, trop grand et trop impérieux, elle resta toute raide, fermée comme un œuf. Silencieuse.

« Pourquoi tu fais comme ça ?

— Parce que.

— Pourquoi t'es venue, si tu voulais pas ? »

Il ne l'entendait presque pas respirer. Juste un battement imperceptible au fond de sa poitrine, comme si elle était en hibernation. À nouveau, Nino lui prit le poignet, celui qui était bandé. Il respirait fort, son corps n'était que tumulte. Il lui fit mal, en serrant. Il avait fait exprès. Et elle, cette fois, émit un petit bruit comme sous l'eau, sans opposer de résistance.

Elle disparut entre les grands bras de Nino.

Ils tremblaient tous les deux, mais d'un tremblement différent.

« Qu'est-ce que tu as ?

— Rien.

— Tu peux pas toujours répondre rien, ça me fout les boules. Je veux savoir ce que tu t'es fait au poignet. »

C'était plus fort qu'elle. Cette prise en étau, et les mains, le corps de ce garçon, pourtant le plus beau qu'elle eût jamais vu, qui avait grandi avec elle, joué et nagé avec elle, lui faisaient peur. Elle ne supportait pas de le toucher. Son contact la dégoûtait. Mal à l'aise elle sentait les battements forts du cœur de Nino, si forts qu'ils pénétraient dans son thorax vide, le disloquaient. La beauté de ce garçon était inutile, elle ne parvenait pas à l'émouvoir.

Maintenant il posait ses lèvres humides sur les siennes. Et elle ne pouvait s'empêcher d'éprouver du dégoût. Nino lui plaisait : quand il rentrait du garage en bleu de travail, les mains pleines de cambouis, quand il cabrait son scooter pour attirer son attention. Mais quand il l'embrassait comme en ce moment dans le hangar, elle sentait ses organes se glacer, ses muscles se paralyser. Une guerre se déchaînait, là, dans son ventre. Et il fallait tenir bon, faire un effort : écarter les lèvres et le laisser entrer, au moins un peu.

Ça se faisait.

Anna faisait comme ça, avec Massi : ils s'embrassaient dans la bouche.

Mais Nino n'essaya pas, cette fois, de forcer ses lèvres. Il s'arrêta sur le bord. Il prit son visage entre ses mains et le releva juste un peu.

Il était éperdument amoureux. Comme il ne le serait plus jamais de toute sa vie. Avant de devenir le salaud que tout le monde connaît, dans l'ancien hangar de la Lucchini, quand il avait pris le visage de Francesca entre ses mains ce jour-là, il avait été sur le point de pleurer.

Il le voyait à peine, ce visage pâle, impénétrable, qu'il aurait voulu manger, dévorer. Il ne voyait que les lames brûlantes dans ses yeux.

« France… »

Elle, les bras morts le long du corps.

Nino aurait voulu ne pas le dire, mais ça le rendait fou. Elle le repoussait, et il ne pouvait pas l'accepter. Il était trop dingue d'elle, il devait faire quelque chose, quelque chose de grand. Ça devait exploser, il était trop bouleversé, impossible de se retenir. Vas-y, maintenant. Non, je peux pas. Mais si, je peux. Allez, je le dis, je vais le dire…

« Je t'aime. »

Francesca sursauta.

Elle ne s'y attendait pas, jamais on ne lui avait dit une chose pareille. Un court instant, elle fut ramenée à la vie : une vie de sang et de chair. La chaleur revint à ses joues. Mais elle ne pouvait rien répondre à ça.

Nino l'avait dit. Ça lui avait coûté un effort énorme, maintenant il n'accepterait plus les fuites, les réticences, les barricades. Il pressa plus fort son corps chaud contre son corps à elle, fermé. Laissa courir ses mains de son visage à ses épaules, et de ses épaules à ses seins, le coton de sa robe, l'odeur qui lui faisait mal. Quelle odeur ? Une odeur de peau, la sienne.

Son cerveau s'affolait.

« Je t'attendrai toujours… Je suis prêt à t'attendre, dit-il en riant, jusqu'au mariage ! »

Francesca rit à son tour. Elle avait envie de ça, rire, se sentir normale.

Elle se laissa étreindre par ce garçon gentil qui l'avait regardée grandir de la fenêtre d'en face, entre les piliers de ciment de la cour et les barreaux des grilles de l'école. Il lui avait dit : « Je t'aime. » Alors qu'il avait envie de le transpercer, ce corps.

Nino aurait pu faire des milliers de choses à ce moment-là, mais il l'embrassa seulement sur le front.

Francesca nicha sa figure contre la poitrine de Nino et réussit enfin à ne plus faire semblant. Elle laissa échapper un sanglot, presque muet. Il ne demanda plus d'explication. Mais en la serrant contre lui il eut une érection.

Il ne pouvait pas savoir. Il ne fallait pas qu'il voie : les marques sous la robe, l'ombre violette des hématomes. Francesca en était sûre, jamais elle ne pourrait être amoureuse d'un homme.

Pendant ce temps, dehors, en plein soleil, Anna et Massi jouaient à se courir après et se cacher, au milieu des dunes de charbon et de fonte. Drogués de lumière, le corps en nage, ils étaient épuisés d'avoir tant sauté du haut des ruines de la cheminée.

Puis brusquement, ils s'étaient arrêtés.

Anna se laissa tomber sur le godet retourné de la pelleteuse. Elle avait de la terre partout et respirait fort. Massi enleva son tee-shirt, le lança sur le Caterpillar qui n'était plus qu'un squelette et glissa sur les genoux, ses poumons explosaient dans sa poitrine. Il aurait voulu se rouler sur le sol, se couvrir de poussière et mourir, ou presque.

Ils restèrent ainsi, quelques instants, à reprendre leur souffle, à se regarder.

Il était beau, Massi. Tellement brun, on aurait dit un taliban. Les genoux un peu cagneux et les muscles des jambes en relief comme les footballeurs. Dix-sept ans, presque dix-huit. Le regard acéré, noir, de celui qui se voit déjà en première division. Et le visage dur des gens du Sud.

La lumière blanche faisait de la terre, du fer et de l'air irrespirable un immense placenta. Il fallait serrer les paupières pour ne pas avoir mal.

Anna souleva la tête, planta ses prunelles dans celles de Massi et éclata de rire. Sa façon de provoquer.

Massi se mit à rire lui aussi. Il devina ce qui allait se passer et se mit debout, sans la quitter des yeux. Dans la vie, il faisait semblant d'étudier. Occasionnellement, il fréquentait l'ITIS, l'Institut technologique et industriel. Et cette année il avait été recalé. Il était dingue des taches de rousseur d'Anna, ce détail bien à elle. Et de cette masse de boucles brunes, toujours dépeignées. Elle s'était maquillée un peu aujourd'hui. S'était passé du crayon noir autour des yeux. Mais c'était quand même une gamine, et ça aussi ça lui plaisait.

La lumière les étourdissait. Il y avait le bruit de fond constant et sourd de l'usine qui se répercutait dans le sol. Et l'odeur sèche, organique, du charbon. L'odeur de rouille, de fer, d'humidité – comme quand il commence à pleuvoir. Anna s'étendit sur le dos du godet et se sentit au bord de quelque chose d'indéfinissable.

Massi n'était pas son petit ami, c'était un peu comme un frère aîné. Elle le taquinait, et il se prêtait au jeu. Elle ne faisait pas exprès de le provoquer, ça lui venait comme ça. Sauf que ses pensées, tout à coup, se brouillaient et lui échappaient. Elle sentait ses muscles se relâcher et tout son corps accélérer. Elle ôta son tee-shirt, défit son soutien-gorge. Ils avaient toujours fait ça, depuis l'enfance, quand ils jouaient à se déshabiller dans la cave. Ils restaient nus dans le noir. La porte du réduit fermée à clé, l'odeur forte de la poussière, de l'abandon des choses. Ils se regardaient, désignaient du doigt les parties de leur corps, les nommaient à haute voix. Et chacune les faisait rire : le minou, le petit robinet, les nénés. Puis ils se rhabillaient et retournaient jouer avec les autres.

Massi était là. Anna l'entendait approcher, respirer. Et une terreur tranquille se répandait dans ses artères, pénétrait chacun de ses vaisseaux, lui brouillait les yeux. La lumière la dissolvait, elle, et les montagnes de limaille de fer, les tas de pneus.

C'était bon d'être là comme ça, torse nu, à attendre, les bras croisés derrière la tête et les yeux fermés. Elle savait qu'il la regardait.

Bien des choses avaient changé au fil des ans, et surtout ces deux dernières semaines, sans qu'ils puissent comprendre ni réagir. Ils n'avaient plus envie de rire quand ils se déshabillaient. Ils avaient commencé à éprouver de l'embarras quand ils se mettaient en maillot de bain dans la même cabine à la plage. Il était arrivé une chose nouvelle, qui les dépassait.

Les seins nus d'Anna, c'était insupportable pour Massi. Il les voyait, dressés dans la lumière, et c'était une vraie tyrannie. Il fallait absolument qu'il les touche, qu'il y plonge le visage. La sueur lui coulait dans la nuque, mouillait ses cheveux, descendait en rigole le long de sa colonne vertébrale. Il n'y pouvait rien. Ça lui arrivait et il ne pouvait pas le cacher. Il défit sa ceinture, qui le gênait tout à coup. Il s'approcha jusqu'à lui faire de l'ombre. Peut-être qu'elle ressentait la même chose…

Elle ne bougeait pas. Étendue, les jambes n'importe comment et la jupe un peu relevée. Elle se contenta de sourire, comme pour dire : tu peux.

Il descendit lentement de tout son corps sur elle. Et il ferma les yeux. Il faisait noir, maintenant. Tout se précipitait dans le flou, dans une saveur âcre, une odeur de nid. Il se laissa aller entre les genoux d'Anna, contre son sein chaud. Et elle se referma sur lui, bras et jambes, comme un koala.

Il n'y eut plus qu'un seul endroit au monde où Massi se sente bien, et c'était Anna. Sa voisine de palier, la petite peste qui lui balançait des sacs d'eau depuis son balcon. Il n'avait pas toujours envie de faire la guerre : avec les profs, les copains, les parents. Et de jouer les durs avec elle, par les gestes, les regards, les bravades. Se démener pour marquer un but le dimanche, pousser son scooter à en mourir.

Parfois il avait envie d'un refuge, et de tomber, nu, dans cette petite fille.

Le corps d'Anna, il l'avait découvert depuis peu. Il avait tellement changé, pas comme celui de sa sœur, familier, dépourvu d'épines.

Anna l'embrassait et n'arrivait plus à réfléchir. Je ne suis pas amoureuse, ce n'est pas vrai. C'est un jeu, mais c'est plus qu'un jeu. Elle s'accrochait à ses épaules, voulait faire quelque chose mais ne savait pas quoi. Elle le laissa mettre sa main. Elle n'aurait pas dû, mais elle le laissa faire. Parce qu'il la touchait exactement comme elle, quand elle était toute seule.

La première fois qu'ils s'étaient embrassés avec la langue, c'était deux semaines avant.

Il était allé la chercher en scooter, le dernier jour de classe. Sur la route panoramique, ils s'étaient arrêtés et s'étaient assis sur un banc face à la mer. C'était midi. Massi lui avait entrouvert les lèvres puis avait glissé sa langue, et Anna avait eu très peur. Après, il l'avait serrée fort contre lui, et en la serrant l'avait touchée entre les cuisses. Elle avait senti une envie, très fort, de faire pipi, et lui avait donné une claque.

Mais maintenant, sans savoir pourquoi, elle avait envie de se laisser toucher. Un peu, juste un peu. Elle voulait connaître cette chose bizarre, qui lui plaisait mais lui faisait mal aussi. Et Massi écarta le bord de sa culotte, des doigts seulement, un seul, à peine. Parce qu'elle tremblait, qu'elle avait ouvert les yeux, et ces yeux disaient : que se passe-t-il maintenant ?

Quand ils s'entendirent appeler par les autres, ils s'interrompirent brusquement. Ils se rhabillèrent à toute vitesse sans se regarder et réapparurent, tout chiffonnés, derrière l'engin.

Francesca et Nino leur faisaient de grands gestes.

Avant de monter sur le scooter, Francesca regarda Anna avec dans les yeux une lueur effrayante. Une sorte d'incendie noir. Anna ne le supporta pas et détourna la tête.

9

« T'as fait quoi avec Massi ?

— France, la barbe ! Je suis pas amoureuse de lui, t'inquiète.

— Oui, mais qu'est-ce que vous avez fait ? »

Avant de rentrer, elles s'étaient assises l'une à côté de l'autre sur les marches de l'escalier.

« Je te déteste quand tu joues les idiotes. »

Anna réagit instantanément. Elle n'aimait pas se faire traiter d'idiote.

« On a fait ce que vous avez fait.

— Donc vous vous êtes embrassés.

— Oui.

— Et c'est tout ?

— C'est tout.

— Il t'a touchée ?

— Non !

— Et t'es pas amoureuse ?

— Non, merde ! J'en ai rien à foutre de Massi. Je le connais depuis toujours. » Elle eut un mouvement d'impatience. « On est copains, on s'amuse... Et toi, ajouta-t-elle en haussant le ton, t'es jalouse ! »

Elle se leva pour laisser passer une bande de gamins qui hurlaient, mitraillette au poing. Mais ils s'étaient arrêtés et les pointaient vers elles. Attendant un signe de reddition.

« Je suis pas jalouse », dit Francesca en bondissant à son tour sur ses pieds, regard hésitant entre fureur et larmes.

« T'es jalouse ! Tu m'en veux. Pourquoi ? Ça te gêne tant que ça si j'embrasse Massimo ? »

Quatre gamins aux genoux écorchés attendaient debout, sérieux et muets, que les deux filles lèvent les mains et disent quelque chose comme : on se rend. Mais Anna et Francesca n'avaient pas un regard pour eux, au contraire, elles étaient apparemment trop occupées à se mesurer d'un œil incandescent. Déçus, les gamins baissèrent leur mitraillette et s'en allèrent plus loin.

C'était évident, qu'elle en avait à mort après Anna. Elle l'aurait frappée. Parce qu'elle avait bien compris, à les voir se présenter moitié déshabillés, qu'avec Massi, Anna avait fait quelque chose de grave.

« Je te signale, dit Anna avec assurance, que même si tu embrasses un garçon, et que moi j'en embrasse un autre, ça ne change strictement rien entre nous. »

Elle fit une pause. Tactique.

Un filet de liquide s'écoulait du palier du dessus, où une petite fille était accroupie, culotte aux genoux et jupe relevée. Faire pipi dans l'escalier était chose courante.

« Ce qui va arriver un jour, c'est que, toutes les deux, on va avoir un amoureux. Je dis pas que ce sera Nino ou Massi, mais on aura un copain, quoi. Et on fera l'amour avec, et on passera beaucoup de temps avec, et on ira en boîte, main dans la main, et puis on se mariera, on fera plein d'enfants, moi je partirai faire mes études, toi tu deviendras Miss Italie, et forcément, pendant un certain temps, on va se séparer. »

Francesca écoutait, blessée.

« Ça arrivera peut-être, Fra, *il faudra bien*. Mais nous deux, on sera jamais vraiment séparées. On peut pas se perdre, t'entends ? »

L'autre restait sur la défensive mais quelque chose dans sa frimousse commençait à se dénouer. Anna s'en aperçut. « On n'est pas pareilles, dit-elle en souriant, mais on ne fait qu'un, on est comme des sœurs ! »

Francesca se détendit tout à fait.

Elle n'avait pas trop aimé cette histoire d'avoir un copain, et qu'Anna s'en aille loin. Intérieurement, elle avait tremblé. Mais quand elle l'avait entendue prononcer à la fin ce mot si doux, elle avait senti son cœur exploser. Et elle s'était jetée sur Anna.

Elle n'attendait que cela, en réalité, elle en avait besoin, de la serrer dans ses bras. L'avoir de nouveau à elle. Et puis Anna n'était pas amoureuse de Massi, au contraire elle s'en fichait complètement.

« Fra, sérieusement... Écoute-moi maintenant. »

Anna lui avait pris les mains et les serrait dans les siennes.

« Primo : pour t'enlever les points, c'est moi qui t'accompagne. Secundo : je te promets, je te jure que ce monstre ne te fera plus jamais de mal. Et s'il t'en fait, tu viendras habiter chez moi. Et si mon père fait encore une connerie sans que ma mère le vire, on s'en ira. »

Francesca faisait tout son possible pour ne pas pleurer.

« Parce que c'est pas juste, s'écria Anna. C'est pas juste que notre vie soit bousillée par ces deux salauds ! »

Qu'ils l'entendent tous, dans cet immeuble de merde.

« Deux salauds, qui savent faire que des conneries, et qui valent pas un clou ! »

Qu'il l'entende, le père de Francesca.

Quand elle entra dans la cuisine, chose inouïe, assis à table, se tenait… son père.

« Papa ! » s'exclama Anna instinctivement.

À vrai dire, ça sentait plutôt le roussi. Sandra fouillait dans le tiroir à couverts avec des gestes saccadés et ne s'était même pas retournée vers elle. Arturo, en voyant la tête bouclée de sa fille, se tira d'embarras en lui ouvrant grand les bras.

L'indicatif du journal télévisé retentit. Un instant, Anna eut l'impression qu'elle était dans une famille normale. Il y avait maman, qui enfin lui disait bonjour, les maniques sur les poignées de la passoire pour égoutter les pâtes. Et il y avait papa, disparu depuis trois jours, qui lui souriait. Il n'y avait pas son frère, mais bon, c'était obligé : il fallait qu'il transforme l'acier brûlant pour lui donner la forme d'un rail. La table bien mise, les informations scandées par la voix d'une jolie dame.

Elle refusait de voir les nerfs à fleur de peau de sa mère. Elle refusait de voir avec quelle fébrilité son père se torturait les ongles sous la table. Elle alla l'embrasser et prit place devant une assiette fumante de pâtes.

Arturo engloutit sa première fourchetée, puis se répandit en compliments sur la sauce. Apparemment gai et à l'aise, il commenta quelques infos données à la télé, comme ça, au hasard, sans se soucier vraiment de savoir qui avait été arrêté, qui était mort sur un chantier… Anna s'accrocha de toutes ses forces à ces apparences. Dit que la sauce était bonne. Et Sandra resta silencieuse, les yeux baissés sur son assiette.

« Alors ? Qu'est-ce que tu me racontes, t'étais où ? demanda Arturo quand il eut fini de mâcher.

— En balade, répondit Anna.

— Sandra, s'il te plaît, le sel. »

Sandra, l'air buté, prit le sel à côté de son assiette, le posa, brutalement, devant celle de son mari.

« Merci. » Arturo déglutit puis s'adressa de nouveau à sa fille :

« T'es pas allée à la plage aujourd'hui ? »

Anna regarda le visage souriant de son père et se dit que finalement elle l'aimait bien. Malgré tout. Elle était contente de ce dîner à trois. La digne conclusion de ma journée, se dit-elle.

« Non, la plage, on avait pas envie. On est allées faire un tour, comme ça, avec Francesca. »

Arturo regarda mieux le visage de sa fille, et s'assombrit brusquement. Il ne lui laissa pas le temps de finir.

« C'est quoi, ce noir sur tes yeux ? »

Anna resta muette.

« C'est quoi ? Tu t'y mets déjà ? Tu te promènes maquillée ? » Il jeta violemment sa serviette sur la table et se tourna tout rouge vers sa femme. « Sandra ! tonna-t-il. Tu la laisses sortir comme ça ? »

La paix avait duré quatre minutes. Bon, se dit Anna. Elle n'avait plus faim. Le babouin avait changé de tête. C'était toujours pareil avec son père, la loterie. Et elle, l'estomac retourné par la colère, la déception, l'envie de l'envoyer chier, elle n'en pouvait plus.

« Non mais tu l'as regardée, Sandra ? Avec ses trois couches de maquillage sur la gueule ? Nom de Dieu, elle a l'air d'une pute ! » Il se leva, en fureur.

Sandra se redressa sur sa chaise.

« Ne parle plus jamais comme ça de *ma* fille ! »

Anna resta assise, l'œil écarquillé et le cœur qui battait la chamade. Ils étaient comme deux bombes à retardement, qui s'apprêtaient à faire sauter la baraque. Et les pâtes déjà étaient froides dans les assiettes.

Elle avait envie de lui crier à la figure : tu pouvais pas rester où t'étais ? Chaque fois que tu reviens, c'est l'enfer. C'est quoi ton problème ? Tu t'en prends à moi parce que je n'ai que treize ans. Espèce de connard qui bousille tout autour de toi, pour qui tu te prends, à me faire chier comme ça ?

Bien sûr, elle ne dit rien.

Son père qui était là puis n'y était plus, qui souriait puis partait en vrille : elle en avait assez des scènes qu'il faisait tout le temps. Pourquoi c'était lui qui l'avait, le pouvoir ?

Elle ne bougea pas de sa chaise.

« Anna ! éructa-t-il. File te laver la figure. Et gare à toi, gare à toi, si je te reprends à te peinturlurer ! » Il attrapa le sel à l'aveuglette, fou de rage, et le lança contre le mur. « Je te jure que tu sortiras plus jamais ! »

Anna se leva, contente d'avoir la permission de s'en aller. Elle fit claquer la porte de la salle de bains, et quand elle fut le visage face au miroir, les mains sur le lavabo, elle grommela. En plus, elle n'avait rien mangé.

Regarde-moi ce connard qui débarque comme ça, un soir, et qui se met à jouer les pères. S'il croit qu'être père ça veut dire venir me prendre la tête pour trois poils de maquillage. Va te faire foutre !

Elle plongea la tête sous le robinet et laissa l'eau entrer dans ses oreilles. Elle ne voulait plus l'entendre, ce babouin de merde qui continuait à hurler : « Tant que t'auras pas dix-huit ans, pas question de te coller cette merde sur la figure ! T'entends ? Pas question !

— Baisse le ton, siffla Sandra en commençant à débarrasser. Ta fille a bien le droit de se mettre un peu de crayon sur les yeux. C'est pas ça le problème. »

Anna ne revint même pas dans la cuisine. Elle était trop en rage. Elle s'enferma dans sa chambre et alluma sa chaîne à fond. Elle pensa à Francesca. Se dit qu'il était peut-être temps de partir pour de bon. Toutes les deux, incognito, en imperméable de détective avec un foulard sur la tête, un baluchon comme dans les BD et des lunettes de soleil, assises sur un banc du port, à attendre le premier ferry pour l'Elbe.

Mais c'était à lui de partir, pas à elle.

Pourquoi maman le vire pas à coups de pompe dans le cul ?

Si elle était revenue à ce moment-là dans la cuisine, elle aurait vu son père calme et détendu, dans son fauteuil, en train de regarder d'un œil amusé l'écran de la télévision. Arturo était ainsi fait : il faisait une scène, cassait des objets, puis redevenait instantanément inoffensif et joyeux.

Sandra, non.

Elle alla sur le balcon secouer la nappe. Remplit l'évier d'eau chaude et de liquide vaisselle. Frotta soigneusement assiettes et casseroles, rinça, mit à égoutter. Tout cela dans un silence religieux, sans accorder un seul regard à son mari planté hilare devant *Striscia la notizia*[1]. Elle passa le balai, ramassa les miettes. Ferma le sac-poubelle et descendit même dans la rue le jeter.

Faut que je fasse trois pas, sinon je vais l'étrangler.

Elle remonta.

Arturo était toujours là, dans son fauteuil. Il ne risquait pas de bouger le petit doigt.

1. Émission satirique quotidienne qui commente l'actualité.

« Écoute », elle le prononça avec calme, en s'asseyant lentement face à son mari, ce mot annonciateur de catastrophes.

Arturo la regarda d'un air sans équivoque : vas-y, je suis prêt.

« Maintenant tu vas m'expliquer, commença Sandra, pourquoi ça fait trois jours que tu n'es pas rentré dormir ici. Pourquoi depuis trois jours la banque n'arrête pas d'appeler, et me menace, pour des raisons que tu connais et que moi j'ignore, en disant qu'il manque trois millions sur le compte. » Elle respira profondément. « Et tu vas m'expliquer comment on va payer le lave-vaisselle, l'autoradio de ton fils et nos quatorze millions de dettes sans qu'on nous enlève le toit qu'on a sur la tête. »

Arturo, un court instant, sentit un pincement au cœur qui aurait pu ressembler à une crise cardiaque. Pendant une fraction de temps infinitésimale, en regardant le visage figé et fatigué de sa femme, il se sentit une merde. Une fraction infinitésimale, pas plus.

« D'accord, Sandra. Je vais te le dire. Si tu me laisses parler sans m'interrompre toutes les deux secondes, je vais tout t'expliquer et tu te rendras compte qu'il n'y aucun problème, nulle part. »

Sa femme garda la même expression. Avec une patience surhumaine, une fatigue surhumaine, dans le petit séjour de son appartement, elle se préparait encore à l'écouter, après vingt ans de mariage, et à faire semblant de le croire.

« C'est vrai, j'ai démissionné. »

Un coup de poing dans l'estomac.

« Mais Sandra, objectivement... Regarde-moi ! » Arturo se mit debout, tendit la main, paume ouverte. « *Objectivement*, je ne pouvais pas continuer à me bousiller les mains là-dedans, à supporter les brimades en tout genre, tout ça pour un salaire de misère... Et donc... » il déglutit pour gagner du temps, trouver de meilleurs mots, « des occasions se sont présentées... des super occasions ! Un nouveau boulot, Sandra, un boulot valable, je te jure, un super boulot !

— Et qu'est-ce que c'est, ce *super boulot* ?

— Le commerce, Sandra ! Les antiquités, les œuvres d'art. Un secteur sûr, des bénéfices garantis, poursuivit-il en s'exaltant, tu sais que je me suis toujours intéressé à ça, le commerce ça a toujours été mon point fort... et là, j'ai eu une opportunité. »

Il y croit, se dit Sandra, il croit vraiment à ce qu'il dit.

« Un bon ami à moi m'a offert de m'associer avec lui. Les antiquités, Sandra. Un marché en pleine expansion.

— Les antiquités, reprit Sandra avec un filet de voix. Et qui c'est, ce bon ami à toi ? »

Arturo s'éclaircit la voix, en toussant un peu.

« Pasquale. »

Sa femme pâlit d'un seul coup.

« Pasquaaale ? s'écria-t-elle. Pasquale qui ? Celui qui retourne en taule une fois par an ? Qui a passé plus de temps en prison que chez lui ? »

Arturo se prit la tête entre les mains. Un instant, un instant seulement, il se sentit à nouveau une merde. Puis il se reprit.

« Nooon ! Tu n'as pas compris. Pasquale est quelqu'un de bien, c'est juste que... »

Il s'apprêtait à reprendre ses explications, et patati et patata, quand Sandra lui fit signe de ne plus dire un mot. Épuisée, elle se leva de sa chaise.

« La réalité, Artù, dit-elle en martelant la table. Il y a une belle différence entre la réalité et ton baratin. »

Cette nuit-là, Sandra dormit enlacée à son mari. Ils se tinrent par la main dans le grand lit, comme quand ils s'étaient rencontrés et qu'ils rêvaient de passer leur vie ensemble : un appartement, des enfants, les vacances en Sardaigne, ou même seulement à l'île d'Elbe.

Avant de s'endormir, elle caressa longuement les cheveux de l'homme qu'elle avait épousé, et qu'aucun autre, ni maintenant ni jamais – hélas – ne pourrait remplacer. Pourtant elle pensait sérieusement qu'elle devait se séparer de lui.

Elle avait la responsabilité des enfants, de la maison, des choses concrètes de la vie. Elle la sentait tout entière sur ses épaules. Elle allait demander le divorce. Sans nier, pour cette nuit au moins, les sentiments qu'elle éprouvait pour cet homme, en dépit de tout.

Elle laissa sa tête s'enfoncer dans l'oreiller. Il fallait demander le divorce. Ça ne pouvait plus continuer. Elle ferma les yeux. Dehors, le tapage blessait le silence de la nuit. Un klaxon, une voiture qui passe à toute vitesse.

Pouvoir remettre les compteurs à zéro. Avoir encore devant soi huit ou neuf vies.

Elle pensa à son père : un héros de la Résistance, décoré par le président de la République, un homme qui avait travaillé toute sa vie, qui y avait laissé sa jambe, dans cette usine d'où son mari s'était fait virer.

Elle repensa à cette nuit de Ferragosto[1], il y avait plus de vingt ans, dans la pinède de Follonica : c'était là qu'elle l'avait rencontré pour la première fois. Et elle avait compris tout de suite, à son attitude, à sa façon d'allumer sa cigarette et de racon-

1. Jour férié du 15 août, qu'on passe en général entièrement dehors, dans les collines ou à la mer, avec un pique-nique.

ter des histoires invraisemblables, qu'il n'avait pas vraiment la tête sur les épaules.

Sandra se dit qu'il y a des choses que tu ne décides pas. C'est le Capitalisme mondial, l'Histoire des nations, la République italienne qui décident.

Et puis, il y a ce que tu décides, toi. Ce qui dépend uniquement de toi. Ce que tu fais, ce que tu as choisi d'être. Quand on est né ici, on peut devenir ouvrier ou voleur, travailler au rayon charcuterie de la Coop ou bien se prostituer. Tu peux choisir de penser avec ta tête, tu peux voter pour X ou Y. Tu peux lire *La Repubblica* ou regarder les émissions de télé-réalité.

Enfin, il y a tout ce que personne ne décide. Comme d'être là, maintenant, sous les draps avec cet homme qui m'a toujours fait faire du mauvais sang, mais quand il est dans mes bras je me sens chez moi, dans mon pays, mais demain, juré, je téléphone à un avocat, c'est juré, je le fais. Il y a ce que je suis, et ce que je voudrais être.

10

Alessio roulait à fond sur la route déserte du port industriel, éclairée de loin en loin par les réverbères. Il était onze heures du soir. Les amplis pompaient dans le désert.

La Peugeot d'Alessio se reconnaissait de loin, avec les trois ailerons genre Batman qu'il avait montés dessus. Il l'avait même abaissée de dix centimètres, pour la rendre plus agressive. Mais son rêve, c'était une Golf GT.

Sur le siège passager, il y avait Cristiano, son copain de toujours, sans ceinture et le coude à la portière. Impossible de se parler : la musique était trop forte. De toute façon, Alessio ne parlait pas beaucoup.

À dix heures, son service terminé, il avait pris rapidement une douche, gratté au papier de verre le noir de coke sur sa peau, pointé et sauté dans sa bagnole. Il était épuisé, après huit heures d'affilée au pont-roulant à décharger les torpilles, remplies d'acier à ras bord, dans les poches de coulée qui partaient vers le feu continu. Je vais quand même pas aller me coucher un samedi soir, en été. Quand il y a de la chatte partout dans les boîtes.

Il était passé prendre son copain et ils s'étaient arrêtés pour avaler, debout au comptoir, deux parts de pizza et une bière. Et maintenant il fonçait dans le désert périphérique. Longeant le périmètre du Magona, il dépassait les quartiers ouvriers et les premiers chantiers du port industriel. Il conduisait avec sa concentration habituelle, comme un fantôme.

« Si on allait au Gilda ? » hurla Cristiano pour dominer les amplis en éruption.

Il se sentait terriblement puissant, Alessio, quand il enfonçait le pied sur l'accélérateur. Vingt-trois ans, sept ans qu'il bossait aux aciéries. Au début, il transportait la fonte du haut-fourneau aux convertisseurs, à un moment ils l'avaient mis à pelleter le charbon, et pour finir au pont-roulant. Il sentait le sang pulser dans ses artères, quand il conduisait avec cette musique de dingue en montant le volume à faire exploser les amplis. Il en écoutait souvent aussi sur son baladeur à l'usine : du hardcore. À regarder la coulée continue, l'acier qui prend la couleur du sang, ce boum-boum incessant dans les oreilles lui donnait le sentiment d'être en guerre.

« Ale ! Je t'ai demandé si on irait pas au Gilda ! »

Il tourna dans une petite route latérale, commença à grimper les innombrables virages. Fini les réverbères, il fallait rouler pleins phares pour vaincre l'obscurité.

« Non, on va au Tartana », répondit-il au bout d'un moment.

Les trains, c'est le plus dangereux. Parce qu'il n'y a jamais de coordination entre celui qui le commande du central et celui qui le conduit. Tout est désorganisé. Et il en faut peu pour finir écrabouillé. Sur sa carte d'identité, c'était marqué *Conducteur d'engins*.

Il arriva au sommet, stoppa sous les répéteurs paraboliques et les antennes-relais. Ils étaient arrivés. La Tolla, tous ceux qui ne sont pas des braves garçons, à Piombino, connaissent. De là-haut, tu tiens dans ta main l'usine tout entière jusqu'au port.

Ce soir-là, coup de chance, pas de voiture d'amoureux aux vitres embuées. Ni de mômes qui fument des pétards.

Ils étaient seuls.

Au grand désappointement de Cristiano, Alessio éteignit la stéréo. Et un silence irréel, creusé tout au fond par le grondement de la Lucchini, envahit l'habitacle.

« Pourquoi tu veux pas aller au Gilda ?

— J'ai pas envie de payer une pute.

— Ce que t'es rigide ! » Cristiano était vraiment contrarié. « Y a quoi ce soir, au Tartana ? ajouta-t-il. Que dalle !

— Ce qu'y a, je m'en fous. Si tu veux sortir, on va au Tartana. Sinon, je te largue et tu vas à pied. »

Cristiano ferma sa gueule. Il connaissait son copain, avec ce ton de voix valait mieux pas insister. Il sortit une dose de sa poche, décrocha le rétroviseur central et commença les opérations rituelles du samedi soir dans un silence religieux.

Alessio ne lui accordait pas un regard. Enfoncé dans son siège, il fixait la mer artificielle de lumières et de feux violets de l'autre côté du pare-brise. L'usine, la nuit, vue de là-haut, c'était autre chose. Il plongeait dedans en pensée, indifférent et muet. Claqué, et furieux.

Cristiano se pencha sur le miroir, un billet de dix roulé dans le nez. Avant de sniffer, il réalisa qu'il avait investi tout son salaire de mai dans la dope, mais cette fois tout irait bien : il le fallait. Il avait pris un risque, c'est vrai, énorme même. Mais elle était tellement bonne, qu'il se ferait sûrement du six cent mille de bénef.

Il avait terriblement besoin de musique, Cristiano. Là maintenant, à donf dans les oreilles, dans la tronche. Mais il n'osa pas demander à Alessio. Quand il releva le nez, reniflant un grand coup, il vit du coin de l'œil son copain immobile, les yeux écarquillés sur un point vague dans la nuit. Ce point, c'était la tour du haut-fourneau.

Alessio ne s'était pas tourné vers lui, ne s'était pas jeté, affamé, sur la ligne de coke. Il restait là, absent, sans bouger un muscle. Il avait dû lui arriver un truc. Il avait l'air en super rogne. Mais inutile de demander pourquoi.

Pas le genre à faire des confidences.

Cristiano lui passa le rétroviseur, Alessio le prit mais ne bougea pas.

Y a des chats partout. C'était à ça qu'Alessio pensait.

Personne le sait, dehors, mais sous certains hangars, surtout ceux des cantines, il y a des communautés de chats énormes, des centaines de chats. Ils n'ont jamais vu la lumière du soleil, ils n'ont aucune idée de ce que peut être un brin d'herbe. Ce sont des sortes de mutants, sans queue, avec un seul œil, tous pareils. Absurde.

Cette histoire des chats, ça lui avait toujours fait un drôle d'effet. Incroyable que dans le fer, dans la fonte, des chats puissent vivre. Et ils tombaient malades, pauvres bêtes. Certains, pelés, couverts de gale, faisaient presque peur. À les regarder en face, ils avaient l'air humains. Et quelques-uns, dont Alessio, leur apportaient à manger.

Cristiano s'en fichait complètement, des chats comme de la Lucchini qu'il voyait tous les jours que Dieu fait. À vrai dire, il en avait plein le cul. La drogue commençait à faire effet et il n'avait qu'une idée en tête : la blonde en string sur le panneau publicitaire à l'entrée de Piombino.

Il voulait aller au Gilda. Et conclure tout de suite, à l'instant, avec la blonde à couper le souffle qui se faisait payer, au lieu de courir aux fesses d'une gamine capricieuse sur la piste du Tartana. Elles baisent jamais, ces connasses. Elles se la pètent un max, tu peux même pas les embrasser. Il avait envie de toucher une paire de gros nibards. En payant plus cher, dans le salon privé, il pourrait aller au bout. Et l'autre barjo, à quoi il pouvait bien penser ?

Alessio, en réalité, luttait pour ne penser à rien. Mais cette maudite scène lui revenait sans cesse, comme un message enregistré qui se répète à l'infini.

L'après-midi, vers quatre heures, un de ces foutus chats, un petit, s'était fait écraser par un train de torpilles, et Alessio n'avait rien pu faire. Le train l'avait aplati : un caillot de poils et de sang. Il était descendu et avait commencé à balancer des coups de pied partout. Je suis con, se disait-il, je suis débile. Et le chef d'équipe, à bon droit, l'avait engueulé en hurlant : « Qu'est-ce t'as, tête de nœud ! » Et lui, d'instinct, lui avait balancé son poing dans la gueule, au chef d'équipe.

Je suis complètement crétin, continuait-il à se dire. Je pète un plomb à cause d'un chat. Mais ce chat-là lui rappelait un de ses copains, écrasé par un rouleau compresseur deux ans plus tôt. Il ne voulait pas se souvenir de ça, le copain écrabouillé devant ses yeux. Il ne voulait pas se souvenir de la tête du type qui conduisait le train et n'avait pas pu l'arrêter.

Et à présent le chat, le copain, la tronche du type sur le wagon, ça ne faisait plus qu'une seule et même chose dans sa tête.

Cristiano était descendu pisser dans les buissons. Et lui il ne se décidait toujours pas à se faire sa ligne. Il regardait le cœur : la tour tout illuminée où la fonte et l'acier sont fondus, il espérait ne jamais être licencié, et que jamais ça lui arrive, en conduisant un train, d'écrabouiller quelqu'un.

Ce que personne ne peut imaginer, dehors, c'est l'intérieur. On le sait bien qu'à l'intérieur de la Lucchini, dans ses viscères, bougent des jambes, des bras, des têtes humaines, des êtres de chair. Mais personne, jamais, n'arrivera à prendre la mesure de ce labeur gigantesque. Dehors, impossible de comprendre ce que c'est, de transformer des tonnes et des tonnes de matière. La matière la plus dure qui soit. Ni d'imaginer la quantité démesurée de calendriers sexy et de posters de femmes nues accrochés partout.

Même sur les tractopelles ils collaient des filles avec des gros nichons.

Brusquement, il se pencha sur la coke et sniffa à pleines narines. Cristiano remonta dans la voiture et le regarda, comme pour dire : alors, comment tu la trouves ?

« Cri, fit Alessio, tu l'as déjà vu, le renard dans la cokerie ? »

Cristiano releva les sourcils. Il travaillait pour un sous-traitant, en marge, sur un bull. Il transportait les matériaux inertes à recycler.

« Non. Pourquoi ? Y a un renard ? » Et il se mit à rire.

« Tu te rends compte… » et Alessio riait aussi, maintenant. « Un renard dans la fosse ! Je l'ai vu souvent, mais il sort qu'à six heures du mat. »

Depuis toujours, on l'appelle comme ça la cokerie : *la fosse*. Ça rend l'idée. Et ce nom est une des rares choses qui se soient transmises de génération en génération.

« Ça va mieux ? hasarda Cristiano.
— Aujourd'hui, je me suis fritté avec le chef.
— Ah ouais ? »

Il y avait aussi un panneau avec un tableau et le graphique des accidents du travail, mais il n'était jamais mis à jour. Les mecs griffonnaient dessus, certains écrivaient des conneries pour se marrer, genre untel était mort, alors que c'était pas vrai. Ou bien ils écrivaient : je suis mort, le rouleau m'a explosé les couilles. Et tout le monde se marrait.

« Vue d'ici, elle est presque belle.
— Qui ? »

Alessio montra l'océan de lumières.

« Un bijou ! » fit Cristiano.

Il sortirait de la discothèque à cinq heures, et à six heures il prendrait directement son service.

« Alors, le Tartana ? Pas le Gilda, t'es sûr ?
— Merde, Cri, je t'ai dit non ! »

Une lumière rougeâtre envahit le ciel noir pendant quelques minutes, comme une apocalypse. La coulée.

« À ton avis, ça a un sens ?
— Quoi ? » Cristiano cessa de jouer avec l'écran de son portable et regarda son copain.

« Travailler toute sa vie là-dedans.
— Si on nous payait cinq ou six millions par mois, ouais. Ça aurait un putain de sens ! »

Cristiano était une vraie pile électrique maintenant. Il lançait des coups de pied, il avait envie de bouger, d'aller se le cueillir, son samedi soir, son moment de gloire.

Alessio s'en aperçut et démarra. La coke commençait à lui faire de l'effet, à lui aussi. Il mit de la musique. Chassa l'image du caillot de sang, de poils, l'image du copain écrabouillé, et le visage incrédule de l'homme qui l'avait tué et qui était son oncle.

Il s'élança dans la pente de la Tolla. Non, il ne serait jamais licencié. Il fonçait vers l'Aurelia[1], en même temps que des milliers d'autres voitures dans la course du samedi soir, vers le Tartana pris d'assaut par les Allemandes, vers le sein blanc et chaud d'une fille, n'importe laquelle, où poser la tête et y finir sa course.

Alessio conduisait comme un fou, et Cristiano hochait la tête au rythme de la techno.

Il dépassait les voitures, pensait aux filles. Celles qui venaient voir leur mari au travail, les enfants dans les bras. Elles restaient de l'autre côté du grillage, leur montraient leur papa tout noir de fonte. Les gamins adoraient les bulldozers et les tractopelles. Ils applaudissaient comme au cirque.

Il aurait applaudi lui aussi, à voir son père sur un tractopelle, il aurait été fier. Et les filles avec leurs mômes dans les bras, elles n'étaient peut-être pas aussi jolies que les filles en discothèque, mais elles avaient un sourire, un visage sans maquillage, pâle, qui avait quelque chose comme un charme. Si Elena ne l'avait pas quitté, si elle n'était pas allée à l'université, elle serait venue le voir, elle aussi, de l'autre côté du grillage, et il aurait montré à leur enfant comme c'est méchant, un bulldozer.

Il serrait le volant dans ses poings. Ces poings qui partaient plus vite que les mots.

Un sein blanc où poser la tête. Ça, ça avait un sens.

---

1. Principal axe routier de la côte ouest, qui descend vers Rome en suivant le tracé de l'ancienne *Via Aurelia* des Romains.

11

Dès qu'elle voyait la mer, Anna devenait comme folle.

Elle lâchait sac à dos et serviette n'importe où, prenait son élan et se mettait à courir. Elle courait jusqu'à ce que l'eau devienne trop haute, que ses poumons explosent dans sa poitrine, et là, elle plongeait. Elle frottait son ventre contre le dos ondulé du fond sableux, ressortait une dizaine de mètres plus loin, où l'on n'avait plus pied, même du bout des orteils. Elle adorait frôler ce dos, rêche et doux à la fois. Le toucher de la main, y enfoncer les doigts. Sous l'eau, là où les bruits du monde deviennent placenta, où le sel brûle la cornée et que tu n'entends plus que le bruit de ton cœur, qui ne t'appartient plus.

Francesca, elle, prenait son temps.

Sa silhouette à contre-jour était le point le plus lumineux de la plage. Elle se laissait manger par les regards, dorer dans la lumière.

Elle traînait longtemps sur la laisse de mer, creusant le sable du bout du pied. Elle entrait par paliers, les mains d'abord mouillant le ventre, puis les bras. Enfin, alors qu'Anna était presque aux bouées, elle plongeait avec la perfection d'une sirène.

Anna se roulait maintenant à la lisière de l'eau, le sable mouillé collait à ses cheveux, à son maillot.

Francesca la regardait en souriant, mais ne se risquait toujours pas à l'imiter.

« Vas-y, Fra, lance-toi ! »

Anna n'avait conscience de rien et marchait à quatre pattes, toute couverte d'algues, son maillot coincé entre ses fesses. Comme si c'était la chose la plus naturelle du monde. Riant à tout bout de champ.

Les garçons, eux, voyaient. Ils bondissaient sur elle, Massi l'attrapait par les bras, Nino par les jambes.

« Un, deux, trois... »

Et ils la jetaient à l'eau. Elle criait, heureuse. Buvait un peu la tasse. Et se relevait aussitôt, haletante, hésitant entre revenir se rouler sur le bord, ou nager en apnée pendant vingt secondes jusqu'aux bouées.

Quand les garçons plantaient des bâtons dans le sable mouillé et que l'un d'eux jetait un ballon en l'air pour lancer la partie, Anna et Francesca se déchaînaient.

Nino, Massi et les grands de la via Stalingrado, quand ils jouaient au ballon, ne les regardaient plus. Ils se mettaient tous à hurler, emportés par le match : « Passe, passe ! À moi, à moi ! » et n'avaient d'yeux que pour le ballon. Mais Anna et Francesca refusaient d'être mises sur la touche. Elles s'enflammaient et sautaient après tout le monde.

Si en revanche, comme Lisa, tu étais restée sur ta serviette à transpirer, en espérant piocher enfin une carte décente à *scala quaranta*, tu sentais monter l'énervement. Du coin de l'œil, Lisa les suivait qui couraient au milieu des garçons, d'une main faisaient bâiller le haut de leur maillot et de l'autre feignaient de se recouvrir, comme au jeu du foulard. Difficile de s'amuser en jouant aux cartes.

Pas la peine de se demander pourquoi personne les supporte, ces deux-là.

Les filles de leur âge, les boudins que leur propre vision dans le miroir plongeait dans la crise totale, les détestaient. Anna et Francesca, leur beauté, elles te l'envoyaient dans la gueule. Chaque putain de minute, il fallait qu'elles te prouvent qu'elles étaient mieux que toi, qu'elles avaient gagné, a priori et pour toujours.

Lisa réalisait que jamais elle n'irait se mettre comme ça au milieu des garçons, au centre de leur attention. Les cartes à la main, elle se serrait dans sa serviette. Entre ses dents, elle sifflait : « Petites putes. »

Donata au contraire aimait le spectacle de la mer, et aussi ces deux filles bondissant au milieu des garçons. De son fauteuil roulant elle ne pouvait rien faire d'autre que regarder. Difficile que quelqu'un se mette en quatre pour qu'elle puisse elle aussi se baigner. On l'oubliait sous le parasol, mais elle ne s'en rendait pas compte. Elle observait, elle réfléchissait. Elle ne voulait aucun mal à Anna ni à Francesca. Si elle n'avait pas eu cette maladie, elle aurait aimé être comme elles.

Anna sortit de l'eau. Elle passa devant Lisa et les autres boudins sans leur accorder un regard. Mais eut un petit sourire mauvais quand elle marcha sur une de leurs serviettes, comme pour dire : pauvres filles. Puis de la main elle salua Donata.

C'est pas obligé, pensait Lisa, quand on est belle, d'être cruelle, en plus. Si Anna à l'instant même tombait des rochers et se bousillait définitivement le visage, ce serait juste. Et ça serait justice si Francesca avait tout à coup le métabolisme qui partait en vrille et se retrouvait avec des cuisses énormes bourrées de cellulite.

Le mec à décrocher, tu le trouves toujours, à force de te frotter le cul sur lui, de lui sauter au cou et de lui fourrer tes nichons sous le nez.

Nino abandonnait le ballon pour courir derrière Francesca en direction des vestiaires.

« Bravo, France, bravo, siffla Lisa. On applaudit France bien fort ! Tu leur diras quoi, à Miss Italie ? "Je suis une jeune fille toute simple..."

— Vraiment pas de quoi se la péter ! » marmonna une autre fille, serviette autour de la taille, elle aussi, pour cacher ses cuisses trop grosses.

Francesca, ignorante de ce venin, se glissait sous la douche et se donnait en spectacle.

« Tu peux pas me faire ça », disait Nino, en riant mais pas seulement, « c'est pas des choses à faire à un homme... »

« Regarde-moi ça, ce crétin, commentaient Lisa et les autres en tordant le nez, il tombe dans le panneau tout de suite ! »

Francesca se rinçait les cheveux, frottait ses jambes pour enlever le sel tout en regardant Nino à travers les gouttes. Nino essayait de se contenir mais c'était impossible, et il finit par bondir à son tour sous la douche, la prit dans ses bras et lui mordit doucement la nuque.

« T'es fou ! Tout le monde nous regarde... » dit Francesca en le repoussant mais en riant aussi.

Elle l'avait voulu, et elle l'avait eu : Nino à ses pieds, suppliant. Elle lui claque un baiser sur la bouche, en récompense. La plage, c'était comme être sur une scène, elle sentait des millions d'yeux braqués sur elle. Face à la foule, elle perdait toute timidité.

Puis elle repartit en courant vers l'eau, rejoindre Anna. Et ce malheureux Nino à trotter derrière, comme un chien.

Tous les jours, la même histoire. L'éternel va-et-vient d'Anna et Francesca entre la mer et les cabines, les cabines et la mer. Sous la douche, derrière le bar. Puis de nouveau dans l'eau. Toujours ces mêmes allées et venues, Anna et Francesca devant, les mecs derrière. Et les boudins qui sont là à regarder. Lisa et les autres nulles, elles dont le corps aussi, d'ailleurs, commençait à se transformer.

Mais elles n'étaient pas les seules à regarder. Il y avait quelqu'un, au troisième étage du bâtiment numéro sept, qui fixait Francesca sans détacher les yeux.

Le bar, à cette heure-ci, était assiégé. Autour des tables en plastique Algida, sous les parasols effilochés, les plus grands se la coulaient douce en sirotant des trucs alcoolisés.

Maria, les jambes sur la table en une pose pas exactement distinguée, observa Anna et Francesca quelques minutes puis alluma une cigarette. « Ces deux-là, dit-elle en les désignant aux autres, si elles continuent comme ça, l'an prochain elles seront en cloque.

— Tu parles ! se mit à rire Jessica. Son frère la tuerait.

— Il faudrait que quelqu'un lui dise. Regarde-la faire l'idiote avec Massimo... »

Cristiano détacha sa Southern Comfort de ses lèvres.

« Eh, les sorcières ! cria-t-il en rigolant. Vous avez pas fini ? Laissez-les vivre ! Vous étiez comment, il y a quelques années ? J'ai pas oublié, moi... »

Tout le monde éclata de rire.

Il y avait aussi Sonia, la diva, celle qui avait gravé le nom d'Alessio sur le banc et qui se plantait parfois avec lui dans la chambre d'Anna pour regarder des pornos. Elle s'était assise en croisant les cuisses, et son paréo minuscule laissait presque tout voir. C'était une sorte d'ex-Francesca de la via Stalingrado, qui travaillait maintenant comme vendeuse chez Calzedonia, et il était loin le temps où elle était belle.

Ils l'attendaient tous. Enfin, il parut.

À quatre heures et demie de l'après-midi, ses cheveux blonds ébouriffés et ses yeux bleus cachés derrière les Ray-Ban. Jessica et Maria le regardaient, fascinées. Sonia baissa les yeux en souriant. Et Cristiano se leva pour lui balancer une claque sur l'épaule, genre super macho.

Alessio arrivait torse nu, deux chaînes d'acier autour du cou, le jean pas entièrement boutonné, l'élastique du slip bien visible. Il se laissa tomber sur une chaise.

Soulevant ses lunettes, il dévisagea son clan. Il dit : « La vie me tue. »

C'était son style roi de la meute. Il avait le physique, et il le savait. Il avait du fric, avec ce qu'il récupérait sur la dope et le cuivre. Et des femmes à sa disposition dans tout le quartier.

Anna le reconnut depuis la bouée. À la nage, en une demi-minute, elle traversa l'étendue de mer. Courut à perdre haleine entre les parasols et les glacières. Ruisselante, elle se jeta à son cou. Derrière, comme toujours, arrivait Francesca.

« Anna, bordel de merde ! J'avais pas envie de prendre un bain aujourd'hui...

— Ale ! le titillait Anna. Dis-moi que tu me laisses sortir ce soir !

— T'as vu le cirque qu'elle me fait ? souffla-t-il à l'intention des autres.

— Je veux aller à la fête au patinodrome ce soir, faire du patin à roulettes.

— Non, ce soir je bosse. Pas question.

— Mais tu m'avais dit oui ! fit-elle d'une voix implorante. S'il te plaît, Ale...

— Non, répéta-t-il d'un ton sec.

— Laisse-la y aller... Qu'est-ce que tu veux qu'il lui arrive ? intervint Sonia. On la surveillera pour toi. »

Anna la regarda de travers, comme pour dire : te mêle pas de ça, connasse.

« J'ai dit non. T'iras à la fête de Ferragosto. Là au moins, je suis sûr d'y être.

— Mais Ferragosto, c'est dans un siècle ! » protesta Anna, butée.

« Écoute, je suis mort, j'ai dormi une heure, je viens d'arriver. Me casse pas les couilles et tire-toi. »

Elle se tira mais en faisant la tête. Francesca toujours derrière, soulagée à l'idée que sa copine resterait à la maison comme elle, ce soir, au lieu d'être ailleurs avec je ne sais qui à faire je ne sais quoi.

Ah, faut pas te casser les couilles ? ruminait Anna, piétinant les serviettes des gens, renversant les seaux des enfants et détruisant leurs châteaux de sable. C'est toi qui me les casses, les couilles.

Elle marchait sans regarder, un petit garçon vit son circuit de billes démoli et se mit à pleurer. Anna était furieuse. Tu veux me mettre en cage ? Mais moi, bientôt j'aurai quatorze ans ! Dans un mois, je prends un scooter et là, je voudrais bien t'y voir ! Je voudrais te voir, si je me tire en scooter, si je me mets avec un type qu'a deux fois ton âge. Je voudrais bien voir ce que vous ferez, à ce moment-là, toi et ton babouin de père. Ils ont pas compris que j'étais grande maintenant, mais j'ai un super-cerveau et je les baiserai tous !

« T'es dur, Ale, dit Sonia avec un sourire.

— Je suis pas dur. Je sais comment ça se passe. Si j'avais pas bossé ce soir, j'y serais allé aussi, au patinodrome. Mais puisque je peux pas la surveiller, elle reste à la maison.

— Qu'est-ce que tu veux qu'elle fasse de mal ? demanda Jessica.

— Pas elle, c'est sûr. Mais si j'apprenais qu'un type a posé les mains sur elle, tu me connais, le mec, je lui latte la gueule. Et comme son père, ça lui vient même pas à l'idée… Faut bien que ça soit moi qui dise non. »

Ils étaient assis en cercle, à s'abrutir de joints et d'alcool, sous un parasol déglingué. À droite et à gauche, d'autres cercles de jeunes vidaient des bières, se passaient le pétard, touchaient les cuisses des filles qui faisaient exprès de passer entre les tables en suçant des Calippo.

« Putain, elle est super canon, Francesca ! » lança Cristiano tout à trac.

Tous se retournèrent pour regarder. En effet, son corps pâle, la manière dont elle le déplaçait dans la foule, au milieu des enfants en brassières, des planches de surf, des vieux tout flasques avec leur bob sur la tête, qui se retournaient eux aussi avec étonnement sur son passage. La manière dont elle enlaçait son corps fuselé et plein de grâce à celui d'Anna, en lui passant un bras autour des hanches, posant la tête sur son épaule. Elle était la merveille de la via Stalingrado, une beauté comme il n'en tombe qu'une toutes les trois ou quatre générations.

« Tu sais ce qu'on va faire, Ale ? dit Cristiano. On va à Baratti faire une razzia sur les portefeuilles des Allemands. Pff, cracha-t-il, ces touristes à la con… »

À Stalingrado, naturellement, pas l'ombre d'un touriste, même égaré.

Mais Alessio, qui massait l'aine de Sonia sous la table, pensait à tout autre chose et ne répondit même pas. Il prit Sonia par la main, la convainquit de se lever en la tirant à peine par le bras. Et Cristiano comprit aussitôt.

Alessio n'en avait rien à foutre de Sonia. C'est juste qu'il faut avoir des tas de meufs dans le quartier pour être le numéro un. Marquer son territoire, se faire respecter. Et elle se laissait tirer par le bras, emmener derrière les cabines pendant que les autres criaient leurs habituelles plaisanteries au vitriol.

« Vas-y à sec, Ale ! On veut entendre ! »

Alessio la plaqua contre la paroi grinçante d'une cabine, dans la lumière, au milieu des passants. Puis ils se réfugièrent dans un nid d'ombre. Le paréo écarté, la fermeture éclair baissée en une fraction de seconde, et elle le laissa glisser en elle. Une poignée de gamins qui jouaient avec des pistolets à eau les surprit. Nul ne se troubla. Ils firent le tour par l'autre côté, les laissant finir.

Cet après-midi-là, Sandra descendit elle aussi à la plage, avec d'autres femmes du quartier. C'était un jeudi, mais elle ne travaillait pas. Des mères avaient apporté des pliants, des magazines people, et avaient commencé à bavarder.

Rosa n'y était pas. Elle était restée chez elle comme d'habitude, dans le fauteuil face à la télé, à ruminer et s'arracher les petites peaux des ongles. Le visage blanc comme un linge, les pieds gonflés dans ses savates, vissée dans cette niche étouffante du troisième étage. Pendant ce temps, son mari était au balcon, et elle savait ce qu'il faisait.

Sandra chercha Rosa des yeux parmi les parasols, nota son absence avec regret. Elle n'était pas venue sonner à sa porte. Les jours avaient passé sans qu'elle lui apporte de gâteau. Et Sandra n'était pas idiote, la raison, elle la devinait.

Avec orgueil, elle ouvrait maintenant *La Repubblica*. Elle était sûrement la seule femme dans tous ces immeubles à lire chaque jour un quotidien, ce qui suscitait de la méfiance.

Avide, elle parcourait titres et colonnes. « Berlusconi obtient le vote de confiance au Sénat. Berlusconi cite l'*Alice* de Lewis Carroll. » Elle fronça les sourcils. « Le président du Conseil rappelle que nous ne sommes pas au Pays des Merveilles et qu'il n'est pas Alice... »

Sandra lisait avec avidité les pages de politique intérieure quand Anna vint se planter face à elle en faisant la tête, et lui arracha le journal des mains. Il faut durcir l'opposition. En moins d'un an on pourrait faire tomber le gouvernement. Mais Anna, en ce moment, lui parlait du patinodrome et qu'elle irait quand même ce soir, que son frère soit d'accord ou pas.

« Attends un peu que je te file une claque ! » Elle reprit son journal avec agacement.

Elle laissa sa fille énumérer un chapelet de gros mots, puis replongea la tête dans sa lecture. Elle feuilletait en mouillant le doigt. Quand elle était petite, on chantait le poing levé des chansons qui parlaient de batailles oubliées du siècle précédent. Anna regardait sa mère, et elle se sentait en guerre contre le monde entier. Ils vont voir. Ça, ils vont le voir, de quoi je suis capable !... Je me barre d'ici, se disait-elle en s'éloignant, je vais foutre la merde, vous pourrez pas me retenir : vous serez obligés de me laisser partir.

Mais Francesca, à ce moment-là, sur le bord, lui fit un croche-pied puis l'attrapa par la cheville et la tira dans l'eau en riant. Francesca... Sous l'eau, enlacée à sa meilleure amie, la meilleure dans tout le monde entier et dans tout l'univers, Anna oublia instantanément le patinodrome et sa putain de famille.

Déjà, elle courait au milieu des garçons qui jouaient au ballon. Avec Francesca, elles avaient mis au point une succession bien rodée d'actions perturbatrices. Du genre sauter sur le dos de Massi, par-derrière, le faire tomber au moment précis où on lui faisait une passe.

Un court instant, elle s'arrêta pour reprendre son souffle. Les yeux immenses, grands ouverts sur son univers.

Elle vit Donata, immobile sous le parasol, tordue par la maladie. Elle aurait voulu la porter jusqu'à l'eau, mais c'était impossible, elle n'avait pas le courage. Elle vit ce boulet de Lisa qui mangeait une glace. Et sa mère poser son journal, gesticuler avec animation en parlant avec les autres femmes. Son père était Dieu sait où. Qu'il y reste. Au bar, la chaise d'Alessio était vide, et Cristiano ramait pour emballer une fille. Elle vit la plage bondée. Et puis elle vit Francesca. La plus belle chose au monde. Sa meilleure amie. Elle avait fait la roue dans l'eau qui lui arrivait aux chevilles, et maintenant elle lui souriait, radieuse.

Sa sœur. Plus que sa sœur, même.

Si Anna avait levé les yeux et lancé un regard au loin, vers le mur gris de sa barre d'immeuble, elle aurait peut-être aperçu l'homme au balcon du troisième étage.

Enrico, les jumelles à la main, observait la scène. Faisait le point sur le maillot de sa fille. Il transpirait. Cette fois, il avait tout vu. Sa fille qui se jetait au cou d'un garçon, ce fumier de salaud de l'immeuble d'en face. Et lui qui la serrait dans ses bras sous l'eau, hors de l'eau, partout. Il les avait vus courir vers les vestiaires, se cacher entre les cabines.

Ses mains tremblaient, les veines de son cou sur le point d'exploser. Il était prêt à foncer sur la plage, tout de suite. Mais il les avait vus, quelques petites minutes après, revenir au milieu des autres. Inutile de faire des scènes pour rien. Il attendrait qu'elle revienne. Et avant de prendre son service à dix heures, il lui ferait comprendre, de gré ou de force, qu'elle n'avait pas à se comporter comme une pute.

Il le lui ferait bien comprendre, cette fois, à elle et à sa pétasse de copine, celle qui l'entraînait sur le mauvais chemin.

Merde mais regarde-moi ça comme ils s'embrassent. Mais qu'est-ce qu'ils foutent ? Nom de Dieu qu'est-ce qu'ils foutent ?

Les jumelles tombèrent. Le noir se fit à l'intérieur des lentilles.

DEUXIÈME PARTIE

Algues

1

Le 13 août 2001, à minuit, Alessio se hissait au sommet d'un pylône rouillé de la vieille ligne électrique, en s'assurant avec son harnais. Il grimpait comme un chat. En bleu de travail et toujours sa casquette des Chicago Bulls. De là-haut, il voyait tout le promontoire et la mer, pas loin, noire et chaude.

À deux poteaux de là, en short et manches courtes, Cristiano sortait sa pince coupe-câbles et lui faisait signe de commencer. Jambes enroulées autour du poteau, il n'avait même pas pris de corde pour s'accrocher. Il n'avait peur de rien, lui. Dans sa poitrine le cœur qui battait en accéléré, et l'émotion, gamine, de la bravade.

La nuit était propre. Et déserte.

Ils se regardèrent dans les yeux, décidés à ne pas laisser un seul pylône intact. Le cœur d'Alessio pompait le sang et la coke : comme toujours avec Cristiano, quand ils se faufilaient pour voler des trucs dans une propriété privée.

Ils étaient à l'intérieur du périmètre barbelé de la Dalmine-Tenaris, au milieu d'une étendue partiellement couverte de roseaux, en face de l'oasis du WWF. À côté, le géant de la centrale Enel[1] lançait

1. Équivalent d'EDF.

ses deux tours à la verticale en projetant des lumières blanches semblables à celles des étoiles. C'étaient les points les plus élevés de la côte. La lune filtrait derrière les vapeurs des marécages, laissait comme une bavure. Au-delà, les broussailles, les chênes verts et les ronces. Au-delà, la mer, et plus rien.

Il n'y avait qu'eux, à travailler, au milieu des installations. Peut-être quelque renard, un sanglier, et des moustiques par milliers. Ils n'avaient pas emporté de torche. La lumière argentée de la lune suffisait : pas la peine d'alerter les gardiens de la Dalmine.

D'ici aussi, de partout, l'Afo 4 était visible. La tour du haut-fourneau clignotait, tranquille, sur le promontoire, montant la garde. Un navire de croisière, illuminé comme pour une fête, passait de temps en temps, tel un rêve.

Un peu plus loin, des bandes de jeunes s'étaient rassemblées sur les plages, comme chaque année, en larges cercles autour d'un feu. En cette semaine de Ferragosto, presque tout le monde était en vacances, et chaque groupe s'était organisé une nuit sur la plage, le long de la Principessa, avec canettes de bière et pétards. Même les minables de via Stalingrado. Il y avait Sonia et Jessica là-bas, sûrement en train de se demander où ils étaient passés. Elles étaient loin d'imaginer.

Alessio enroula le premier faisceau de cuivre et fit ok de la main.

Cristiano lui répondit en lançant un énorme câble dans les airs à la façon d'un lasso, feignant de chevaucher le poteau comme un taureau ou un animal sauvage. Quel crétin, pensa Alessio, en hochant la tête.

Quelques jours plus tôt, à la cantine de la Lucchini, un malin avait laissé échapper que c'était bourré de cuivre, dans le parc de la Dalmine. Il l'avait dit tout fort, avec un clin d'œil, sans savoir qu'écoutait en silence quelqu'un qui s'y connaissait, en cuivre. « Ils ont pas fini de la démonter, la vieille ligne électrique. » Ça n'était pas tombé dans des oreilles de sourds. Mieux : ils lui avaient brûlé la politesse.

Ce soir-là, phares éteints, ils avaient pris par le chemin qui longeait la Dalmine et menait au terrain d'entraînement des chiens de chasse. Ils avaient cherché le meilleur endroit, là où les roseaux sont rares et les marais peu profonds. Un trou dans le grillage, et ils s'étaient faufilés tels des animaux nocturnes.

Le marché noir du cuivre : en pleine expansion, lui. Ils levaient la tête de temps en temps pour vérifier que personne ne sortait de la Dalmine. Tout n'était que désert et silence. Et cela dura une bonne petite heure.

Puis Cristiano vit quelque chose bouger dans la végétation. Il se raidit. Ça venait vers eux. Alessio s'immobilisa à son tour.

Une auto arrivait lentement parmi les roseaux. Les flics ! pensèrent-ils aussitôt. Ils écoutèrent le bruit des pneus sur le gravier et suivirent la silhouette de l'auto, qui se garait pas très loin. Retinrent leur souffle.

Le moteur fut coupé, mais personne ne sortit. Ils continuèrent de retenir leur souffle encore deux minutes. Tendus, collés au poteau. Deux autres minutes. Les phares s'éteignirent. Ça y est : l'auto commençait à se balancer. Doucement, comme un berceau. D'avant en arrière, comme une chaise à bascule.

Alessio sourit, sentant la tension fondre d'un coup. Cristiano les envoya chier d'un geste de la main. Choisir ce soir-là ! Et venir ici, quand ils avaient toutes les plages à disposition !

Tant mieux. Non seulement c'était pas les flics mais ces deux-là ne risquaient pas de leur téléphoner. Ils avaient mieux à faire, les veinards. L'auto battait la mesure, tranquille.

C'était bizarre, comme compagnie.

Alessio et Cristiano recommencèrent à couper, en nage. Le tee-shirt collait au corps. L'humidité montait de la mer, emplissait la bouche et les narines, transformait l'air en eau.

Là-bas, sur la nationale, des files de voitures avançaient à pas d'homme vers le port. Cristiano, à cette hauteur, pouvait les voir : un serpent de phares jaunes et de moteurs allumés. Les touristes pressés d'embarquer pour l'Elbe sur le premier ferry du matin. Il ne les enviait pas, ces péteux de la ville qui arriveraient demain dans l'île et passeraient Ferragosto à l'hôtel, sous les parasols d'une plage de sable blanc.

Les touristes, c'était un autre monde, une autre vie, celle de la foule, la vie normale. Ici, c'était l'adrénaline, il y en avait même deux en train de baiser. Et les gardiens aux aguets, et les moustiques, et des kilos et des kilos de cuivre, un sacré paquet de fric.

Cristiano regarda son copain de toujours, qui sautait à terre et enroulait un gros câble, de la vase jusqu'aux genoux. Il le regardait avec un sourire spécial.

Son copain, celui avec qui, à douze ans, il se glissait sur les chantiers de l'Aurelia en attendant qu'un ouvrier s'éloigne. « Allez, va pisser, connard ! » disaient-ils. Et quand l'autre s'éloignait pour de bon : « Un, deux, trois. » Puis ils bondissaient dans la cabine vide d'un tractopelle ou d'un bulldozer, ces mastodontes qu'ils étaient destinés à conduire toute leur vie.

Alessio leva la tête et lança un coup d'œil à l'auto.

« Ils y sont toujours ? » Pouce levé : « Chapeau ! »

De l'avant-bras, il essuya la sueur sur son front et respira à pleins poumons l'air salé. Il avait envie de rire.

Voler le cuivre en pleine nuit : un truc à raconter aux filles. Alessio les connaissait bien, les filles, il savait qu'à un moment de l'histoire il y aurait sur leur visage ce sourire particulier. Les lèvres sévères, obstinément closes, et pourtant, en filigrane, déjà prêtes au baiser. Pour ce baiser, il aurait fait n'importe quoi, pour un baiser de ces filles-là, qui s'amourachent des voyous mais épousent un employé de banque.

Lui, en tout cas – il essaya un sourire –, il était en haut d'un pylône et franchement il s'amusait comme un môme. Ça s'amuse comment, un employé de banque, derrière son guichet ? Et si un jour, par hasard – mais ça finirait bien par arriver –, il rencontrait Elena dans la rue, il lui dirait : « Bravo, t'as raison, marie-toi avec ce crapaud baveux d'Unicredit. Moi, tu sais, je suis fier de ce que je fais. Parce que je me casse peut-être le cul, mais je suis vivant. »

Enfin, l'auto alluma son moteur, puis ses phares, et lentement disparut en faisant crisser le gravier.

« Au plaisir ! » dit Cristiano en riant.

Alessio fit mine d'applaudir.

Ils se regardèrent : plus crado l'un que l'autre. Regardèrent leur montre. Assez rigolé. Alors, vite, couper, avec les mains qui se fendent, les jambes qui s'atrophient, l'infinie satisfaction d'avoir déjà récolté une quantité industrielle de cuivre.

Ils continuèrent de la sorte, suspendus en l'air, cisailles à la main, cinq heures durant. À l'aube, ils avaient tellement envie de hurler qu'ils sentaient leurs poumons près d'exploser. Ils avaient à peine ouvert la bouche, de peur des gardiens, de peur qu'un des routiers endormis au volant, sur le parking devant l'entrée de la Dalmine, se réveille et commence à jouer du klaxon.

Quand ils s'arrêtèrent, ils étaient dans un bain de sueur, les bras en compote. On n'apercevait même plus, maintenant, les phares d'une voiture isolée. Rien, plus rien. Les ouvriers de l'équipe de nuit allaient sortir, et ceux de l'équipe suivante arriveraient, en autocar ou en voiture, de tout le Val di Cornia.

Ils traversèrent la vase en bottes de caoutchouc, les derniers rouleaux de câble sur les épaules. Arrivés à la voiture, ils bourrèrent le coffre, la banquette arrière et jusqu'au dernier espace possible, à ras bord. Puis, phares éteints, amortisseurs pliant sous le poids, ils longèrent de nouveau la nationale.

Une pancarte noire en lettres orange indiquait la « zone artisanale ». *Avait* indiqué. Parce que quelqu'un, génial, avait récemment noirci le *a*, le *r*, le *t*, le *i* et le *s*. C'était plus fidèle à la réalité, maintenant.

Alessio conduisait calmement, attentif aux nids-de-poule et aux cailloux. Bruits de grenouilles, d'insectes semblables à des hélicoptères, et ces maudits moustiques qui entraient par les vitres baissées, en même temps que la poussière.

Ils n'arrêtaient pas de se gratter les mollets.

Quand ils furent enfin sortis de la Dalmine, Alessio passa la quatrième puis la cinquième. Il souleva un énorme nuage de poussière et se tourna vers Cristiano avec un sourire géant.

Cristiano, en réponse, lança son poing dans le pare-brise. Geste de bonheur, de victoire. Il mit la musique : *I'm blue, da ba dee da ba die,* à fond la caisse, *I'm blue, if I was green I would die.* Les amplis recommencèrent à rugir, et tous deux passèrent au même instant la tête par la portière. Et au même instant lancèrent un hurlement, sur l'Aurelia déserte, en direction des collines.

« Cinq mille lires le kilo, multiplié par ?

— Quelque chose comme... » Alessio jeta un coup d'œil dans le rétroviseur.

« Quelque chose comme une demi-tonne ! » exulta Cristiano en se retournant pour contempler leur butin.

Au bout du compte, en une nuit, ils s'étaient ramassé l'équivalent d'un mois de salaire chez Lucchini.

« On les a ratiboisés jusqu'au cul, et pas une sirène !

— Ils roupillaient, ou bien ils se tapaient un porno...

— Ale, regarde-moi. » Au feu rouge, ils échangèrent un long regard, l'œil brillant malgré la fatigue. « Demain soir, on va au Gilda, je veux pas entendre tes conneries. »

La voiture d'Alessio était la seule à rouler dans la ville endormie.

Ils se sentaient un peu voleurs, quand ils descendirent via Stalingrado et que les portières firent un grand vacarme en se refermant. Et ne riaient plus quand, en surveillant de l'œil les fenêtres de peur d'en voir une s'allumer, ils entassèrent le cuivre dans le garage.

Ils s'éclipsèrent par la cour, puis chacun se glissa dans son immeuble sur la pointe des pieds. Dans la montée d'escalier, on entendait seulement les hommes ronfler et un nouveau-né pleurer. C'était comme envahir un royaume étranger. Et le bébé qui pleurait était le fils de Cristiano, chez son ex.

Cristiano s'arrêta devant la porte, approcha son oreille : tant qu'elle ne se lèverait pas pour le prendre dans ses bras, il resterait là à l'écouter pleurer. Il sentit dans sa poitrine quelque chose de fort et de chaud. Il avait presque envie de frapper, mais il n'en était pas capable. Et il continua silencieusement dans le noir, avalant trois volées d'escalier au pas de course.

Alessio fit tout son possible pour ne pas faire de bruit. Il avait pris soin d'enlever ses chaussures et évité d'allumer. Il essaya d'arriver jusqu'à sa chambre à tâtons.

Raté.

Dans la cuisine, il heurta une chaise. Le bruit s'était répercuté, irréel, à travers tout l'appartement.

Temps zéro, le clic d'un interrupteur était parvenu jusqu'à lui. Il jura intérieurement. Et sa mère apparut, le visage bouffi de sommeil, en face de lui.

Sandra se tenait debout, raide comme un manche à balai, devant la silhouette immobile de son fils, à six heures du matin. En tenue de travail, sale comme un soldat de la guerre du Vietnam dans *Apocalypse Now*.

« Là, tu m'expliques », commença-t-elle. Elle ouvrit ses lèvres collées par le sommeil, et sous la peau transparente de son front un muscle se tendit. Une voix qui n'était pas la sienne, et elle ne put finir sa phrase.

Alessio regardait sa mère : en robe de chambre, les épaules courbées, c'était une femme vieillie, pâle et épuisée, aux yeux remplis de tristesse, qu'elle fermait maintenant, pour ne pas voir.

Il ne lui était jamais venu à l'idée que sa mère avait trop de soucis, qu'elle était trop fatiguée pour supporter, en plus, ses conneries. Elle avait déjà bien assez avec son imbécile de paternel, avec cette saloperie de monde, sans qu'il s'y mette aussi. Il aurait dû tout faire pour la rendre heureuse.

Il trouva le courage de lui dire : « Maman, retourne te coucher et, s'il te plaît, ne me pose pas de questions. Je te jure que tu n'as pas à t'inquiéter. »

Sandra continuait de garder les yeux clos, en silence.

« Maman, dit-il, excuse-moi, je suis tout dégueulasse... »

Il prit dans ses bras ce corps, le serra contre le sien, comme on fait d'un enfant ou d'une fiancée. Il lui fit sentir, malgré son dos en miettes, toute sa force.

« Je ne te demande rien, dit Sandra en hochant la tête, mais promets-moi...

— Chut ! » fit Alessio, qui ne voulait pas entendre.

« Promets-moi, répéta Sandra tandis que son visage retrouvait sa beauté, que c'est la dernière fois que tu vas en pleine nuit faire je ne sais quoi. »

Alessio se mit à rire. Ils rirent tous les deux, enlacés et fatigués, dans la lumière de l'ampoule qui pendait du plafond et de l'aube qui se levait. À ce moment-là, appuyée au chambranle de la porte, Anna apparut. Elle ne dit rien. Resta là, toute propre et les pieds nus. Elle les regardait, sans qu'ils la voient, comme un petit ange en pyjama d'été. Dans son code à elle, c'était beau. Maman avec son visage niché dans le cou de son frère, la plus belle chose au monde peut-être. Une chose pour laquelle ça valait le coup, dans la vie, de ne jamais tricher.

2

De minuscules œufs de moustiques flottaient à la surface de l'eau. Un bouillon tiède et dense, pullulant d'animaux à peine vivants.

Francesca et Anna traversaient pieds nus l'étendue de roseaux, avec de petits cris pas vraiment humains. Chaque pas provoquait des chatouillis aux chevilles, et ça leur plaisait à mourir.

Pantalon de jogging roulé aux genoux, tennis nouées à la taille. La petite bouille d'Anna qui guettait celle de Francesca entre les roseaux. Elles jouaient à se cacher et se chercher, au milieu des vapeurs et des trajectoires d'insectes.

« T'es sûre que tu m'aimeras toujours l'an prochain ?

— T'es chiante, France ! »

Elles étaient deux excroissances de ce lieu. À chaque coup de vent, le marais faisait neiger le pollen. Même la lumière stagnait. Le soleil restait suspendu à mi-course, gonflé, enflammé. Il ne se couchait pas.

Pourquoi prendre des douches, puisqu'elles allaient se salir de toute façon ?

Leurs cheveux humides, encore odorants de shampoing, s'imprégnaient peu à peu d'une autre odeur. Transpiration mêlée à la sève. Le duvet des plantes grattait au contact de la peau. C'était comme marcher dans de la laine.

Elles y allaient tous les soirs, après le dîner, depuis des années. Et à dix heures, elles devaient être rentrées.

Il n'y avait qu'un moyen de venir là : escalader le mur, franchir la décharge des égouts en se bouchant le nez, progresser dans les marécages au milieu des filaments visqueux.

Mais quand tu en sortais et que la mer était tout à coup devant toi, il te venait une envie folle de courir. C'était le désert, il n'y avait personne. Tu pouvais même te mettre toute nue et crier des horreurs, des mots obscènes, sans avoir honte.

La plage était couverte de gros tas d'algues. Et des troncs d'arbres, et des bateaux échoués, à la coque duveteuse. Les pêcheurs venaient jeter là les carcasses pour ne pas payer la taxe sur les déchets.

C'était bien de s'enfoncer jusqu'aux mollets dans les algues, de sentir les coquillages vides pointer comme des dents et piquer les pieds. Des posidonies brunes par millions, rejetées là par la mer. Sur le bord, elles se décomposaient en une bouillie noire qui sentait le pipi et le pain. C'était leur plage secrète.

Anna tenait entre ses mains un cornet de papier avec les restes du dîner et marchait d'un pas vif sur la laisse de mer. Radieuse, elle pensait à Ferragosto, demain. Elle fixait, droit devant elle, le large disque rouge du soleil. La sensation que tout était en son pouvoir.

Francesca restait en arrière, se balançait sur ses jambes longues et fines. Elle couvait en son cœur une promesse, qu'elle tiendrait, peut-être. Une promesse qu'elle s'était faite silencieusement, à table, pendant qu'elle dînait entre ses parents. Mais elle n'était plus si sûre maintenant d'en être capable.

Au moment où il le faudrait, elle le savait, le courage lui manquerait.

Quand elles furent à l'endroit exact, Anna mit deux doigts dans sa bouche et émit un long sifflement, comme un homme. Elles restèrent en attente.

« Pas sûr qu'ils y soient tous... »

Elles s'étaient promis de n'amener personne dans cet endroit. Elles ne savaient pas pourquoi, mais il y avait ici quelque chose de dénudé qui les faisait se sentir chez elles. Francesca, quand elles étaient encore en dernière année d'école primaire, avait proposé : « Ici, ça sera rien qu'à nous. » Anna avait dit oui tout de suite, et elle avait juré : « Rien qu'à toi et moi. »

Quelques instants plus tard, de partout, les chats arrivèrent, sortant des trous des barques ou du maquis, fidèles au signal.

« Un, deux, trois, quatre... compta Francesca. Ils y sont tous ! »

Leur apporter à manger, débusquer les petites bêtes sous le ventre des buissons et des coques de bateaux avant la nuit, avant de se glisser dans les draps et de repenser à la journée écoulée, c'était comme un retour à l'enfance. Elles plongeaient le nez dans le pelage humide et rêche des chats. Ils étaient affreux. À l'un, il manquait un œil. À l'autre, la queue. Sans parler des puces.

Autrefois, peut-être un siècle plus tôt, ç'avait été un port ici. Et pour elles, maintenant, c'était un nid.

Anna posa le sac en papier par terre, l'ouvrit, et fut assaillie de miaulements. Ce point mort de la côte n'était plus qu'un grand magma des origines. Francesca aimait chercher dans les ruines la preuve que quelqu'un avait vécu là, avant elles : une louche, un carrelage. Elle se penchait pour creuser et dès qu'elle déterrait un objet humain se mettait à crier.

Ce jour-là aussi elle s'accroupit près d'un tas de lierre et de cailloux. Mais elle était distraite. Partout où elle creusait, elle retrouvait sa promesse. Une chose était sûre : elle devait le faire. Et demain serait trop tard.

Elle leva la tête, s'arrêta pour regarder Anna, *sa meilleure amie*, au milieu d'un nuage de queues et de pattes. Elle devait le dire maintenant, se décider. Une quinzaine de chats se frottait contre ses jambes et Anna les laissait faire, se penchait sur eux, les retournait pour les caresser sur le ventre, là où le poil est rare et rose.

Francesca restait là, en effervescence. Sentait couler sous sa peau quelque chose comme un fluide chaud, vibrant, qui irradiait en elle et lui faisait peur. Anna approchait son nez du museau humide des chats et Francesca remarquait combien elle avait changé. Comme une douceur liquide dans ses gestes, dans ses yeux. Elle était devenue féminine. La voix plus rauque, un ton plus bas, en ce moment où elle parlait, sans que Francesca comprenne les mots. Et au fond de son corps anguleux et muet, quelque chose se dénouait.

L'effet mystérieux. L'effet cotonneux que Nino n'arrivait pas à susciter.

Il fallait qu'elle trouve le courage : qu'elle le lui dise, elle ne pouvait plus le cacher maintenant. Elle haïssait le temps, qui mettait une distance entre elles. Quand elles étaient petites, elles ne faisaient qu'un. À présent se dessinaient les différences. Et à mesure qu'elles se séparaient, Anna poursuivait ses rêves de grandeur – « je serai magistrate, avocate, sénatrice » – et Francesca restait en arrière, indécise. Quand elle la prenait dans ses bras, ou même la frôlait, son corps réagissait d'une manière nouvelle. Et Francesca n'était pas idiote. Elle était peut-être couverte de bleus, mais elle n'était pas idiote.

Quand Anna s'assit sur le squelette rouillé d'une barque, et se mit à fixer la mer à contre-jour, sombre et rouge, Francesca alla s'asseoir près d'elle et noua ses bras autour de ses genoux.

« Fra, dit Anna sans la regarder, ma mère, c'est une frustrée totale. Elle croit que je me rends compte de rien, mais je vois bien. Tu vas me trouver dégueulasse... mais moi, je veux me barrer d'ici. Je veux devenir quelqu'un de célèbre ! »

Francesca avala sa salive : « Il faut que je te dise quelque chose. »

Anna fixait l'horizon, la silhouette dentelée de l'île, avec les yeux de quelqu'un qui veut tout conquérir, et le plus tôt possible.

« Je ne veux pas devenir une ratée, continua-t-elle. Sonia, Jessica. Ou même mon frère... Ils travaillent du matin au soir, et le week-end ils se défoncent. Après, ils se marient, ils font un gamin, et pour finir ils meurent. Qu'est-ce qui leur est arrivé ? Rien. Personne ne s'est aperçu de leur existence.

— Il faudrait passer à la télé...

— C'est pas vrai ! Pardon pour les bimbos et les présentateurs et les danseuses... mais c'est pas Fabrizio Frizzi[1] qui fera l'Histoire ! » Elle balança un coup de poing devant elle. « C'est pas ça, être quelqu'un de sérieux ! »

Elle se reprit. « Tu voulais me dire quelque chose ? »

Francesca l'avait écoutée, les pupilles dilatées, prêtes à capturer la moindre variation de son profil, la moindre expression de ce visage. Les mots

1. Présentateur d'émissions de variétés.

cognaient à ses tempes, la brûlaient, mais elle n'arrivait pas à les prononcer.

« Rien, rien d'important. » Le visage de Francesca était pâle. « Sauf que… Quand on est né ici, où il y a même pas un cinéma correct, quand on a grandi dans ce quartier de merde, à ton avis on peut faire l'Histoire ?

— Tu comprends pas. Au fond, toi, t'es pessimiste. Mettons que je sois syndicaliste et je m'en prends à la Lucchini, et je lance une grève tellement énorme qu'ils sont même obligés d'éteindre le haut-fourneau, ça serait super, non ? »

Non, Francesca n'y croyait pas qu'une chose pareille soit possible. Sa seule pensée concernant la Lucchini, c'était que si son père y mourait, elle pousserait un ouf de soulagement.

Anna parlait de Rome, de Milan, d'étudier le droit, toutes ces choses lointaines qu'elle voulait faire ou connaître, sans elle, peut-être. Et elle sentait son corps froid devenir tiède et informe. Elle avait envie de l'étouffer, de l'empêcher de parler, la garder avec elle et la serrer très fort.

Elle se tourna à son tour pour regarder l'Elbe, les silhouettes géantes des montagnes, les mines de fer. Dans une mine, voilà, au creux de la montagne, c'était là qu'elle aurait voulu la cacher.

« Moi, Fra, je sais que je veux devenir quelqu'un. » Elle sourit : « J'y crois pas, que demain on va avoir le droit d'aller à la fête, enfin… Les choses changent. »

Elle allait partir. La laisser toute seule. Et elle, qu'est-ce qu'elle deviendrait, toute seule ?

Anna : le premier mot qu'elle avait appris à écrire, après maman.

Elle ne l'écoutait pas, en fait : elle la regardait. Et elle n'arrivait pas à freiner cette chose qui n'avait qu'un seul nom. Inutile d'en chercher un autre, de dissimuler. Tu ne peux plus, Francesca : ton corps a décidé pour toi.

« Je veux devenir quelqu'un, mais je veux aussi que tu deviennes quelqu'un, toi. »

À ce *toi*, claqué d'une langue nette contre le palais, Francesca se sentit exploser et fondre tout à fait.

« Toi », le sourire magnifique, et ces taches de rousseur, la lèvre doucement mordue et mouillée de salive, « tu es la personne la plus spéciale au monde. »

Boum.

Au monde. Francesca fermait les yeux.

Tu dois le dire. Dis-le.

Elle entrouvrait la bouche et percevait l'arrière-goût de poils de chat et d'algues si fort à cet endroit. Elle ressentait tout, elle n'était que sensation.

Tu dois dire ces mots.

Elle était en train de céder.

Tu dois les dire entièrement, d'abord le pronom, puis le verbe. Ou tu mourras.

Une fois rentrée, Anna enfila tout de suite son pyjama. Elle courut dans la salle de bains se laver les dents et se les frotta au point de se faire saigner les gencives. Elle leva les yeux du lavabo vers le miroir, se regarda fixement, telle qu'elle était : le museau barbouillé de dentifrice et les yeux écarquillés.

Elle se suppliait intérieurement : dis-moi que je suis normale, dis-moi qu'il ne s'est rien passé de mal, s'il te plaît, je suis normale, normale !

Francesca est malade. C'est pas vrai. J'ai quand même pas perdu ma... Arrête, tu sais bien qu'on ne la perd pas comme ça. Alors, pourquoi tu t'agites ? C'est rien du tout. Maintenant calme-toi, et va te coucher. Demain c'est Ferragosto, c'est la fête. Tout ça, c'est à cause de son père, ce monstre.

Elle se fit un long gargarisme avec du collutoire puis cracha violemment. Elle s'essuya le visage et la bouche, qui sentait la menthe, s'essaya à sourire dans le miroir. Voilà, c'était fini.

Mais quand elle se glissa sous les draps, les supplications et les fausses réassurances revinrent la tourmenter. Son cœur cognait dans sa poitrine, elle sentait sa tête chauffer. Assez maintenant, arrête. De l'extérieur arrivaient les cris et les appels des grands, avec la lueur de la lune et le bruit des klaxons. La nuit était pleine de vie, et elle n'en connaissait rien encore.

Pas pour longtemps : dans quelques heures, demain, les choses allaient changer... Mais alors, pourquoi (merde !) elle n'arrivait pas à se réjouir, comme avant le dîner ? Pourquoi elle ne piaffait plus d'impatience à l'idée du patinodrome et des garçons et de la musique pour danser, et pourquoi d'autres choses l'empêchaient de dormir ? Pourquoi, elle le savait bien.

Bravo, tu veux bouffer le monde, devenir président de la République, et en fait tu pètes de trouille.

Pendant ce temps, dans l'obscurité de sa chambre, Francesca fermait les paupières, retenait sa respiration et pensait très fort à elle. Elle serrait son corps chaud et vivant contre l'oreiller. Chaud et vivant comme jamais il ne l'avait été.

C'est vrai, elle le lui avait tacitement juré : il ne s'est *rien* passé et on n'en parlera plus. Pourtant... Pourtant, maintenant, dans le secret de sa chambre, elle pouvait le faire : retrouver, revivre, renommer ce rien. Au moins là, en elle. Parce que ce rien avait eu lieu. Et Anna s'était mise en colère *après*, elle l'avait même repoussée fort. Mais *avant*… Francesca ouvrit grand les yeux et projeta au plafond, répété à l'infini, cet avant.

Elle entendit une assiette ou un verre se briser. Son père commença à crier.

Elle n'était pas une battante, elle. Elle s'en fichait bien de conquérir le monde comme Anna. Elle n'était pas Anna. Elle était différente des autres filles du quartier, des filles en général. Et elle avait capitulé depuis toujours, dès le cours préparatoire. Elle, ce monde, elle ne l'aimait pas.

Mais elle aimait Anna.

Elle essaya de ne pas prêter attention aux cris, à la saloperie. Au bruit que faisaient les mains de son père contre le corps de sa mère, et à sa plainte à elle, basse, continue. Ça ne pouvait pas être si grave, ce qui s'était passé. Ça ne pouvait pas être vraiment mal, si la nuit, au moins, en son for intérieur, avant de s'endormir… Elle le nierait et le réprimerait, ce sentiment, elle le cacherait comme les bleus, les coups, l'horreur. Sombre et sauvage Francesca. Mais capable, elle aussi, d'une minuscule chaleur.

Quand ce fut le silence, une série lumineuse d'images vint assaillir sa mémoire : le lait froid à la menthe, d'abord, dans le grand verre, et la cuillère dedans qui tintait. Un goûter avec Anna, un après-midi, il y avait bien des années. La fois où elles avaient découvert la plage aux algues, et Anna avait dit : « Oooh ! » La tortue de terre. La tache blanche dans les culottes à cacher. Voilà, elle s'endormait presque maintenant. Le coquillage qu'à huit ans Anna mettait à son oreille, en faisant semblant de téléphoner : « Tais-toi ! Y a la mer qui me dit quelque chose d'important. »

Son vrai rêve, ça n'était pas les défilés de mode. C'était de prendre le Toremar pour l'Elbe, le premier ferry du matin. Se pencher à la proue et se serrer fort contre Anna en regardant l'île approcher. Ce jour-là, elle porterait sa plus belle robe. Dans sa valise, elle mettrait son masque, ses palmes et même ses patins à roulettes. Elle s'occuperait de tout : faire la cuisine, la lessive, danser. Dans la petite maison à l'intérieur de la mine de fer.

Anna, elle, n'arrivait pas à dormir. Elle se tournait et se retournait dans son lit trempé, et suppliait : assez. Ça vrombissait dans sa tête comme un ventilateur au maximum. Alors elle s'en prenait aux draps, s'acharnait contre l'oreiller. À un moment, désespérée, elle alluma la lampe de chevet, prit un volume au hasard parmi ses livres de classe : *Lire les textes. Histoire de la littérature italienne 3*. Elle ouvrit n'importe où : Giovanni Pascoli.

Elle aimait Francesca, c'était clair. Même maintenant. Peut-être qu'elle n'aimerait jamais personne d'autre comme ça, parce que... Bon, elles avaient grandi ensemble, elles avaient tout fait ensemble et elles connaissaient tout l'une de l'autre. Pourtant. Il y avait un pourtant.

Digitale pourprée. Extrait de *Premiers poèmes*, vers libres.

Elles sont assises. L'une regarde l'autre. L'une / mince et blonde, simple dans sa mise / et ses regards ; mais l'autre, mince et brune, / l'autre[1]...

Ça ne peut pas arriver, avait-elle pensé pendant que ça arrivait. Francesca avait prononcé *ces mots-là*, avait fait *cette chose-là*, et elle, elle avait capitulé. Et elle continuait de ne pas comprendre. Ou plutôt : elle comprenait très bien. Mais elle était intriguée.

1. *Siedono. L'una guarda l'altra. L'una / esile e bionda, semplice di vesti / e di sguardi ; ma l'altra, esile e bruna, / l'altra...* (*Primi poemetti*, 1904, non traduit en français.)

Elle se rappelait les yeux verts de Francesca. En rien innocente, bien au contraire.

Les chats, ceux qui étaient restés, s'étaient étendus sur le ventre entre les barques, fermant à demi leurs yeux malades, bleuis de cataracte.

Et puis, elle s'était comme réveillée. Avait couru de toutes ses forces. Et elle aussi – « l'autre » – s'était mise à courir pieds nus dans la direction opposée. Et toutes les deux avaient oublié leurs tennis dans les algues sous la coque de la barque.

À courir ainsi les yeux clos, avec le vent, l'obscurité qui s'épaississait entre elles, et ces bouts de verre qui lui blessaient les pieds, Anna avait pensé toutes sortes de choses. Qu'elle la détestait, qu'elle l'aimait, qu'elle ne lui adresserait plus jamais la parole.

À la fin, pourtant, en arrivant sur la route goudronnée, elle avait vu Francesca adossée au mur, sous un réverbère, pliée en deux pour reprendre son souffle. Elle l'avait attendue.

Novembre, écrit par Giovanni Pascoli en mille huit cent...

Au retour, elles avaient marché en silence le long des murs écaillés des garages. Au-dessus de leur tête, la silhouette géante des immeubles disait : vous êtes en sécurité ; les fenêtres allumées par centaines s'appelaient l'une l'autre. Gonflées de cris et d'odeurs de cuisine, les fenêtres de leur monde, surpeuplé et familier. Elles avaient évité de se regarder.

Elles étaient arrivées dans la cour, un peu assommées. Il y avait Nino sur la selle de son scooter, qui les saluait. Et Cristiano, comme d'habitude tout excité, qui criait « Au Gilda ! Au Gilda ! » en faisant de la main un geste obscène. Au fond, sur les bancs, Sonia et les autres se tenaient en cercle, dans un bavardage ininterrompu ponctué de petits coups d'œil. Les étoiles envahissaient le ciel comme des taches de rousseur un visage, et elles deux – transpirantes, humides et gelées –, elles marchaient l'une à côté de l'autre sans se regarder.

« Alors demain, à deux heures... »

La voix neutre, calme comme la surface d'un lac, à peine audible dans le fracas qui jaillissait d'une portière de voiture ouverte, l'autoradio à fond.

« À deux heures, mais pas de plage. On essaiera des fringues. »

Le sourire difficile.

Elles ne reviendraient plus jamais donner à manger aux chats, Anna en était sûre.

Elle ferma le livre et les yeux. Se dit que les chats s'en tireraient très bien tout seuls. Ses pieds blessés lui faisaient mal.

Dommage pour ses chaussures, elles étaient presque neuves.

3

Il était plus ou moins minuit quand Francesca et Anna s'endormirent. Le monde s'agitait autour d'elles.

Rosa se regardait dans le miroir de la salle de bains et d'un bout de coton imbibé d'alcool tamponnait une blessure à la pommette. Elle avait les deux yeux au beurre noir, si foncés qu'on avait peine à y distinguer le sang coagulé. Dans la pièce à côté, Enrico le géant, commodément installé, regardait un épisode de *Super Quark* sur Rai Uno. Sur son large visage inculte, aucune expression. Les pieds sur un coussin, la télécommande posée sur le ventre. Ses grandes mains reposaient, inoffensives, le long de son corps.

Sandra aussi regardait une émission à la télé : un documentaire sur les accidents du travail, la « mort blanche ». Ventilateur dirigé sur elle. Tambourinant du bout des doigts sur l'accoudoir du fauteuil. L'envie de téléphoner à quelqu'un, sans savoir à qui. Et elle s'étonnait de devoir déjà, à quarante-trois ans, passer le samedi soir toute seule chez elle. Elle lui en voulait à mort, mais Arturo lui manquait. À presque espérer que demain, au moins pour Ferragosto, il reviendrait.

Pendant ce temps, accoudé au comptoir d'un bar à San Vincenzo au milieu d'une foule de petits patrons, vendeurs de bateaux et concessionnaires auto, son mari parlait dans son portable. Une nouvelle montre était apparue à son poignet et à voir la façon dont il était habillé, ça allait plutôt bien pour lui. Bel homme, avec du charme, malgré sa petite taille. Il aurait pu avoir des tas de femmes, s'il avait voulu.

Mais il ne voulait pas. D'ailleurs, même maintenant, ce qu'il aurait voulu, c'était rentrer chez lui avec un cadeau pour Sandra. Lui dire : « Allez, habille-toi. » Et l'emmener danser. Mais ce n'était pas le moment, pas encore. Et il n'avait pas envie d'une scène. Un monsieur versa de nouveau du mousseux dans son verre, et il le but en souriant. Il avait de grosses affaires à traiter : sa vie, cette fois, changeait pour de vrai. Et Sandra, au lieu de lui présenter les papiers du divorce, lui demanderait de l'épouser une seconde fois. À Capri, ou à Positano.

Ce dont il avait le plus envie, quand même, ce qu'il ne pouvait absolument pas différer, c'était de téléphoner à son fils. Un désir urgent lui était venu d'entendre sa voix, de s'assurer qu'il allait bien. Il ne le montrait pas tellement, c'était sûr, mais il y tenait énormément à ce garçon entêté qui s'obstinait à travailler comme une mule chez Lucchini, dans cette boîte de merde. Et puis il y avait sa gamine, sa petite Anna... mais elle, en ce moment, elle devait dormir.

Il ouvrit le clapet, un peu fatigué maintenant, d'un des deux portables qu'il gardait dans la poche intérieure de sa veste et composa le numéro d'Alessio. Un beau sourire, de papa spécial, apparut sur son visage le temps de l'attente.

Mais le téléphone d'Alessio sonnait dans le vide. Abandonné sur la banquette arrière, noyé sous le vacarme des amplis de la Peugeot lancée en pleine course, il s'éclaira quelques instants dans l'obscurité. Puis s'éteignit.

Ils se garèrent devant la pinède de Follonica. Jean serré aux fesses, avec dans la poche arrière le portefeuille gonflé de l'argent du cuivre. Ils sortirent de l'auto en claquant les portières. Attention, nous voilà.

Cristiano avait exagéré avec l'alcool et les fringues. Il portait une chemise orange, chatoyante, qu'on ne pouvait pas ne pas remarquer. Comme un super héros, se disait-il. Il aurait aimé faire une bise à son fils avant de sortir, puisque son ex n'était pas là. Mais il n'avait pas trouvé le courage, et la pensée de ce minuscule être humain n'était plus qu'une tête d'épingle. Il sifflotait en lançant des coups de pied dans les pommes de pin.

Alessio était beau et sombre. Il marchait, préoccupé, derrière Cristiano. La chemise blanche bien repassée, le col relevé et les yeux presque gris. Au bar de Piombino, les deux flics lui avaient dit : « Tu ferais pas mieux d'aller tourner un bout d'essai à Canale 5 au lieu de revendre du cuivre en douce ? Tu nous prends pour des cons ? »

Des bandes de jeunes traversaient la pinède en zigzag. Comme autant de flammèches crépitantes, empestant l'after-shave et le whisky, lançant à la verticale des cris comme des hurlements dans les arbres. Là où les pins étaient plus denses et les aiguilles tombaient en pluie, il faisait froid. Ils hâtèrent le pas, pénétrant dans les résines et les brumes de la nuit.

Entre les branches, on apercevait un point lumineux, qui prenait peu à peu les contours d'une enseigne. Quelques lettres éteintes, mais le mot restait lisible. À mesure qu'ils approchaient, ils distinguaient la silhouette stylisée d'une pin-up les invitant à s'approcher. Et deux mamelons de néon qui brillaient.

Il y avait la queue.

Cristiano souffla bruyamment. Alessio tâta la poche arrière de son jean et s'aperçut qu'il avait laissé son portable quelque part.

La queue, façon de parler. L'embouteillage, plutôt. Une masse d'hommes échauffés et ivres qui se bousculaient pour se donner l'accolade l'instant d'après, sans qu'on sache pourquoi. Dans le désordre général, un gamin se pliait en deux sur le trottoir pour vomir. Et un autre, qui ne paraissait guère plus de quatorze ans, le pantalon aux chevilles, criait : « Je suis Rocco Siffredi ! »

Nul ne lui prêtait attention. Il y avait plein de jeunots comme lui mêlés aux grands, en attente peut-être de leur première fois. Seul un vieux, mais la scène fut à peine visible, s'était retourné pour regarder, et une pointe d'envie avait illuminé sa pupille.

C'était le seul « sexy disco sexy » entre Grosseto et Livourne. À l'entrée, une pancarte avertissait du caractère érotique du local : déconseillant l'entrée à qui redouterait de voir sa pudeur offensée. Alessio et Cristiano lâchèrent comme tous les autres un ricanement. Après trente minutes de queue, et trente mille lires pour l'entrée, les portes enfin s'ouvrirent.

Le choc, ce fut la bouffée moite de fumée, de puanteur et de cris.

Avant même qu'ils aient vu quoi que ce soit, le Gilda leur soufflait au visage son haleine écœurante et chaude. L'air tellement chargé qu'on se serait cru dans un panier de linge sale. L'arrière-goût de désinfectant, de sueur et de vomi montait à la tête. Impénétrable, la muraille de corps d'hommes échauffés. Plafond bas, lumières bleuâtres : comme dans une cave, ou un cercueil.

The summer is magic. Oh, Oh, Oh... The summer is magic..., disait la chanson pompée par les amplis poussés au maximum.

Mais là-bas, au fond – Cristiano en avait la bouche qui fondait déjà : un aperçu de cuisse vertigineuse. À quelques pas, l'éclat laineux, public, d'un pubis.

Ils atteignirent le bar à grands coups de coude. Entre deux crânes chauves, les contours mouvants d'une silhouette nue. En avançant encore, ils distinguèrent les cercles bruns de deux mamelons et l'éclat d'un string métallisé. Enfin, une fois au bord de la piste, la voilà en entier : une brune splendide qui se contorsionnait mollement, accrochée à une barre en acier. À côté, une blonde menue transparente de minceur, habillée d'écailles, travaillait sa barre elle aussi, en s'enroulant autour.

Avec satisfaction ils prirent place, s'asseyant à une petite table branlante, mais avec vue. Ils étendirent les jambes et commandèrent deux Negroni.

Cristiano concocta quelques œillades lourdes à l'intention des deux filles au visage absent. Il mesura leur tour de hanches et de poitrine. Deux morceaux de viande accrochés dans une boucherie. En conclut que oui, elles étaient à tomber ! Et se joignit au chœur enthousiaste.

Ils commandèrent deux autres Negroni, puis deux autres encore.

Nul ne remarquait que le plafond s'écaillait, et que dans les angles proliféraient des moisissures noires. Nul, sauf Alessio, ne considérait l'état d'abandon des canapés défoncés, les housses usées par des centaines de cuisses, de genoux, de coudes appuyés, entrelacés. Le grand luminaire central réduit à une branche d'où pendait une dizaine de pampilles. Qui sait combien de fois par semaine, ou par mois, les entreprises de nettoyage décrassaient ce trou à rats. Alessio se le demandait, en sirotant son verre. Sans faire de commentaires, il s'arrêta sur le visage de la brune, sa fatigue visible. Non, elle n'était pas si formidable.

Sa lap dance était sans entrain, sans surprise. Cette femme devait avoir plus de trente ans, ses joues sous le fond de teint étaient marquées par l'acné. Alessio n'avait pas de mal à imaginer derrière ses mouvements le comprimé glissé sous la langue dans la loge, avant de commencer. Le plus difficile, c'était d'imaginer le reste de sa vie : les meubles de sa chambre, ce qu'elle aimait, comment elle employait son temps à la lumière du jour.

Impossible de se forcer, il n'avait jamais aimé cet endroit. Ils étaient si tristes, les sourires des filles déguisées en lapin qui passaient entre les tables pour ramasser cinquante mille lires. Ça lui faisait remonter du fond du ventre toute la tristesse accumulée en vingt-trois ans. Il essayait de faire semblant, esquissait un vague commentaire, un ricanement, pour faire plaisir à son copain.

Son copain, parlons-en.

Car Cristiano, surexcité, avait reconnu son employeur dans la mêlée. Bondissant sur ses pieds, il s'était mis à faire de grands gestes. Son chef, un type dans les soixante ans, vêtu d'une chemise hawaïenne où pointait un ventre énorme, était en train de glisser un billet dans le string de la blonde. Cristiano l'avait appelé par son nom, et le type s'était retourné. Il lui avait crié : « Hello, demi-portion ! » Et l'autre, comme un crétin, s'était précipité.

Resté seul, Alessio regardait, sans un mot.

La scène dégoûtante de Cristiano qui vient manger dans la main de son employeur. Pour un reste de cuisse, une miette de sein. « Ce salaud d'exploiteur, disait-il, qui me paie des clopinettes. » Alessio suivait des yeux la main poilue du gros type sur le corps fragile, anorexique peut-être, de la blonde. Ce corps qui pouvait s'émietter d'un moment à l'autre, comme un biscuit.

Elle était jeune, très jeune. Elle avait dans le regard quelque chose d'une étrangère. Alessio s'étonna que l'adolescente ressemble si fort à Francesca. Parfaite et obscure, comme elle. Les mêmes yeux d'eau verte, les mêmes lèvres tendues. Il en eut la chair de poule.

Reposant son verre, il se sentit enfin libre d'être triste. Triste jusqu'au tréfonds.

Pendant que Cristiano entraînait le sosie de Francesca vers le rideau sale d'un salon privé, Alessio se leva d'un bond, renversant sa chaise. Il vit Cristiano fourrer un billet dans la main de cette – non, elle n'a même pas dix-huit ans – créature synthétique ; il vit le vieux dégueulasse les suivre derrière le rideau, la tanière où elle se donnerait en spectacle. Un numéro prévisible, tarifé. Ils se laisseraient tomber sur les poufs en faux cuir, et elle se laisserait convaincre de venir plus près.

Une sensation monumentale de dégoût le fit se diriger d'emblée vers la sortie. Il aurait voulu les dénoncer, tous ces fils de pute qui faisaient du trafic de mineures d'Europe de l'Est. Mais il n'était pas un héros, loin de là, juste un pauvre con qui avait trop bu et envie de dégueuler, et dehors il s'effondra sur le trottoir.

Quand il releva la tête du sol boueux, il se sentit comme un môme de quatorze ans à sa première fête d'école. Remis sur ses pieds, il sourit de lui-même. L'endroit était vide maintenant, la nuit bruissait de cigales et d'étoiles. Il livra son visage au vent frais qui montait de la mer. À petits pas, il alla jusqu'à la pinède.

Là, il se coucha sur un banc. La nuit était vaste et propre entre les branches ouvertes comme de grands doigts, d'où tombait parfois, inoffensive, une pomme de pin. Il voulait récupérer un moment, se vider, avant de remonter en voiture et de partir. Seul. Et l'autre, cette nuit, il n'avait qu'à rentrer à pied ou attendre le premier bus, c'était son problème. Il n'aurait pas supporté de le revoir avec sur lui les traces de maquillage de la fille.

Son estomac n'était que bouillonnement de sucs gastriques, et la tête lui tournait. Dans le cœur humide de la pinède, peu à peu, il se reprit. L'odeur de résine était tonique. Il ferma les yeux et convoqua en lui-même, comme pour se purifier, une image belle, n'importe laquelle.

Et une image, en effet, émergea d'un repli profond de sa mémoire, chaude et pure.

Il se revit, les cheveux emmêlés et la figure noire de fonte, debout sous un ciel limpide, peut-être plus bleu qu'il ne l'était en réalité. Il portait ses grosses chaussures de travail et son pantalon orange, celui à bandes phosphorescentes.

Il s'était éclipsé de la cantine pendant la pause-déjeuner. Il se rappelait parfaitement les battements exagérés dans sa poitrine et que tout souriait en lui.

Dans son dos, le corso Italia grouillait de passants. Il se tenait là, planté devant la vitrine de la bijouterie Scognamiglio. Midi. Une jeune maman l'avait frôlé avec les roues de sa poussette et il s'était retourné brusquement en disant « Pardon », comme si c'était à lui de s'excuser.

12 juillet 98. Le soleil n'était pas brûlant, il illuminait pleinement le monde. Les bijoux dans la

vitrine brillaient comme s'ils étaient vivants. Et lui, il restait là comme un incapable, hypnotisé, ses mains torturant sa légendaire casquette des Chicago Bulls. Ému comme un enfant, on aurait dit un attardé mental.

Jusqu'au moment où une dame, la propriétaire de la bijouterie, était sortie sur le seuil et lui avait demandé en souriant, amicale : « Je peux vous aider ? »

La meilleure aide, à ce moment-là, aurait été une béquille pour qu'il tienne sur ses pieds. Et un verre de whisky.

Il était entré comme ça, habillé en Lucchini, le visage rouge et tout intimidé. Il avait fait confiance à la dame, avait dit à mi-voix : « Je voudrais une bague. »

La pinède à présent bruissait légèrement, comme un animal endormi, ou comme pour lui tenir compagnie, sans le déranger. Il regardait fixement un point précis de l'espace. Il savait qu'il allait devoir l'affronter, ce souvenir qui lui raclait l'œsophage, la gorge, le palais.

Elena. Assise en face de lui, au restaurant La Vecchia Marina. Ses cheveux châtains noués sur la nuque, une ombre légère de fard bleu aux paupières. Elle venait de finir le lycée et avait obtenu les notes maximum au bac. Elle portait une robe blanche en coton, bien son genre, pas trop décolletée.

Elle était en train de lui faire le récit détaillé des épreuves : comment en grec elle avait tout bien lu jusqu'à ce fameux vers où elle avait buté sur l'aoriste (aoriste ! même ce mot-là il s'en souvenait). Et pendant qu'elle parlait et qu'il n'en avait rien à foutre de son examen, il s'était demandé pour la énième fois comment il avait fait, lui tout con, pour choper une fille comme elle, qui faisait des phrases compliquées sans même avaler les voyelles.

Parce que Elena n'était pas du quartier. Elle était la fille du médecin-chef de l'hôpital de Piombino. Ils faisaient l'amour partout et tout le temps, même dans les toilettes du collège en troisième, et derrière les placards du vestiaire au stade. Et il avait été le premier, et le seul.

Elle continuait à parler, sans se douter de rien... Comment aurait-elle pu. Elle parlait avec ses mots pleins et sonores, sans casser les phrases, sans interruption... et lui, à un moment, l'avait interrompue.

« Écoute », avait-il dit.

Il ne savait pas encore qu'elle allait bientôt s'inscrire à l'université, en Management des entreprises, et qu'elle chercherait une coloc à Pise avec ses copines du lycée et que ses études ne lui permettraient de revenir à Piombino que de loin en loin. Il ne lui avait pas laissé le temps de le lui dire.

« Voilà, avait-il commencé en avalant sa salive, je voulais te dire... »

Elle l'avait regardé d'un air surpris, les sourcils levés. Peut-être le devinait-elle déjà, qu'elle deviendrait quelqu'un tandis qu'il resterait ouvrier, un beau mec, d'accord, mais à deux millions de lires par mois.

« Ça fait longtemps... Bon, peut-être c'est un gros truc... Mais, je veux dire... toi et moi, ça fait longtemps qu'on est ensemble, je veux dire c'est depuis le collège qu'on est ensemble, alors je me suis dit que, peut-être... Si t'es d'accord, je veux dire... Et merde !... » Elle avait souri. « C'est-à-dire que toi, maintenant, t'as fini l'école », un léger embarras, « et moi j'ai rien fini du tout, d'accord... »

Elena restait silencieuse, le laissait parler.

« Il faut que je te le dise. » Il avait mis la main dans sa poche et sorti la boîte en velours.

Cette boîte, il l'avait ouverte. Et elle avait eu un sursaut.

Il avait cru qu'il n'y arriverait jamais, qu'il n'arriverait jamais à la prononcer, cette phrase débile. Et en fait, si, couillon jusqu'au bout. Elena *virgule* tu veux m'épouser ?

Il entendit claquer des mains derrière lui et se reprit aussitôt. Le souvenir se retira instantanément. Alessio, immobile, les nerfs à vif, siffla : « Je veux pas te voir.

— Ah, donc c'est bien toi ! fit une voix qui n'était pas celle de Cristiano. Alors, on joue les poètes solitaires du Gilda ? »

Alessio se tourna vivement. Il resta bouche bée. Incrédule quelques instants, incapable de bouger les muscles des lèvres. Puis fleurit sur son visage le premier vrai sourire de la soirée.

« Je le crois pas ! Je peux pas le croire ! » et il s'élança pour prendre l'autre dans ses bras, le toucher partout, il en pleurait presque. « Tu peux pas savoir combien de temps je t'ai cherché, espèce de con !

— Eh, mais c'est qu'on est sensible... Qu'est-ce tu fous dans la pinède ? Elles t'ont épuisé là-dedans ?

— Nom de Dieu mais où t'étais pendant tout ce temps, merde ? Tu m'avais complètement oublié, fils de pute !

— Arrête, même de là-bas, même de dos, je t'ai reconnu tout de suite ! Ah là là, dis donc. »

Ils s'écartèrent pour mieux se regarder.

« T'as pas changé », dirent-ils, presque en même temps.

« Où t'étais passé ?

— Tu me croiras pas.

— Vas-y, crache le morceau ! » Alessio en bondissait presque.

« En Russie. Sur la mer Noire, les bateaux.

— Merde ! T'as des problèmes, alors...

— Un peu, dit l'autre en riant, mais je suis rentré, maintenant. À propos, t'y travailles toujours, chez Lucchini ?

— Bien obligé.

— Où ça ?

— Le pont-roulant.

— Félicitations », il lui tendit la main, « je te présente le nouveau préposé au fil machine... À partir de la semaine prochaine !

— Nooon ! » Alessio se jeta contre la poitrine de l'autre, heureux comme un roi. « Il y a encore un instant, c'était une soirée de merde, tu peux me croire, tellement de merde que j'en ai dégueulé, et voilà que tu débarques ! Et en plus on va être collègues ! Mais pourquoi t'as disparu comme ça ? Des milliards de fois je t'ai envoyé te faire foutre. »

L'autre fit un geste de la main. « Laisse tomber, une sale histoire. Mais toi... Elena ? Elle est au courant, que tu fais le con ici ? »

Le visage d'Alessio changea instantanément : « Ne prononce pas ce nom...

— "Tu n'invoqueras pas en vain le nom du Seigneur." M'en fous, je crois pas en Dieu.

— Me bousille pas la soirée toi aussi, s'il te plaît, souffla Alessio, Cristiano s'en est déjà occupé.

— Houlà, Cristiano ! Toujours vivant, ce connard ? » fit l'autre pour dédramatiser.

Mais Alessio était trop excité pour rester triste. Il ne l'avait plus revu depuis 98. Tous les deux, Elena et lui, ils avaient disparu de sa vie du jour au lendemain, à la même période. Des fois, il y avait pensé : se tirer une balle dans la tête. Et voilà qu'il en avait retrouvé un sur les deux.

« Écoute-moi bien, mon salaud, dit Alessio, maintenant tu viens avec moi, et t'as rien à dire. Même que tu vas y dormir, chez moi. Après ce que tu m'as fait endurer, c'est le minimum.

— Ok, chef. Je suis à pied. » Il regarda autour de lui. « T'es venu tout seul ou avec l'autre trou-duc ? »

Alessio jeta un bref coup d'œil vers l'entrée : « Viens, grouille ! »

Ce copain qu'Alessio attrapa par le bras et avec lequel il courut à perdre haleine dans la pinède jusqu'à sa voiture, c'était Mattia, un paumé intégral, à l'époque.

Mais ils avaient grandi ensemble, il était de Stalingrado lui aussi. Mattia, c'était le mec classique, belle gueule et pas de chance. À seize ans, il avait eu des problèmes avec la justice pour vol avec effraction. Puis, en 98, il avait fait une plus grosse connerie et avait dû filer à l'étranger. Surtout qu'il était devenu majeur, et qu'on ne l'enverrait pas cette fois nettoyer les chiottes du foyer des anciens, mais tout droit en taule, à Livourne. Grâce à un réseau de connaissances à lui plus ou moins louches, il avait embarqué sur un bateau et trouvé du boulot dans une entreprise russe de transports. Ces navires-gaziers gigantesques qui partent d'Ossétie pour fournir l'Europe.

Sûr, c'était pas un méchant.

« Tu le laisses rentrer à pied, sans blague ? demanda Mattia en montant en voiture. Il va se foutre dans une de ces rognes...

— Qu'il se foute en rogne ! » Alessio passa la marche arrière. « Il avait qu'à y penser avant, ce con. Le mec, il part baiser une mineure avec son chef, et il te plante là tout seul comme un chien ?

Encore une chance que je lui aie pas cassé la gueule. »

En regardant dans le rétroviseur, Alessio aperçut une lumière qui clignotait sur la banquette arrière et comprit enfin où était son portable.

Il tendit la main pour l'attraper et regarda l'écran : huit appels sans réponse.

Papa.

Il passa en première et démarra à fond la caisse.

4

Au début, elle bougea seulement la tête, posée de côté sur l'oreiller. Ses boucles dépeignées remuèrent. Puis elle étira ses jambes sous les draps, en faisant pivoter la pointe de ses pieds. De petits pieds fuselés, aux ongles vernis fuchsia, qui jaillirent nus de sous les draps. Elle étendit les bras, le duvet blond qui les couvrait brilla un court instant. Elle attrapa le bord du drap les yeux fermés et l'écarta, découvrant sa poitrine.

Elle portait un pyjama d'été en coton blanc, constellé de petites fraises rouges. De la veste sortait un quart de sein.

Elle avait grandi trop vite pour ce pyjama, il la serrait. La forme presque adulte de ses hanches jurait avec les fraises rouges, ou peut-être s'y accordait trop.

Les minutes passaient et elle ne se rendait compte de rien. Quelqu'un était en train de la regarder, de très près. Il y avait un intrus dans sa chambre, un homme. Elle s'était tournée sur le côté, vers la fenêtre. Le soleil filtrait à travers les persiennes et se chargeait de poussières minuscules : on aurait dit du sucre en poudre.

Il était neuf heures du matin. Depuis plus d'une demi-heure, Mattia la regardait. Attentif à ne pas faire de bruit, il captait avec une attention extrême chacun de ses plus petits mouvements. Et n'arrivait pas à la quitter des yeux.

Un baby doll, ça lui irait bien, avait-il pensé. En dentelle noire, un peu transparent. Mais ensuite il s'était dit qu'elle n'aurait pas été aussi jolie, en baby doll. Odorante et propre, dans la paix des premières lueurs du jour.

Elle sentait bon. Pas un parfum synthétique ou du déodorant. Une bonne odeur de lait. Il la respirait doucement.

Quelque chose la démangeait car elle glissa les doigts sous son pyjama et se gratta quelque part, puis dans le dos. Sourit, Dieu sait pourquoi. Et pour finir ouvrit vaguement un œil ensommeillé.

Anna entrouvrit les lèvres. Sourit encore, un sourire plein de petites dents blanches et régulières. Elle s'assit brusquement, ébouriffa ses cheveux en lançant un regard au plafond, puis au réveil. Et quand elle les eut bien ouverts, elle poussa un hurlement.

Noisette, les yeux, avec des paillettes jaunes.

Des yeux avec des taches de rousseur, comme ses joues, se dit Mattia. Et il lui sourit, pas le moins du monde embarrassé, ébloui plutôt.

Tranquillement assis sur la chaise de son bureau, il la fixait d'un œil moqueur. Il y avait de quoi s'alarmer.

« T'es qui, toi ? » s'écria Anna en ramenant aussitôt le drap sur elle.

Mais elle se couvrit mal, et le quart de sein resta dénudé. Il sourit plus largement encore. Par tactique, il tarda à répondre. Il voulait jouir encore de son inquiétude.

Anna se tourna vers le lit de son frère et vit qu'il n'y avait personne. Déconcertée, elle considérait tantôt l'inconnu, tantôt le lit vide, sans comprendre.

« Je m'appelle Mattia, dit-il amusé, ravi de faire ta connaissance. »

Il lui tendit la main, et elle la regarda d'un air mauvais en se gardant bien de la prendre.

« En fait, on s'est déjà rencontrés, mais t'étais encore un bout de chou de huit ou neuf ans... Tu dois pas te rappeler. » Il continuait à lui tendre la main, pris par une envie de rire. Anna rougissait à vue d'œil, sans s'apercevoir qu'elle avait la moitié d'un sein dehors.

« Mamaaan ! cria-t-elle.

— Elle est pas là, fit-il en hochant la tête. T'es mal. »

Il avait l'air de plaisanter, il restait sagement où il était, et Anna fut un peu rassurée. « Et où elle est ? Où il est, Ale ? Et toi, qu'est-ce que tu fais là ? »

Mattia retira sa main, puis s'éclaircit la voix et croisa les jambes. Il n'avait pas besoin de faire du cinéma : il était comme ça au naturel. Mais ça l'amusait d'impressionner cette femme-enfant et il prenait son temps, se levait, feignait de regarder avec intérêt le poster de Britney Spears sur le mur. C'était un homme de théâtre.

« Ta mère est sortie, figure-toi qu'elle m'a même invité à déjeuner. Elle a été très gentille... » Il détacha ses yeux de Britney et les posa sur Anna : elle était là, bouche bée, à torturer le bord du drap. « Ton frère est en train de se bagarrer en bas avec Cristiano. Et moi, je suis un de ses vieux copains qui revient sur la scène.

— Comment ça il se "bagarre avec Cristiano" ?

— Façon de parler... En tout cas, ils discutent, ajouta-t-il en riant, et c'est plutôt chaud, je dirais. »

Mattia se déplaçait dans la pénombre à travers la chambre et Anna suivait ses mouvements de la tête comme un personnage de dessins animés.

« Et toi, tu es arrivé quand ?

— Vers cinq heures du matin.

— Et t'as dormi où ?

— Ici. Très exactement sur cette chaise. » Mattia l'indiquait avec le plus grand sérieux.

« Mais alors, tu m'as vue dormir ! » Anna en rougit de honte.

Mattia s'approcha un peu et, en souriant avec malice, chuchota : « Et je peux t'assurer que tu étais très jolie... »

Anna bondit hors du lit, se précipita pieds nus à la fenêtre. Elle remonta le store jusqu'en haut et fit entrer la lumière dans la chambre. Puis elle se retourna et regarda d'un air hébété le visage éclairé de ce garçon inconnu qui maintenant s'était couché sur son lit.

En s'y étendant, Mattia avait senti son odeur à elle sur les draps.

« C'est peut-être vrai que je te connais... Je me souviens pas bien, mais je t'ai déjà vu », dit Anna, qui restait debout et faisait plus de gestes que d'habitude.

Mattia se dit qu'elle avait vraiment de belles jambes et qu'elle était vraiment grande pour treize ans. Il dit : « Tu m'as vu des milliers de fois. Sauf que t'étais trop occupée avec tes Barbie et tes copines pour t'occuper de ma pomme. »

Anna rougit. En même temps que le soleil, la chaleur avait envahi la pièce et elle aurait voulu se changer. Dehors, le mois d'août brûlait, elle avait chaud. Aucun homme à part son frère et son père ne l'avait jamais vue en pyjama. Elle se sentait nue et gênée, comme dans ces rêves où on marche en petite culotte au milieu d'un boulevard rempli de monde.

Lentement, elle prenait la mesure de ce garçon. Adulte, sûr de lui. Visage mat, mâchoire carrée et pommettes hautes, comme sculptés dans le marbre. Il avait quelque chose d'autoritaire dans les yeux. Et quelque chose de féminin dans les lèvres. Les mains grandes et noueuses, un mètre quatre-vingt-dix. Des épaules comme s'il avait porté la terre entière des jours durant.

« T'habites où ? » Anna devenait curieuse.

« Pas loin d'ici, tout seul.

— Et pourquoi tout seul ?

— Parce que j'aime bien être seul. » C'était faux, et il toussota pour l'impressionner.

Il ajouta : « Je suis un vieux loup de mer. »

Anna fut foudroyée. Il lui semblait avoir devant elle la version rajeunie du Santiago du *Vieil Homme et la mer*, son héros.

« Il n'y a pas longtemps que je suis revenu à Piombino. Pendant trois ans, j'étais en Russie, sur la mer Noire. »

Anna s'aperçut enfin que sa veste était de travers, qu'elle était à moitié nue dans un pyjama ridicule. En essayant de dissimuler son embarras, elle alla nonchalamment vers son armoire et y prit un pull au hasard. Un sweat-shirt molletonné, pas vraiment indiqué pour la température. Confuse, elle l'enfila.

Il retint l'éclat de rire qui lui chatouillait la gorge.

« Et toi ? Qu'est-ce que tu fais de beau dans la vie ?

— Je vais en classe. » Elle ne sentait plus ni la chaleur ni le froid. Juste ses genoux qui tremblaient.

Elle décida de s'asseoir à son tour sur le lit. À une certaine distance...

Lui, dix ans de plus qu'elle, déchiffrait chacun de ses mouvements avec une extrême facilité. Mais il était bien obligé de l'admettre : la scène l'amusait.

Quand Anna se laissa tomber tout près de l'oreiller, Mattia gagna quelques centimètres dans sa direction. C'était une guerre secrète de position, à armes inégales.

« Et d'ailleurs, je change d'école en septembre. Je commence le lycée, le lycée classique.

— Ben dis donc... T'es une tête, alors !

— J'aime bien étudier...

— T'as raison, suis pas l'exemple d'Alessio. » Il regarda sa montre. « J'ai l'impression qu'il s'est fait bouffer tout cru par Cristiano.

— Et toi, tu as fait des études ? » s'empressa-t-elle de demander, comme pour le retenir.

« J'ai un diplôme. » Mattia n'avait pas besoin qu'on le retienne. « Mais je ne peux pas dire que j'ai fait des études. Je chauffais les bancs, plutôt... Mais j'ai toujours bien aimé lire des poèmes... » Il l'avait dit, évidemment, pour lui en mettre plein la vue. Lui, des poèmes ? Pas vraiment son genre.

« Comme Pascoli ? dit-elle en souriant.

— C'est ça ! Pascoli. Et puis Carducci, Baudelaire, Dante... » il balançait des noms au hasard. « Sur les bateaux, avant de m'endormir, j'en lisais souvent... »

Anna imagina Mattia dans le fond obscur d'une cale, étendu sur des sacs, une bougie allumée près de lui, la mer en tempête, et le livre dévoré à mi-voix. Son cœur se mit sérieusement à cogner.

Ils étaient tous les deux sur le lit. Anna assise les jambes croisées, Mattia couché, les bras derrière la nuque. Ils s'étudiaient. Et elle s'étonnait que son corps tout entier palpite, et il s'étonnait que la petite sœur de son copain lui fasse autant d'effet. Et elle se disait qu'elle aurait voulu le toucher du doigt pour voir s'il était vrai. Et il se disait qu'il aurait voulu lui embrasser la nuque.

Mais Alessio fit alors irruption dans la chambre en criant : « Il est dingue, ce mec ! »

Il ne remarqua pas le moins du monde l'attitude des deux autres : sur le lit, à se fixer et se parler tout près, souriant sans discontinuer. Il fonça sur Mattia, le fit se lever et lui montra son coquard.

« Regarde ! hurlait-il. Regarde l'enfoiré ce qu'il m'a fait ! Si je redescends, je le démolis, je te jure que je le démolis ! »

Mattia inspecta la figure rageuse d'Alessio. « Mets-y un peu de glace... T'en fais pas, ce soir vous en reparlerez...

— Qu'on se reparle ? Non mais sans blague ! Je le trimballe partout toute la sainte journée, et pour une fois que je le laisse rentrer à pied, qu'est-ce qu'il fait ? Il me casse la gueule. »

Anna suivait la scène, décontenancée. Elle ne comprenait rien à ce qui arrivait. Et en même temps se découvrait irritée : Alessio était revenu trop tôt. Et maintenant ? Est-ce qu'il allait emmener Mattia ?

« Tu sais ce qu'il m'a dit ? Que ça se voit que j'ai jamais pris le bus à six heures du matin... Tu te rends compte ? Je l'ai fait des milliards de fois, oui ! »

Anna, se rappelant que sa mère avait invité Mattia à déjeuner, se ranima. Alessio sortit de la chambre pour chercher de la glace, Mattia le suivit. Mais avant de fermer la porte, en vrai morpion, il se retourna vers elle et lui fit un clin d'œil.

Aussitôt la porte close, Anna tout électrisée se prit la tête entre les mains et lâcha tout bas : « Merde merde merde merde. » Elle se mit à sauter sur place. Elle n'arrivait pas à le croire. Elle enleva cet horrible sweat-shirt molletonné. La première chose rationnelle qu'elle réussit à penser fut : il faut que je le dise tout de suite à Francesca.

Pourtant l'instant d'après, alors qu'elle mettait ses chaussures pour courir chez Francesca, un agaçant tressaillement arrêta ses doigts qui nouaient les lacets. Elle réfléchit. Non, il ne faut pas le dire à Francesca.

Elle se laissa tomber sur le lit. C'était le plus bel homme qu'elle ait jamais vu. Elle sourit au plafond. C'était l'homme de sa vie.

Peut-être qu'il viendrait aussi ce soir. Mais oui, forcément qu'il viendrait !

La vie était merveilleuse.

Francesca. Oui. Mais pour le moment elle ne voulait pas y penser. Elle jeta un coup d'œil au réveil : dix heures et demie. Elle plongea dans l'armoire, vida les tiroirs, prit tout. Impossible qu'un garçon comme lui, un grand, l'ait regardée de cette manière... Il l'avait regardée dormir. Mon Dieu, et si elle avait ronflé ?

Pendant qu'Alessio et Mattia parlementaient dans la cuisine en fumant, Anna fit la navette une bonne dizaine de fois entre sa chambre et la salle de bains. Et chaque fois qu'elle traversait le couloir elle jetait un œil vers la cuisine. L'air de rien, elle le regardait. Puis, s'il le remarquait, elle s'éclipsait pieds nus en retenant un petit rire.

« Qu'est-ce qu'elle fabrique, ma sœur ? dit Alessio en fronçant les sourcils. Elle nous espionne ? »

« MAT-T-IA », articulait Anna devant le miroir de la salle de bains. Elle s'était enfermée à clé. Je suis bête, se dit-elle. Puis elle attaqua : musique à fond. *Me and you... la la la la, la la la*. Elle essaya une bonne quinzaine d'expressions : de boudeuse à amusée ou sensuelle.

Sans cesser un instant de danser, et de se répéter mentalement les lettres de ce prénom, elle se colora les lèvres en rouge, en rose, en brique, en fuchsia. Les paupières en vert, en doré, en bleu, en violet. Elle piqua du mascara dans la trousse de sa mère. Contempla sa figure peinturlurée et en conclut qu'elle était obscène.

Elle fila sous la douche. Jamais elle n'avait éprouvé une telle joie, une joie aussi réelle.

Avant le déjeuner, elle ouvrit son journal et chercha à toute vitesse la date : 15 août 2001. Sur toute la page, en lettres capitales, elle écrivit : *Mattia*. Au feutre rose, celui qui ne s'efface pas. Suivi d'un mètre et demi de points de suspension.

Incroyable : depuis dix heures et demie ce matin, elle avait l'impression de vivre une autre vie.

À deux heures précises, Francesca sonna à la porte. Elle entra. Dit bonjour à Sandra, à Alessio et à un garçon qu'elle n'avait jamais vu. Mais avant, sur le seuil, déjà, elle avait noté la petite robe décolletée d'Anna, une robe de fête, sûrement pas une robe pour rester à la maison, et ses yeux maquillés.

Personne au monde ne pouvait imaginer même de loin combien Francesca avait attendu ce moment. Et dans quelle agitation.

Elle s'était réveillée plusieurs fois en pleine nuit. Vers quatre heures, elle avait dû se lever pour ouvrir la fenêtre et sécher la sueur de son front à l'air frais. Après le petit déjeuner, elle était restée dans sa chambre sans rien faire, pendant des heures. En se mettant du vernis à ongles, elle avait essayé d'imaginer, non sans peur, ce qu'Anna pensait d'elle maintenant, et comment elle l'accueillerait l'après-midi, avec quelle expression, quel ton de voix. Et ses doigts se mettaient à trembler, et le vernis bavait.

Elle se fichait bien de Ferragosto, de la première nuit où elles iraient danser. Elle s'imaginait Anna glaciale et distante. Peut-être qu'elles allaient devoir en parler, mais elle était sûre de ne pas trouver les mots et de rester muette, comme avec son père. Peut-être qu'Anna lui dirait : « Fra, t'es complètement malade. » Ou bien elle l'enlacerait, comme hier, et de nouveau elles s'embrasseraient...

Rien de tout cela. Anna était normale. Elle la prit par le bras comme toujours, l'emmena dans sa chambre en riant et en lui chuchotant à l'oreille les choses habituelles : sa jupe, son pull, sa barrette pour les cheveux. Comme si de rien n'était.

Pourtant, elle avait cette robe rose, trop courte, trop habillée pour rester à la maison. Et pourquoi elle s'était mis du fard à paupières ? Pour déjeuner ? Francesca n'était pas idiote. Elle aurait pu additionner deux et deux. Lui demander, l'air vague : « C'est quoi ce look ? »

Mais elle ne posa aucune question. Et même, voulut ne s'apercevoir de rien.

D'ailleurs, elle avait à peine accordé un regard au nouveau venu. En réalité, secrètement, elle espérait que ce changement, cette excitation, c'était pour elle.

Elles passèrent tout l'après-midi ensemble, enfermées à clé dans la salle de bains, à essayer des fringues et des expressions efficaces pour draguer. La fenêtre grande ouverte comme toujours. Pipi ensemble comme toujours. Et pas même l'ombre d'un désaccord. Pas même l'esquisse d'un changement.

Mais il était là le changement, et pas qu'un peu. Anna, affectueuse et absente, l'exprimait par tous ses pores. Progressivement, Francesca se rendit compte qu'elle avait la tête ailleurs. Et tandis que le jour capitulait et qu'approchait l'heure tant attendue, Francesca se demandait si elle pourrait supporter une vie entière comme ça : ni blanche ni noire.

C'était plus difficile qu'elle ne l'avait cru. Et elle eut énormément de mal, parfois, à s'empêcher de pleurer.

5

Dès qu'Anna fut sortie, Sandra ôta ses gants en caoutchouc, vida le seau d'eau sale dans les waters et alla s'accouder au balcon. Elle alluma calmement une cigarette et contempla l'île d'Elbe.

Un ferry passait. Une bande d'oiseaux le suivait en traçant de larges cercles. La lumière se délitait en même temps que les nuages et les sillages des avions, se concentrait dans les faibles lueurs des petits bateaux de pêche qui ponctuaient la mer.

Soudain, dans l'île, une poignée de réverbères s'alluma. Ils crépitaient, tels des feux vivants. Sandra, comme en réponse à un appel, se mit à imaginer les promenades qu'éclairaient ces réverbères. Les vitrines des magasins ouverts le soir, le va-et-vient des touristes sur le front de mer. Ça devait être délicieux Portoferraio en août, avec les marchés d'été, les fanfares, les restaurants où tintent les couverts, les verres entrechoqués.

Elle pensa à ces dames des salons milanais ou romains qu'on entrevoyait derrière la vitre des voitures dans la queue vers le port. Ça devait être la belle vie. Aller en vacances, louer une chambre avec véranda, vue sur la mer et petit déjeuner servi.

Elle n'y était allée qu'une seule fois, à l'Elbe, à vingt ans.

Aussitôt débarqués, Arturo n'avait pensé qu'à retrouver son copain Pasquale. Et pas moyen de rien : ils avaient passé tout l'après-midi dans une arrière-boutique, puis assis dans un bar rempli de machines à sous. Et ça, jusqu'au ferry du retour, elle silencieuse, assise dans un coin. Elle n'avait rien vu, même pas la maison de Napoléon.

Elle lança son mégot dans la rue. Le ciel s'obscurcissait, elle avait une montagne de linge à étendre. Et elle avait quarante-trois ans.

Elle rentra à l'intérieur, le bruit de ses savates traînées sur le carrelage la fit sourire.

Penchée sur le tambour de la machine, elle chassa toutes ces pensées futiles. Elle entassa le linge dans la panière. L'âge où on croit que le monde est une mine d'or, qu'il suffira de grandir, de quitter ses parents... Ce temps-là était fini depuis longtemps pour elle, et ça l'avait menée où ? Basta : elle avait bien d'autres soucis en tête. Il fallait organiser la fête de Rifondazione la semaine prochaine, et inviter Mussi, le député, à venir parler de la situation sociale.

Il était neuf heures moins le quart.

Francesca et Anna marchaient en silence, côte à côte, dans la ville déserte.

La plupart des familles étaient encore à table pour le dîner. Par les fenêtres ouvertes on entrevoyait les taches bleutées des téléviseurs allumés, le fracas des casseroles et des couverts cognés les faisaient sursauter au passage.

Elles traversèrent le parking vide de la Coop et laissèrent le quartier de Salivoli. Un autre quartier, semblable au leur, commençait : ici aussi d'énormes barres grises avec des cours bétonnées côtoyaient sans logique des baraquements en bois et des potagers mal entretenus. Contre le grillage s'appuyaient les grappes rouges des tomates, et aux branches en surplomb pendaient des abricots bien mûrs. Anna en cueillit un, puis un second pour Francesca.

Depuis qu'elles étaient sorties, elles n'avaient pratiquement pas échangé un mot. Mais en passant devant la crèche municipale Anna avait souri à son amie et lui avait pris la main. Le soleil épuisait ses derniers rayons sur les avenues, allongeant les ombres des arbres.

Pas de voitures, pas de passants. C'était doux, ce silence, la sensation que les rues et le quartier étaient un spectacle privé, à elles deux réservé. Quand elles arrivèrent à l'angle d'un parc de jeux tout rouillé, Francesca s'arrêta brusquement.

« Tu te rappelles ? »

Il restait du temps avant que la fête ne commence. Les deux filles entrèrent dans le petit parc, presque entièrement délimité par une haie. À certains endroits, l'herbe était tendre, à d'autres jaunie par le soleil. Les deux arbres jumeaux tenaient debout à grand-peine : un lierre s'entortillait autour et les étouffait. Les balançoires et le toboggan étaient à l'abandon, comme s'ils gisaient là depuis des siècles.

Ça fait combien d'années maintenant ? se demandait Anna en avançant avec précaution. Elle passa la main sur la rouille écaillée du tourniquet, lui imprima une poussée légère, et il commença à tourner en grinçant, entamant à peine le silence. Puis Francesca l'appela.

Là-bas, au fond, la petite cabane en bois. Elles s'approchèrent, presque sur la pointe des pieds.

Dedans, c'était sale, de la terre partout, une fourmilière avait dû s'installer entre les planches. Mais toujours cette odeur humide, de bois mouillé, qu'elles aimaient tant. Elles avaient envie d'y entrer, de s'accroupir sous le toit pentu comme autrefois, mais elles avaient grandi et c'était moins facile. Elles eurent un début de fou rire à voir les contorsions qu'il fallait faire. C'était trop exigu désormais, impossible de s'y tenir, ainsi recroquevillées, les genoux au menton.

Elles ressortirent à la lumière, des fourmis couraient le long de leurs jambes.

« Et dire que ça devait être notre maison quand on serait grandes ! » dit Anna en riant.

Elles échangèrent un long regard complice, qui parlait de toutes les choses perdues, mais peut-être ne l'étaient-elles pas tout à fait.

Puis elles coururent aux balançoires. Chacune prit sa place de toujours sur le siège qui grinçait. Francesca se balança à peine, appuyant sa tempe tantôt contre une chaîne, tantôt contre l'autre. Anna, jambes tendues devant elle, se donna un grand élan vers le ciel encore clair.

Tout, dans cet endroit, était immobile, comme enfermé dans un aquarium. Passant d'un jeu à l'autre, elles lui redonnaient vie, comme les petites filles qu'elles avaient été. Un jour où le père de Francesca lui avait fait trop peur et que celui d'Anna n'avait pas arrêté de lui crier dessus, elles avaient décidé de s'enfuir. Elles étaient parties à pied, s'aventurant jusque dans le quartier de Diaccioni. C'était la première fois qu'elles allaient si loin, et c'était ce jour-là qu'elles avaient découvert ce jardin.

Il avait toujours été ainsi : vide. Un petit paradis en l'honneur d'Anna et Francesca.

Elles y étaient revenues tous les après-midi après l'école, pendant des mois. Pour jouer à la maison. Elles faisaient semblant de faire la cuisine, laver le linge, le mettre à sécher, comme deux époux imaginaires. Mais les babouins s'en étaient aperçus, qu'elles avaient cessé de jouer dans la cour, et nom de Dieu mais où elles étaient donc fourrées, à toujours rentrer à huit heures du soir ? Avec tous ces pédophiles qui traînent.

Elles avaient reçu une sacrée trempe.

« Ça fait bizarre, dit Anna. Regarde la haie, c'est plein de ronces. Les endroits aussi, ça vieillit. »

Francesca se laissa tomber sur une tache d'herbe, percée ici et là de pissenlits. Elle en cueillit un et souffla les graines dans l'air tiède. « Moi, dit-elle, je préfère comme ça. J'aime bien penser que pendant toutes ces années personne n'est venu, que c'est resté à nous. »

Anna vint s'allonger près d'elle. Elle regarda où Francesca regardait : le sillage blanc d'un avion se dissolvait au milieu du ciel, comme les nuages derrière les rayons obliques, comme les aigrettes de pissenlit.

« Il y a si longtemps. »

Francesca se tourna et lui piqua la joue et le nez avec un brin d'herbe. « Le temps, c'est trop bizarre.

— Tu trouves ? fit Anna en lui jetant un regard amusé. Arrête, tu me chatouilles ! »

En se redressant pour lui arracher le brin d'herbe, elle se retrouva le nez à un centimètre du sien.

« Moi, je ne veux pas grandir », dit Francesca.

Elles restèrent ainsi quelques instants : leurs grands yeux ouverts l'une sur l'autre, leurs cheveux mêlés, les brins d'herbe et le duvet des fleurs. Les narines pleines de l'odeur de l'autre. L'une d'abricot, l'autre de châtaigne, tellement particulières. Comme l'étaient la forme des oreilles, l'arc des sourcils, la courbure et la couleur de leurs cils. Et les petits creux dans les joues de l'une, la fossette au menton de l'autre. Et le teint rosé, les petits nez, les taches de rousseur.

Francesca avait souvent joué à compter combien Anna en avait. Elle seule pouvait témoigner des variations de ce visage. Elle l'avait vu s'ouvrir, s'éclore. Elle l'avait caressé, senti palpiter, apprendre à accorder les mots, les phrases et les rêves. Elle était la seule, dans cet univers de l'autre côté de la haie, à savoir ce qui, chez Anna, n'avait pas changé.

« A', chuchota-t-elle, je voudrais qu'on se frotte le nez comme quand on était petites... »

Anna, tout entière dans ce présent-là, avait oublié la fête et la nuit qui s'apprêtait à tomber, et elle frotta son nez contre celui de Francesca avec son sourire de toujours. Ce corps, de plus en plus proche, elle le sentait profondément sien.

Même l'ombre violette de l'hématome qu'elle savait sous son sein, même cela, elle le sentait sien. Et elle éprouvait un amour exagéré, oui, de l'amour pour cet être qui la regardait d'un air si complice, elle la sentait si proche et réconfortante, infiniment douce et tiède et intense...

Leurs robes se salissaient d'herbe et de terre, et elles s'en moquaient bien, l'odeur de lessive s'imprégnait d'une odeur de rouille.

« A', murmura Francesca dans la moiteur de leurs bouches si proches, je ne sais pas pourquoi, mais j'ai envie de t'embrasser. »

Anna se pencha sur le visage de son amie, posa à peine sa bouche sur la sienne. C'était beau de sentir son souffle chaud mêlé au sien, ce voile de salive humide sur ses lèvres. Et rien ni personne ne pouvait changer cela.

Francesca ferma les yeux.

« On ne peut pas, dit Anna sans s'éloigner, ce n'est pas bien. »

Francesca rouvrit d'un seul coup ses yeux d'un vert plus sombre.

« Pourquoi ?

— On n'est plus des enfants. Si on s'embrasse, ça n'est plus comme à l'école primaire, ça ne veut plus dire pareil. » Elle hésita un instant. « Il m'arrive des choses... qui ne devraient pas m'arriver avec toi.

— Mais moi, ces choses-là, elles ne m'arrivent qu'avec toi ! » Francesca sourit comme jamais. « C'est pas Nino qui me plaît, c'est toi ! »

Ce prénom, Nino, brusquement lancé dans leur petit paradis, ramena Anna à Mattia, à la fête, aux autres, et elle s'assit.

Francesca, les yeux remplis de peur, lui posa la question qu'elle n'avait pas osé poser l'après-midi.

« Il te plaît, ce nouveau garçon, hein ? Le garçon qui est resté déjeuner chez toi. »

Anna prit une expression comique.

« Arrête, je le connais même pas ! »

Francesca s'agrippa de toutes ses forces à ce mensonge. Timidement, elle s'approcha encore de son amie.

« Mais moi, je ne te plais pas, hein ? Je veux dire, pas de cette façon-là... »

Était-ce l'effet du lieu, toute cette lumière dorée mourant sur le beau visage de Francesca ? Anna, désarmée, se laissa porter. Une joie subtile filtrait dans l'air, les nuages, les jeux du petit jardin, et pénétrait en elle comme une drogue.

« France, peut-être bien que je t'aime. Mais ce n'est pas une chose qu'on peut vivre. C'est une chose qui va contre tout mon avenir. Et même si quand je te le dis, là maintenant, c'est vrai, dès qu'on sera sorties d'ici je sais bien que ça ne peut pas être vrai, et aussitôt je regrette, et j'ai honte à en mourir... »

La lumière était partie. De la route parvenaient les premiers vrombissements de scooters, et le chahut, les gros mots habituels des jeunes qui allaient à la fête. Anna, qui s'était mordu la lèvre pour les mots qu'elle avait dits, fut saisie à la fois du désir de partir et du désir de rester. Francesca aurait voulu courir au port, prendre un ferry pour l'Elbe et ne plus jamais revenir.

Elles s'enlacèrent, chacune cachant sa frimousse dans les cheveux de l'autre, se serrant fort. C'était comme un adieu.

Quand elles se détachèrent, la nuit était tombée sur le havre du jardin et mangeait les contours des balançoires, du toboggan, des deux arbres. Il n'y avait pas de réverbères à cet endroit, et on n'y voyait presque plus rien. Elles se levèrent et sortirent, avec le regret de quelque chose d'impossible à définir, des brins d'herbe dans les cheveux.

Elles ne dirent plus un mot.

Au patinodrome, les grilles étaient prises d'assaut. Des scooters s'entassaient en désordre, et les voitures qui continuaient d'arriver peinaient à trouver où se garer. Tous ces gens agglutinés avaient quelque chose d'hostile. Il y avait même une ambulance, avec deux types des services sanitaires, les fesses contre le coffre, qui soupiraient. Et un type appuyé à un arbre, qui pissait.

Il était là, le grand tournant. Le moment rêvé pendant des années, décrit des heures durant avec ses mille détails inventés. Lorsque couchées dans la coque d'une barque, elles s'amusaient à imaginer l'avenir – ensemble. « Quand on sera grandes... »

Il était là, tout entier.

Elles progressèrent à petits pas, poussées par des bras et des jambes inconnus contre des nuques et des dos inconnus. À un moment, elles durent s'arrêter pour laisser le flux s'écouler. Des chemises déboutonnées, des tee-shirts trempés de sueur. Et des mots qu'elles n'avaient jamais entendus. La lumière blanche des projecteurs arrosait toutes ces têtes, comme un désherbant. Et la musique pulsait du sol, se mêlait aux bavardages, étourdissante.

C'étaient les dernières minutes, maintenant. Puis chacune irait vers son avenir. Déjà elles commençaient à percevoir cette sensation étrange : découvrir soudain qu'on est seul.

Quand elles franchirent le seuil, quelques-uns retinrent leur souffle. Mattia, par exemple, là-bas, resta saisi un instant et perdit le fil de ce qu'il disait.

Un œil expert aurait deviné qu'une telle beauté ne dure qu'un moment dans le temps d'une vie. Mais il n'y avait pas d'yeux experts, dans cette foule.

Tout le monde était là.

Massi avec Nino. À l'écart, sur un banc, Sonia, Maria et Jessica. Ces gourdes de Lisa et ses copines, assises sur les gradins. Mais pas Donata. Il y avait Emma avec son mari, et son corps de seize ans déformé par la grossesse. Il y avait, au bar tout au fond, Alessio, Cristiano et Mattia. Et une marée d'inconnus qui se pressaient et se mêlaient jusqu'à former une masse indistincte.

Anna et Francesca tombèrent dans ce magma. Elles se précipitèrent vers le kiosque où on louait les patins et soupirèrent de voir qu'il y avait la queue. Elles voulaient y croire, que c'était le top. Se persuadaient, chacune dans sa petite tête, que la vie parfaite était là.

Dans la réalité, c'était un patinodrome à la peinture écaillée depuis des décennies, installé avec l'argent de la Pro Loco[1]. Les amplis pour la

---

1. Association très ancienne, présente dans toutes les villes italiennes, qui gère l'organisation des événements locaux.

musique étaient les mêmes, usés jusqu'à la corde, qui servaient pour la fête de l'Unità. Le bar miteux, qui vendait des bières et des orangeades à mille lires, des alcools à trois mille, n'était qu'un baraquement préfabriqué. Et les festons, accrochés aux balustrades, donnaient un vieil air de fête scolaire.

Alessio s'appuyait d'un coude au comptoir. De temps en temps, il sirotait une gorgée de sa bière, passée de fraîche à tiède. Ce fut son seul et unique mouvement pendant une bonne demi-heure.

Les gens continuaient de se déverser sur la piste. Les gradins aussi étaient pris d'assaut, de même que la tente où l'on avait installé une sorte de discothèque. Au bar, en revanche, il n'y avait presque personne. Les quelques dizaines de tables étaient à moitié vides. Un petit groupe d'adultes assis, l'air morne, jouaient aux cartes. D'autres paumés regardaient sans participer. Il y avait même un petit vieux sans dents, et cette vision exaspérait Cristiano.

« Il est dix heures, on peut y aller maintenant ? »

Il en avait plein le cul de rester là à attendre. Et puis il s'était déjà envoyé deux amphètes.

Alessio faisait comme s'il n'entendait pas : il avait un but, dont il n'avait parlé à personne. Il était là, planté comme un I, l'air d'attendre on ne savait quoi. Cristiano le fixait d'un œil noir, il avait l'impression de se faire voler son Ferragosto. Non mais je rêve, ma seule semaine de vacances et faut que je reste là à regarder les mômes faire du patin à roulettes. Et demain je recommence à me bousiller le dos sur cette pelleteuse de merde.

« Je te le demande encore une fois : on se bouge le cul, oui ? »

Alessio continua à faire semblant de rien. Plus qu'un but, il avait un pressentiment. Pas une seconde il ne perdait de vue Maria, Jessica et

Sonia, assises sur le banc sous l'arbre. Le seul arbre à la ronde. Cristiano vidait whisky sur whisky. Et Mattia commençait à comprendre que ça risquait de se gâter.

Au même instant, sur le dernier gradin, quelqu'un d'autre regardait et rongeait son frein en silence. Car beaucoup étaient venus ici croyant trouver l'Amérique, mais ils étaient encore plus seuls que chez eux.

Seuls comptent les garçons et les filles qui tournent, pirouettent et se lancent en bonds prodigieux sur la piste, ceux qui font la course et filent comme des missiles à des vitesses hallucinantes. Des filles maigres et élancées dont peu importe ce qu'elles feront de leur vie, puisque à l'instant T de leur adolescence elles sont là : au centre de la piste, au cœur de la fête, sous les projecteurs. Un instant de gloire, inoubliable. Des garçons aux cheveux fixés au gel, les abdominaux en vedette sous les chemises qui volent, autour du cou un lien de cuir avec un coquillage. Des garçons que n'importe qui aurait envie d'embrasser, qui ne se retrouveront jamais seuls comme Lisa en ce moment, sur le dernier gradin, à regarder les autres s'amuser.

Assise les jambes croisées dans l'ombre la plus totale, en compagnie de deux filles encore plus mal barrées qu'elle. Avec la sensation de perdre quelque chose d'énorme, de couler à pic.

Pour Lisa aussi, c'était la première soirée. Elle aussi avait passé l'après-midi devant sa glace, pour n'y gagner que des complexes supplémentaires. Pour finir, elle avait enfilé son habituel jean trop large, son habituel tee-shirt informe. Et le timide trait de crayon dont elle avait bistré ses yeux, en bavant, ne faisait qu'empirer les choses.

Elle jeta un regard de travers à ses compagnes : elle avait l'impression de ne pas être seulement aux confins du patinodrome mais à ceux du règne des vivants. Je suis pas un boudin, moi, se dit-elle. Même si tout le monde le lui répétait, même si un type à l'entrée l'avait traitée de thon et qu'elle s'était sentie mourir. Même si elle n'était pas super canon, en tout cas elle était vivante : et elle avait envie de patiner, et de danser, et d'embrasser quelqu'un. Elle était peut-être habillée comme un sac, mais, *à l'intérieur*, elle était comme Anna. Anna qui à cet instant, à une dizaine de mètres, s'approchait de la piste, moulée dans un centimètre carré de tee-shirt sur un demi-centimètre de jupette rose.

Tout à coup, elle pensa à sa sœur : Donata, c'est sûr, n'aurait pas fait tant de manières. Elle se serait amusée comme une folle, si elle avait trouvé le courage de l'emmener. Elle aurait chanté, agité bras et tête autant qu'elle aurait pu, dansé, même en fauteuil roulant. Mais une fois de plus elle avait eu honte d'avoir une sœur malade, et elle l'avait laissée à la maison. Comme si c'était elle la malade. Comme si, en ce moment, sans Donata, affronter le monde était moins difficile.

Lisa fixait la jupe d'Anna, les longues jambes d'Anna.

Et Donata était à la maison, parquée devant la télé. Et elle, au cœur de la fête, au lieu de patiner, elle restait là à pourrir sur place, à regarder le corps mince de Francesca qui rejoignait le corps radieux d'Anna sur la piste. Et aucun de ces deux corps n'était le sien. Le monde entier était injuste, mais pour la première fois Lisa comprenait que ça ne suffisait pas comme excuse.

En proie à un accès de rébellion, elle bondit sur ses pieds. Depuis neuf heures elle moisissait sur ce gradin, et il était dix heures et demie : basta. Elle s'insurgeait.

Contre ce monde dégueulasse, contre ce fumier de salaud qui l'avait humiliée à l'entrée, contre elle-même, un peu bossue, un peu mesquine, mais bon... elle n'était pas que ça, quand même !

Rassemblant son courage, éclatant d'un sourire de triomphe, elle regarda de haut ses compagnes rabougries : « Vous savez quoi ? Je vais patiner. »

Pour la première fois de sa vie, elle se mit à courir de toutes ses forces, à courir pour de vrai. Vers le centre où étaient la lumière et la clameur – croyait-elle – de la vie. Ôtant l'élastique qui retenait ses cheveux, elle fixa en hâte les patins pour ne pas perdre ne serait-ce qu'une miette de ce soudain et surprenant courage.

Elle se dirigea vers l'entrée de la piste où tournaient, inaccessibles mais un peu plus proches maintenant, Anna et Francesca.

Mattia lui aussi n'avait qu'une envie, aller sur la piste, mais il était obligé de rester là dans ce bar de ploucs, à inventer les pires blagues, à dégoiser les pires conneries pour distraire Alessio de cette maudite fixation, et surtout pour contenir Cristiano.

Sauver la situation, facile à dire ! Le visage sombre d'Alessio était un mur. Et Cristiano était rouge pivoine. À l'agacement du moment présent s'ajoutait la rancune de la nuit précédente. Mais Mattia n'y était pour rien. Ils étaient plantés là comme trois cow-boys dans un saloon.

Entre-temps, attirées peut-être par leur fureur muette, des jeunes filles et des gamines commençaient à tournicoter dans le secteur. En gloussant, avec de petits rires convenus, elles passaient et repassaient devant eux, frétillantes, pleines d'espoir. Les trois, évidemment, ne voyaient rien. Et chacun ajoutait son énervement à l'énervement des autres.

« De la chatte, y en a… mais vaut mieux les voir de loin ! » Cristiano remettait ça. « De près, t'as qu'une envie, leur foutre un sac sur la tête. C'est nul, cette fête. »

Mattia posa son second verre sur le comptoir, lança un coup d'œil désespéré à Alessio : mais l'autre était toujours là, planté, à regarder Sonia, Maria et Jessica, et va savoir ce qu'il avait dans la tronche.

« Ale…, fit-il d'un ton diplomatique, écoute, peut-être que maintenant on pourrait… »

Mais Cristiano, moins diplomate, lui vola la parole.

« On reste combien de temps encore ? Parce que faut nous le dire, nous on est à tes ordres… La bagnole, c'est toi qui l'as ! »

Alessio fixa une fois encore le banc où il ne se passait absolument rien. Maria et Jessica continuaient à bavasser entre elles, et Sonia avait cessé de lui lancer ces coups d'œil inquiets qui lui avaient d'abord paru un signe, une preuve. Il s'était fait des idées, c'est tout.

Il lâcha l'endroit du regard, qu'il vint poser sur la tête congestionnée de Cristiano. Une colossale tête de con, à cet instant précis. Et en même temps que l'espoir, il perdit définitivement patience.

« Va te faire enculer, pauvre con ! »

L'autre, en faisant craquer ses doigts, lui lança un sourire de défi. Mais ce n'était pas un défi, c'étaient les amphètes.

Il y a toujours tellement d'attente dans la tête de chacun, à certaines fêtes. Logique que ça dégénère. Cristiano ne voulait même pas y aller, au patinodrome : comme d'habitude il voulait aller au Gilda. Et Alessio faisait une fixette sur ce foutu banc depuis une heure. Mattia ne savait plus quoi inventer, il les regardait se monter le bourrichon, élever la voix, commencer avec les insultes, et il pensait : qu'ils se filent une peignée, qu'est-ce que j'en ai à foutre ?

Les paumés des tables du bar avaient tourné les yeux de leur côté. Ravis, la clope au bec, ils profitaient du spectacle. Mattia découragé hochait la tête : rien ne change jamais dans cet endroit de merde, ni les gens, ni l'usine qui leur écrase les couilles à tous, ni ces deux cons, claqués de fatigue.

Tout était resté comme il l'avait laissé en se barrant. Tout monstrueusement pareil, se dit-il soudain, à part Anna.

« Je t'avertis, tu commences à me les briser. »

Cristiano éclata de rire, carrément au nez d'Alessio.

« Alors t'as pas fini, parce que tu peux être sûr qu'elle viendra pas. »

Elle ? Qui ça, elle ? Mattia ne comprenait rien.

Alessio vit rouge.

« Barre-toi ! » siffla-t-il entre ses dents. Le visage transformé.

« Et où tu veux que j'aille ? La bagnole, c'est toi qui l'as !

— Barre-toi ! » rugit Alessio.

Cristiano restait là, sans un geste, avec sa tête de camé des grands jours.

Le petit vieux, tout édenté, plutôt rigolard, cria de sa table : « Vas-y, cogne ! »

Mais il n'y avait pas de quoi rigoler. Il n'y avait rien de réjouissant dans cette scène, pensait Mattia, l'arrière-banlieue de l'intelligence. Le drapeau italien effiloché qui résistait tant bien que mal à l'entrée du patinodrome lui parut l'emblème idéal.

« Elle viendra pas ! hurlait maintenant Cristiano. Et moi je vais pas foutre en l'air mon Ferragosto pour une pute qui viendra pas ! Elle viendra mais avec un autre, faut que tu te fasses une raison. »

Avant même qu'il ait fini sa phrase, Alessio attrapa Cristiano par le col. Répondit par un, deux, trois coups de boule. Et il l'aurait sans doute tué si Mattia ne s'était pas mis entre eux, quatre-vingt-dix kilos pour un mètre quatre-vingt-sept. Et sans doute quelqu'un aurait appelé les carabiniers, si ces deux-là, hors d'eux, ne s'étaient pas lâchés, à un moment. Et si Cristiano, une bosse énorme sur le front, n'avait pas fait mine de partir.

« Bravo ! Personne te retient », cria Alessio, comme un fou. « D'ailleurs, au lieu d'aller aux putes... au lieu d'aller engrosser une autre gamine de quinze ans, comporte-toi en homme, fais un truc bien pour une fois dans toute ta vie de merde », comme un fou, « Cri, au lieu d'aller au Gilda, va plutôt voir quelle tête a ton fils ! »

Son fils.

Mattia sentit son sang se glacer.

Cristiano, qui avait déjà fait quelques pas, se retourna, incrédule.

Un moment s'écoula, de stupeur générale. Les curieux, surpris eux aussi par le rebondissement, baissèrent les yeux et retournèrent à leur jeu de cartes. Alessio, face au visage cadavérique de son copain qui le fixait, deux tisons à la place des yeux, regrettait déjà ce qu'il ne se serait jamais, même dans un moment de lucidité, hasardé à dire.

Cristiano ne répondit rien. Mais serra les lèvres dans une moue de dégoût, puis, les yeux toujours droit dans ceux d'Alessio, rassembla toute la salive dont il disposait et cracha par terre. Alors il disparut pour de bon.

Disons tout de suite que si Alessio ne s'en était pas pris à Cristiano, il se serait aperçu depuis un moment déjà qu'une mince silhouette aux cheveux châtains s'était jointe aux trois filles sur le banc, sous l'arbre.

Disons aussi, pour l'histoire, que la gamine engrossée par Cristiano s'appelait Jennifer, et qu'elle n'était pas à la fête ce soir-là, comme toutes les autres filles de son âge, mais chez elle, à tenter de sevrer le petit James, qui n'avait aucune envie d'un biberon à la place du sein.

Sonia, Maria et Jessica, en effet, attendaient bien celle qu'Alessio espérait. Sous l'arbre : l'endroit fixé par texto. Elles allaient renoncer elles aussi, quand Maria sentit qu'on lui tapait sur l'épaule.

Elle était donc venue. Malgré l'endroit et la foule de provinciaux qui transpirait là-dedans, elle était venue pour de bon. Et maintenant elle les regardait en souriant, polie et distante.

Elle, en effet, n'avait rien à voir avec ces trois-là. Jamais elle n'avait porté ces minijupes en jean qui arrivent à l'aine, ni ces ceintures cloutées, encore moins tous ces colliers minables. Elle, quand elle s'asseyait, elle n'ouvrait pas les jambes. Les gros mots, elle se dispensait d'en hurler. Et le seul tissu de sa jupe fourreau lilas traçait entre son monde et le leur un fossé infranchissable.

Sonia, Maria et Jessica restèrent un instant indécises, à la regarder, avec un mélange d'attirance et de méfiance.

Elle, avant même d'entrer à l'école primaire, elle connaissait l'alphabet et savait compter jusqu'à cent. Ses parents lui avaient appris à lire, ils lui avaient expliqué ce qu'est un livre et combien de métiers il y a dans le monde – toutes choses qu'il est donné à bien peu de savoir, via Stalingrado. Elle n'avait pas galopé dès l'âge de cinq ans dans les rues du quartier, ne s'était pas cachée dans les caves pour apprendre à fumer ni ne s'était laissé tripoter derrière les poteaux en ciment : personne, quand elle avait onze ans, n'avait soulevé sa jupe.

Pourtant elle était là, l'ovale de son visage souriant d'une façon désarmante. Et pour les trois filles, tout compte fait, c'était une satisfaction.

Elle s'excusa de n'avoir pas trop de temps : on l'attendait à l'extérieur. Mais elle ne pouvait pas s'en aller sans leur dire au revoir. Elle les aimait bien, ces trois-là, qui de leur côté l'aimaient aussi, mais un peu moins.

La première fois qu'Alessio l'avait amenée chez lui, tout le monde s'en souvenait. Ça faisait partie de la légende. Comment elle marchait, en faisant attention à ne pas coincer ses talons dans les fentes des plaques d'égout, toute chichiteuse au milieu des barres d'immeubles. Elles s'étaient carrément foutu de sa gueule. Pour se présenter, elle leur avait tendu la main en disant : « Bonsoir, enchantée de faire votre connaissance. » Bonsoir ? Enchantée ? Même le facteur, même le docteur ne faisaient pas autant de manières.

Et à présent, vu qu'elles se connaissaient depuis des années, les quatre filles cachées derrière le tronc de l'arbre parlaient de vacances, de travail, du poste qu'Elena chercherait dès qu'elle aurait passé son diplôme, peut-être à Pise, peut-être à Piombino, à partir de septembre ; des boulots sous-payés des trois autres, déjà pas mal d'être arrivées jusqu'en troisième pour pouvoir passer des caisses de la Coop à celles des boutiques de lingerie Intimissimi, congés payés non inclus.

Maria finit par se sentir obligée de lui dire à l'oreille qu'*il était là*. Le lui montrant, même, en haut de la colline artificielle. Elle regarda dans cette direction avec un mélange d'étonnement et d'inquiétude. Tout de suite, elle reconnut de loin sa silhouette blonde et resta interdite, sans proférer un seul son pendant quelques instants.

« Comment il va ? » demanda-t-elle enfin, détachant son regard.

« Comment veux-tu qu'il aille... » répondit l'autre, sarcastique.

« Et Anna ?

— Elle, ça va ! Elle a déjà des amoureux...

— Ah oui ? » Elle essaya de sourire, mais il lui vint une grimace qui sonnait faux.

« Elle s'est inscrite au lycée, comme toi. »

Elle y avait toujours tenu, à cette petite, il ne fallait pas qu'elle se perde en route, qu'elle se retrouve comme les autres derrière un comptoir de bar à se faire tripoter les fesses.

« Elle doit être quelque part par là. » Jessica regarda autour d'elle. « D'ailleurs, faudrait qu'on aille jeter un coup d'œil, sinon son frère nous tuera.

— Viens avec nous, comme ça, tu la verras... »

Elle esquiva : « Non, vraiment, je ne peux pas. Vous lui direz au revoir de ma part.

— *Lui* non plus, tu ne lui dis pas au revoir ? » hasarda Sonia.

Elle ébaucha un sourire amer. Ne répondit rien. Les embrassa l'une après l'autre. « On se reverra en septembre, quand je rentrerai de Paris.

— Envoie-nous des cartes postales ! »

Enfin, à l'instant où elle partait, au moment précis où elle se retournait vers la grille de l'entrée, par pur hasard et sans le moindre espoir, Alessio regarda à nouveau dans cette direction.

Il devint livide.

Chancela.

Mattia, croyant qu'il se sentait mal, le secoua. L'autre ne réagit pas tout de suite, comme si on lui avait tiré dessus. Mais il se reprit.

À part évidemment la principale intéressée, tout le monde l'avait vu : dévaler la colline comme piqué par une guêpe, courir comme un forcené. Sonia se sentit mourir. Maria sourit : c'était mieux qu'au cinéma...

Mattia, resté seul, lança un coup de pied dans un caillou, ils n'avaient qu'à tous aller se faire foutre.

Alessio jouait des coudes, sans dire pardon. Il aurait voulu crier son nom. Mais il n'y arrivait pas. Il avançait telle une bête lancée à la charge dans la forêt. Il voulait la voir, maintenant. La voir en face, vivante, entière, devant lui, après ces trois années.

C'était un tel bordel dans sa poitrine qu'à un moment il eut l'impression qu'elle explosait. Mais il continuait, un pas après l'autre, un coup de coude après l'autre, une insulte après l'autre. Elle était déjà à l'entrée. Il ruisselait dans cette chaleur, une soif à crever. Mais il parvint jusqu'à la grille, puis jusqu'au parking.

Il y faisait frais, les sons arrivaient à peine et un silence oppressant montait de l'épaisseur de la pinède. On entendait les grillons et la chute des pommes de pin. Elle marchait à quelques pas devant lui, et c'était vraiment elle.

C'était sa démarche. C'étaient ses mollets. Sa taille fine, son dos, ses épaules. Ses fesses non, il ne devait pas les regarder.

Sûrement la voiture qui attendait, moteur et phares allumés, était là pour elle. Déjà elle tendait le bras pour saisir la poignée.

« Elena ! »

Le nom explosa comme une bombe. Et elle s'arrêta. Le *a* qui ne voulait pas s'éteindre. Son bras retomba, elle resta immobile.

« Elena... » répéta Alessio, doucement cette fois.

Elle, comme retenue, lentement se retourna.

Profil familier, inchangé avec le temps, et si doux. Les longs cheveux châtains, plus longs que dans son souvenir. À peine bouclés, maintenus par une barrette. Elle avait vieilli, un peu. Elle était la créature la plus puissante de tout le royaume des vivants.

Alessio était sans force. Il ne sentait plus son corps, juste un tumulte féroce en lui. Là comme un con, pétrifié au milieu d'un parking. Les mots dans sa tête s'étaient volatilisés. Le muscle de son cœur pompait et cognait, sa gorge était plus sèche qu'un désert.

Un instant impossible à supporter.

Pour elle aussi. Qui n'entendait pas les appels dans la voiture, qui restait immobile, comme lui. Elle pensa treize mille choses en même temps. Que c'était magnifique. Que trois ans avaient passé. Qu'elle avait fait un choix. Qu'elle avait pris une décision de merde. Que c'était juste. Que c'était injuste. Et elle ne bougeait toujours pas le plus petit bout de doigt.

Ils se regardèrent pendant une fraction de temps insignifiante, proche de zéro.

Puis Alessio sourit. Et ce sourire était si incrédule, enfantin, qu'Elena sourit à son tour. Et il lui sembla que toutes ces années passées n'avaient eu aucun sens.

On entendit un coup de klaxon, l'inévitable coup de klaxon.

Elena se reprit. Le temps existait. Il fallait partir. Elle ne voulait pas mais elle le fit, cet effort énorme : faire comme si de rien n'était. Quand même, elle leva la main pour un misérable au revoir. Monta dans la voiture.

Une brume de poussière se leva dans les airs, un nuage dense alla effranger la lune. Puis tout redevint comme avant. La pinède bruissa de nouveau. Le vent nettoya l'air et les branches. Après quelques pas en aveugle, Alessio se laissa tomber sur un tronc et se prit la tête entre les mains.

Il n'était pas le seul.

Non loin, caché par les arbres, Cristiano aussi se tenait la tête dans les mains. Il fixait obstinément un caillou, et pensait à son fils.

Piombino se déversait fébrilement sur le patinodrome.

Les amplis envoyaient *Rhythm is a Dancer*. Francesca et Anna l'avaient dansé des milliers de fois dans la salle de bains, enfermées à clé, ensemble, devant le miroir.

You can feel the, you can feel the…

Mais ce n'était plus la fenêtre d'en face, c'étaient des tribunes bourrées de monde. Les roues des patins, par centaines, par milliers, griffaient le sol. Et sous le jet du projecteur principal, chaque adolescent se distinguait, brillait, inondé de lumière blanche. Francesca lançait en arrière la masse de ses cheveux, ignorant à qui elle ressemblait, dans ce mouvement sinueux pour s'entortiller autour de la hampe du drapeau italien défraîchi.

Lift your hands and voices, free your mind and join us… You can feel it in the air…

Elles s'écrièrent ensemble : *Ooh, it's a passion.*

Un instant, elles eurent l'illusion que leur amitié était indemne.

6

Il y avait un type au bar, peut-être un curé ou un bénévole de la Misericordia, un type qui enseignait la religion dans les écoles. Il était là à hocher la tête : « On leur donne quoi, à ces mômes, hein ? On leur apprend quoi ? » Et il regardait la piste du patinodrome, tous ces corps qui se mouvaient dans un sens puis dans l'autre comme sur un manège. « Ils ont la tête vide, c'est tout ! »

Mattia, resté seul comme un imbécile, devait en plus se farcir ce type.

« Ils se droguent, voilà. C'était presque mieux quand il y avait le Parti communiste.

— Ah ben merde alors ! » lâcha un autre.

Mattia commanda une autre sambuca. Qu'ils aillent tous se faire foutre, eux et Alessio et Cristiano, ça fait un quart d'heure que j'attends. Puis il se dit qu'il n'avait pas vraiment envie de partir à leur recherche, ni de supporter plus longtemps les conneries de ces vieux schnocks. Qu'ils se démerdent : pour ce soir, il avait donné.

Ainsi, en sifflotant, il descendit de la colline artificielle. Et à zyeuter les jolies filles, la bonne humeur lui revint.

Il n'était pas du genre à ruminer. Plutôt le genre à se foutre de tout. Il n'avait jamais voté, et quand il tombait sur le journal télévisé pendant le dîner

– les morts, les guerres, les massacres –, il changeait de chaîne.

Il était comme ça, Mattia, mais ce n'était pas un mauvais bougre. Bien sûr, si les autres avaient su pourquoi il s'était enfui trois ans plus tôt, ils auraient eu un choc. Mais c'est pas un vol à main armé à la Poste et deux ou trois balles tirées dans un radar de contrôle qui font de toi un criminel.

À présent, il se baladait çà et là autour de la piste en quête d'inspiration. Patiner, pas question, danser encore moins. Ce qu'il aimait, c'était observer. Le diable est dans les détails, comme il avait entendu dire, ça lui avait bien plu cette phrase.

Il s'appuya à la balustrade, là où il y avait moins de monde, et suivit du regard les circonvolutions des patineurs. À peine le temps d'allumer une cigarette et de glisser une main dans ses cheveux que déjà, dans ce bordel intégral, il l'avait repérée.

Elle passa devant lui en volant. Une, deux, trois fois. Et chaque fois, à ce passage aérien, sa minuscule jupe rose se soulevait en découvrant une portion nue, veloutée, de cuisse ; une portion claire, douce, de l'aine. Et un délicieux petit derrière qui bondissait au rythme de la poussée énergique des jambes.

Chaque fois, dans une même séquence, elle passait. Passaient d'elle les parties lumineuses. Jambe droite, jambe gauche, bras, masse des cheveux balancée par la course, petit bout de nez. Sourire.

Il comptait jusqu'à dix, et déjà elle avait brûlé la moitié de la piste.

Anna avait presque oublié Mattia, occupée qu'elle était à battre tout le monde de vitesse. Si quelqu'un hasardait une demi-volte, elle l'imitait avec plus de grâce. Si un autre se lançait dans un saut, elle faisait le même, mais plus haut. Et dans cette obsession d'une compétition qui n'avait pas lieu d'être, elle ne voyait même pas les admirateurs qui essayaient de lui prendre la main ou, moins chevaleresques, de lui palper les fesses.

Mattia comparait cette amazone à la petite fille du matin, honteuse d'être surprise en pyjama. C'étaient les points communs qui le fascinaient, le scotchaient à la balustrade rouillée. Chaque fois que cette jupette se soulevait, brusquement, dans tout son corps, il avait treize ans.

Foudroyé par une gamine qui sortait à peine de troisième : si on lui avait dit ça, il n'aurait jamais, au grand jamais, voulu le croire. En Ossétie, il avait vécu avec une femme plus âgée. Il avait réellement dormi à fond de cale d'ailleurs, et lutté dans le jardin d'une villa avec un dogue napolitain, et réussi à échapper à quatre carabiniers pendant un coup de filet.

Ces souvenirs lui traversaient l'esprit comme des bouts d'un film de Tarantino, tandis que l'image vivante d'elle triomphait de tout, balayait tout. Mattia grilla sa cigarette en trois bouffées. Ça faisait douze heures qu'il l'avait dans la tête. Ses yeux lui faisaient presque mal à force de la regarder, de l'anticiper. Qu'avait-elle donc de si extraordinaire ? Fallait-il l'appeler, la rejoindre, ou se tailler en vitesse et mettre un point final à cette histoire absurde ? L'inviter à boire quelque chose, l'emmener faire un tour dans la pinède... La pinède ! Tu parles si elle vient avec toi dans la pinède.

Et puis, il y avait un autre problème. Un gros.

Il allait se faire démonter à coups de latte. Plus, même : noyer dans une poche de coulée. Bon, n'exagérons pas. En tout cas, Alessio serait furax qu'il tourne autour de sa petite sœur, il lui mettrait son poing sur la gueule. C'était la merde. S'il allait se fourrer dans un coin seul avec elle, ce serait la super merde. Mais Alessio avait disparu. Et elle, petit à petit, semblait se lasser de patiner et ralentissait...

Elle lui plaisait trop. Elle lui faisait un effet, nom de Dieu, inexplicable. Et puis il se dit que ses intentions n'étaient pas mauvaises. Se persuada qu'il voulait juste la connaître un peu, parler avec elle, découvrir ce qu'il y avait dans cette petite tête, et peut-être même la tenir une minute dans ses bras.

« Eh, la frisée ! » cria-t-il.

Anna en freinant se retourna et scruta la foule.

Merde : elle était à tomber.

Cette frimousse insolente, pendant qu'elle cherchait qui l'avait appelée... elle était fantastique !

Tant pis, il lui expliquerait, à Alessio, et s'il fallait encaisser la beigne, il l'encaisserait. Anna soudain le vit. Le reconnut. Pila brusquement.

Mattia. MAT-T-IA. Accoudé à la balustrade, beau comme Brad Pitt dans *Thelma et Louise*, beau comme Riccardo Scamarcio sur la couverture de *Cioè*.

Elle éprouva une seconde de désarroi, de joie folle, sauvage. Puis se ressaisit et voulut le rejoindre, mais les patineurs arrivaient de partout comme des flèches, et elle ne voulait surtout pas être renversée et s'écorcher les genoux juste devant lui...

Ils restèrent ainsi quelques instants, à échanger de drôles de grimaces, à rire à cause de l'embarras, de l'envie qu'ils avaient de se rejoindre...

Quand enfin elle eut réussi à traverser, elle s'appuya à la balustrade, elle aussi.

« Ouf ! dit-elle tout essoufflée.

— Pas facile de sortir de là hein ! » fit-il en riant.

Anna ne savait que dire. Rends-toi compte, il y a des gens à qui ça n'arrivera jamais de toute leur vie, un truc pareil. Elle aurait voulu l'embrasser sur-le-champ, et en même temps rien ne la terrorisait autant que l'éventualité de ce baiser.

« Je meurs de soif.

— Tu veux que je t'accompagne au bar ? »

Il avait ce sourire tête à claques, comme les criminels dans les films de gangsters. Les criminels gentils, bien sûr.

Anna escalada la balustrade comme si c'était la chose la plus évidente du monde, et Mattia ne put s'empêcher de lorgner sa petite culotte.

« Non, j'aime pas ce bar », dit-elle en s'asseyant, affairée à enlever ses patins, « j'ai plus envie de rester ici.

— Et où tu veux aller ? »

Anna se contorsionnait, les patins ne voulaient rien entendre, et l'hallucinante jupette se soulevait pour la millionième fois. Mattia se demandait ce que pouvait connaître de la vie, à cet âge-là, une petite Italienne des quartiers. Parce que les Russes et les Slovènes, on le sait, elles sont plutôt dégourdies...

« Alors ? Tu veux aller où ?

— Dehors ! » s'exclama Anna en se remettant debout.

Pieds nus, elle lui arrivait à grand-peine à l'épaule.

« Et tu fais confiance au premier venu ?

— Mais tu n'es pas le premier venu... » Anna lança un de ses petits rires bien à elle.

Mattia hocha la tête, amusé : il ne s'attendait pas à autant de hardiesse. Mais ça n'en était pas, elle était simplement très jeune.

« De toute façon, si tu fais le con... je le dis à mon frère ! »

À l'évidence, elle plaisantait, mais il eut un sourire contraint.

« Enfin ! Tu crois vraiment que j'irai lui raconter ? » dit Anna en éclatant de rire.

Soulagé, et gagné par l'enthousiasme de cette gamine qui, pour une gamine, avait quand même une sacrée paire de nichons, il envoya valdinguer tous ses scrupules : « En route, princesse... Je vous emmène ! »

Déjà il la prenait par le bras.

« Attends, j'ai pas mes chaussures ! »

Mattia s'arrêta, remarqua les pieds nus d'Anna sur le sol, et avant qu'elle ait le temps de dire ouf, la souleva : « Il ne sera pas dit qu'un caillou blessera vos jolis petits pieds, madame... »

Ce fut ainsi qu'Anna, abasourdie, fut portée en triomphe telle une jeune mariée au milieu de l'effervescence de la foule, jusqu'au kiosque des patins, jusqu'au casier où se trouvaient ses sandales.

Pendant le trajet, Anna fut incapable de penser. Elle se laissait bercer par le mouvement de ce corps sur le gravier, par la chaleur qui en émanait, par l'odeur brune de nicotine et d'alcool, et d'autres encore, comme une odeur... d'algues.

Avec fascination et effroi, elle percevait les muscles en tension, les artères au travail et le sang en circulation. Et avec stupeur et répulsion découvrait les touffes de poils bruns sur la poitrine. Submergée tout entière par cette proximité.

« Qu'est-ce que t'as fait ? T'as de l'herbe dans les cheveux ! » dit tout à coup Mattia.

Le diable est dans les détails.

Francesca les avait vus.

Elle avait tout vu.

Anna ralentir sur les patins, aller à la rencontre de ce garçon, le même. Alors elle avait freiné, et pendant quelques minutes avait dû se tenir à la balustrade pour calmer sa respiration.

Elle s'était approchée sans se montrer, s'était mêlée à la foule. À quelques pas d'eux, elle l'avait vue, Anna, escalader la balustrade, défaire ses patins, laisser ce type la porter dans ses bras.

Elle n'avait plus senti ses jambes, ni ses bras, ni son cœur. Son estomac avait commencé à se tordre.

Elle les avait suivis. Les avait espionnés en se cachant jusqu'au petit kiosque, restant miraculeusement debout malgré les roulettes qui dérapaient sur le gravier, luttant contre le martèlement insoutenable de son cœur.

Insoutenable, oui : les voir tous les deux qui plaisantaient, lui qui lui enfilait ses sandales, *faisait semblant* de les lui enfiler, parce que en fait il la chatouillait, et Anna qui riait d'une manière... répugnante.

Ils étaient sortis. Elle les avait suivis encore, jusqu'au bout. Jusqu'à ce qu'ils disparaissent dans l'obscurité de la pinède. C'est là qu'elle avait été malade.

Contre les grilles de l'entrée, un premier hoquet l'avait saisie. Puis un autre, et un autre. La main devant la bouche, elle avait rassemblé toutes ses forces et couru aux toilettes.

Il y avait une file hallucinante. Elle avait dû doubler six ou sept personnes, qui l'avaient insultée. Elle avait fait le pied de grue, désespérée, devant une porte. Et quand enfin celle-ci s'était ouverte, Francesca avait plongé tête la première dans la vespasienne.

Elle avait vomi.

Reniflé à grand bruit.

Éclaté en sanglots, enfermée dans ce mètre carré de chiottes éclaboussé de pisse.

Un dingue dehors balançait des coups de pied dans la porte, et criait : « Tu vas sortir, connasse ? » Mais elle était restée encore dix minutes dans ce trou, assommée. Et c'est seulement quand elle se fut vidé l'estomac et les yeux, et que de ses sentiments il ne restait plus rien, qu'elle sortit.

Elle alla s'asseoir sur les gradins, se rencogna dans l'angle le plus sombre et le plus isolé. Elle attrapa ses genoux et, enfonçant sa tête dans ses bras, décida qu'à partir de cet instant Anna était morte.

Alessio marchait en titubant.

Il se traînait au hasard, bras ballants et tête baissée. Il avança comme un homme perdu, déplaçant son corps au milieu des pins, pendant une demi-heure, une heure, qui sait. Jusqu'au moment où, butant sur une branche, il tomba le nez par terre. Et quand il leva les yeux à nouveau, il reconnut Cristiano.

Accroupi sur une pierre.

Ils se regardèrent : difficile de dire qui était le plus mal.

Une minute s'écoula, emplie de tension, parce qu'ils étaient l'un et l'autre et surpris et contents de se retrouver là, dans le même état pitoyable.

Alessio se releva, épousseta son jean.

« T'avais raison, c'est une pute », dit-il en regardant de l'autre côté.

Bon, il avait fait le premier pas.

Cristiano, comme s'il n'attendait que ça, ne tarda pas à faire le second.

Il vint vers lui, lui posa une main sur l'épaule.

« Ne dis pas ça, même pour rire. Elena, c'est une fille... c'est la meilleure pour toi.

— Pour me plaquer, tu veux dire.

— Elle reviendra, je te le jure », et la paume sur le cœur, « tu sais, si je t'ai dit tout ça...

— Laisse tomber. »

Amis, à nouveau. En trois minutes chrono.

« Je suis une vraie merde, comme père. » Cristiano lança un coup de pied furieux dans une pomme de pin.

« T'as même pas essayé, comment tu peux savoir ? »

Ils s'attrapèrent avec force, chacun broyant l'autre. Ils étaient seuls dans cette pinède, deux pauvres types. Des pauvres types, et seuls, mais ensemble. Comme toujours.

Cristiano, du tranchant de sa carte de crédit, dessina sur une surface improbable la ligne de la réconciliation.

« La dernière de ma vie, je le jure. À partir de demain, je deviens un vrai père !

— Moi aussi, je le jure. À partir de demain... » Alessio s'arrêta un instant. « Je remonte sur le pont-roulant, et qu'ils aillent tous se faire foutre. »

Ils se penchèrent sur la coke et sniffèrent, l'immuable billet de dix roulé dans les narines.

« N'empêche, James comme prénom c'est nul », dit Cristiano en relevant la tête.

Il avait un sourire plein de tendresse maintenant. Il renifla avec autorité et se dit que là-bas, au milieu de toutes ces lumières qui perçaient, un petit être dépendait de lui. Un petit bonhomme à qui il allait devoir apprendre à tenir debout, à marcher, et plus tard à cabrer son scoot.

En réalité, dans cette pinède, ils n'étaient pas seuls.

Et si Alessio avait imaginé ce qui se passait à une centaine de mètres, il ne serait pas resté là à rigoler comme un imbécile. Sûrement pas. S'il avait soupçonné même vaguement qui était caché là sous les arbres, des aiguilles de pin dans les cheveux, avec sa sœur.

Dans moins d'une demi-heure éclaterait le feu d'artifice.

Francesca, restée tout ce temps recroquevillée sur un gradin, s'était endormie.

Un sommeil brutal mêlé de veille, où les bruits réels se confondaient avec les bruits imaginaires, l'obligeait parfois à ouvrir les yeux en sursaut. C'étaient des cauchemars confus et monotones. Son père muet, assis dans son fauteuil, tout à coup se levait et allait fouiller dans un tiroir de la cuisine. Et là, le zoom sur la lame du couteau, et ses paupières s'ouvraient d'un coup.

Elle resta à demi consciente, en position fœtale sur le béton de la tribune, jusqu'au moment où elle sentit quelqu'un près d'elle lui parler et la secouer. Sa tête explosait.

Elle ouvrit les yeux. Des yeux collés, rougis. Peu à peu, ses pupilles faisaient le point sur les contours d'une personne de sexe féminin.

Elle battit des cils. Lisa lui passait la main sur le front. Lui prenait le pouls pour compter les battements.

Lisa ?

En revenant s'asseoir dans les gradins, Lisa avait tout de suite remarqué la forme blonde tout en haut ignorée de tous. Elle s'était approchée, pour s'apercevoir que cet être hébété qui sentait mauvais, c'était Francesca.

Francesca méconnaissable, assise maintenant, qui se frottait lentement les paupières. Faible, faible comme une fille qui vient de faire une mauvaise rencontre ou qui émerge des effets ténébreux d'un stupéfiant.

« Eh... Ça va ? »

Elle ne répondit pas. Elle continuait à se frotter les yeux, arrangeait ses cheveux et ses vêtements. Répétait les mêmes gestes, machinalement.

« Tu veux que j'appelle un docteur ? J'ai vu une ambulance dehors... »

Francesca parut se réveiller.

« Non. »

Lisa trouvait incroyable qu'une fille aussi belle, belle même en ce moment, les cheveux ébouriffés, le visage défait, le rimmel qui avait coulé, puisse souffrir.

Elle ressemblait à un de ces enfants qui viennent d'échapper à une catastrophe, qui battent des cils l'air ahuri sur fond de ruines et que les caméras filment en premier plan.

Lisa avait presque envie de la prendre dans ses bras.

« Je vais te chercher quelque chose... Un verre d'eau ? »

Un peu embarrassée quand même.

« Non, ça va mieux. »

Dans la voix de Francesca aussi il y avait un peu d'embarras : elle revenait à elle, ses joues se coloraient et elle réalisait qu'elle s'était laissé surprendre dans un état misérable.

« Je vais te chercher Anna ? »

Pour Lisa, c'était la question la plus logique. Déjà elle s'était relevée, commençait à chercher du regard dans la foule des patineurs la silhouette en rose. Mais elle s'entendit répondre, d'un ton glacial, indifférent, et par conséquent extraordinaire :

« Non. » Sèchement.

Lisa se retourna, stupéfaite. Francesca était immobile, calme.

Elle ne put s'empêcher de demander : « Il s'est passé quelque chose avec Anna ? »

Mais relier cet état à une dispute entre copines, c'était trop, même pour Lisa.

« Si tu la vois, préviens-moi. » Francesca avait dit cela sans émotion particulière. « Je ne veux pas la croiser.

— Non, je la vois pas... » Lisa revint s'asseoir.

Elles se tenaient l'une à côté de l'autre, sans bien savoir quoi dire ni quoi faire.

« Quelle heure il est ? demanda Francesca.

— Presque minuit. Tu dois rentrer ?

— Non, mon père bosse ce soir. »

Ce n'était qu'une information. Mais c'était aussi une confidence, un petit détail de la vie de Francesca. Et Lisa en éprouva une émotion presque physique.

Elles étaient ensemble, proches et seules, sur le gradin le plus haut des tribunes. Les gens en bas sautaient et dansaient comme si de rien n'était, patinaient sans savoir. Ils ignoraient, eux, que Lisa était assise à côté de Francesca, genou contre genou. Cette proximité lui donnait une sentation de vertige. Tout ce qu'elle espérait, c'était que Francesca n'allait pas se lever et partir.

Mais Francesca déjà s'était reprise. Elle lançait de brefs coups d'œil à l'étrange compagne venue se poser près d'elle, et s'étonnait de ne pas s'en agacer. Comme si elle revenait à la surface dans une vie entièrement nouvelle et que la première nouveauté, c'était Lisa.

« Je sais bien qu'on n'a jamais été tellement copines, dit Lisa de but en blanc, mais si tu veux parler, je suis là. »

Elle déglutit : c'était le geste le plus courageux qu'elle eût jamais tenté.

« Finalement, on se connaît depuis la maternelle... »

Francesca ne s'attendait pas à une telle déclaration. Elle se tourna vers Lisa avec un battement de cils de surprise, comme une miette de joie. Une toute petite paillette de joie, suivie d'un sourire timide.

Et Lisa, à son grand étonnement, comme si un tel moment avait fait l'objet de ses rêves les plus fous, s'était sentie inondée de bonheur.

« Francesca, t'es sûre que t'as pas envie de parler ? Tu t'es disputée avec Anna ?

— On n'est plus amies, dit-elle simplement, mais j'ai pas envie d'en parler. »

Lisa acquiesça. Il devait y avoir une sacrée bonne raison pour que cette fille si dure, et même, disons-le, plutôt salope, qui ne lui avait jamais accordé un seul regard, soit maintenant assise là, à part, avec elle. Elles restèrent quelques instants silencieuses. Lisa était comme en train de tomber amoureuse.

Francesca toisa des pieds à la tête, sur chaque centimètre carré de son visage, cet ersatz bizarre d'Anna, drôle de créature qui n'avait jamais rien signifié pour elle, quand Anna avait signifié tout. Elle la fixa une minute entière.

Lisa : la fille que personne ne regarde, celle avec sa sœur en fauteuil roulant.

Lisa : gros nez, grosses cuisses, furoncles.

Elle était là, contenant son émotion à grand-peine.

Une bûcheuse qui s'est inscrite au lycée classique, qui passerait toute sa vie dans la grisaille d'une bibliothèque, derrière un bureau, dans une école. Lisa qui serait en septembre dans la même classe qu'Anna.

Ce fut décisif.

« Soyons amies. »

Francesca avait pris la résolution à l'improviste, au moment de le dire.

Anna l'avait remplacée par un garçon qui était grand et beau. Et elle, elle la remplaçait par ce balai de chiottes. Tout était perversement juste.

Lisa pendant ce temps était bouleversée, n'arrivait pas à y croire. Moi ? Son amie ?

Elles restèrent assises là-haut jusqu'à ce que le feu d'artifice éclate.

Elles échangèrent quelques remarques empruntées sur la fête. Lisa dit qu'elle n'avait jamais vu autant de gens à la fois, et Francesca qu'elle avait bien aimé la musique. Lisa expliqua qu'elle, ces chansons, elle ne les avait jamais entendues, sans avouer qu'elle les connaissait pour les avoir espionnées, Anna et elle, depuis la fenêtre d'en face.

Elles parlèrent d'école, timidement. Lisa dit qu'elle avait hâte d'être à la rentrée, demanda à Francesca où elle s'était inscrite. Francesca répondit à l'IPS, l'Institut professionnel, qu'elle ne savait même pas ce qu'on y apprenait et qu'elle s'en fichait complètement. Alors Lisa changea de sujet. Mais il n'y en avait pas tellement.

Elles avaient été dans les mêmes classes pendant huit ans, et elles se connaissaient à peine.

Lisa, chaque fois que le silence retombait, se creusait les méninges pour trouver une chose à dire. L'excès d'émotion, pour finir, lui faisait toujours faire le mauvais choix. Francesca de toute façon l'écoutait à peine.

À minuit cinq, un peu en retard, l'artificier tira dans les airs six ou sept fusées qui eurent à peine le temps d'exploser avant de mourir. Ce fut alors qu'apparurent Nino et Massimo.

Lisa devint instantanément toute rouge. Ils n'étaient pas qu'un peu étonnés de la trouver là, avec Francesca. Comme d'habitude, ils ne prirent même pas la peine de lui dire bonjour.

Ils demandèrent ce qui était arrivé, où était passée Anna. Francesca répondit d'un ton placide qu'Anna était avec d'« autres gens » et que ce serait peut-être aussi bien d'aller danser, puisqu'il était minuit passé.

Massimo et Nino firent deux têtes ahuries, et sur le moment échangèrent un coup d'œil, comme pour dire : je rêve ? Puis chacun décida sagement de ne pas poser de questions. Ils firent demi-tour pour redescendre des gradins. Francesca bondit sur ses pieds, attrapa Lisa par le bras et l'entraîna vers la piste. Elle paraissait ressuscitée, elle paraissait sincère.

À minuit et quart, ce 16 août 2001, Lisa Cavini, le boudin, dansait au milieu de la piste avec Francesca Morganti, Massimo Righi et Nino Greco.

À minuit et quart, ce 16 août 2001, Lisa, selon toute évidence, avait pris la place d'Anna.

Ils les avaient cherchés partout.

Alessio était hors de lui et criait : « Nom de Dieu, où elle est ? »

Il s'en prenait à Sonia, qui aurait dû la surveiller. Cristiano, pendant ce temps, n'arrêtait pas de faire et refaire le numéro de Mattia, et ça continuait à répondre : « Le numéro que vous avez demandé n'est pas disponible pour le moment. »

Alessio avait l'air d'un fou. Et il n'avait pas encore additionné deux et deux.

Une heure du matin. Le patinodrome se vidait.

Sonia continuait de répéter à Alessio de se calmer, qu'Anna était sûrement quelque part, qu'elle n'allait pas tarder. Mais Alessio ne se calmait pas, au contraire, il hurlait.

« Francesca ! Mais comment ça se fait que t'as rien vu ? Elle était avec toi, bordel de merde ! »

Francesca, assise sur le banc à côté de Lisa, daigna à peine remuer la tête pour dire non.

« J'y vais, dit Massi en se levant, je vais jeter un œil dans la pinède. »

Outre qu'il ne supportait plus l'absence d'Anna, il tenait à se faire bien voir d'Alessio, qui était peut-être en train de péter les plombs, mais qui restait le type le plus respecté du quartier.

« Dans la pinède ? Mais qu'est-ce qu'elle serait allée foutre dans la pinède ? S'il lui est arrivé quelque chose… Si on a touché à un seul de ses cheveux, je jure que… »

Il ne finit pas sa phrase. Anna débouchait de sous les arbres, dépeignée et souriante. Comme si de rien n'était, comme si elle n'était pas toute froissée et habillée de travers.

Elle dit : « Pas la peine de jurer, je suis bien vivante. »

Et derrière elle, il y avait…

Ils en restèrent tous bouche bée.

Anna souriait.

Alessio, non.

Mattia à présent ne souriait plus.

Sur le banc, Lisa commençait à comprendre. Nino se dit qu'il allait peut-être y avoir de la bagarre, et qu'il se rangerait aux côtés d'Alessio. Massimo eut la confirmation qu'Anna ne deviendrait jamais sa petite amie. Sonia, Maria et Jessica se dirent qu'Anna y était vraiment allée fort, mais qu'en même temps c'était génial. Cristiano, abasourdi, dit seulement : « Merde. »

« Tu as quelque chose à me dire, Mattia ? »

Le ton d'Alessio était sans équivoque. Comme son visage.

Mattia, avec la même dignité, répondit : « Pas ici. Allons dans ta bagnole. »

Et il se dirigea le premier vers la Peugeot.

Personne ne soufflait mot. Certains firent même semblant de regarder ailleurs.

Alors que Mattia s'éloignait, Alessio adressa un signe à Cristiano, comme pour dire : reste là. Une fois de plus, il se retrouvait à pied. Mais il n'eut pas le courage de protester.

Alessio fit quelques pas en direction de l'auto, puis se retourna brusquement vers Anna.

« Toi, maintenant, tu rentres à la maison et tu restes réveillée jusqu'à mon retour. Compris ? »

Anna ne cilla pas.

« COMPRIS ? » rugit Alessio.

Anna fit oui de la tête.

Sonia et les autres s'approchèrent d'elle, proposèrent de la raccompagner. Alessio les regarda de travers. Puis il alla à sa voiture. Les deux garçons montèrent. Les phares s'allumèrent, le moteur. Et tout le monde vit la Peugeot à ailerons faire une marche arrière qui ressemblait à un décollage, avant de disparaître dans un grand nuage de poussière.

Francesca ne s'était pas approchée, n'avait pas bougé.

Anna se tourna vers elle : assise à côté de Lisa, main dans la main avec Lisa, elle la fixait avec un sourire sordide.

Anna eut juste le temps d'entrouvrir les lèvres, de pâlir, de lui répondre d'un regard incrédule et désarmé. Puis Sonia la tira par le bras pour l'emmener.

7

Une semaine plus tard, à trois heures de l'après-midi, Rosa sonnait à la porte de la famille Sorrentino. Sandra alla ouvrir.

Une semaine plus tard, un 22 août, date de l'anniversaire d'Anna.

Mais Anna n'était pas là et Sandra, qui ôtait ses gants de caoutchouc en se dirigeant vers l'entrée, s'attendait à tout sauf à cette visite. Pendant toutes ces années, Rosa n'était pas venue la voir une seule fois, malgré ses relances et ses attentions.

Et maintenant, elle était là, devant sa porte, sur le paillasson marqué *Welcome*, avec l'air de ne pas savoir si elle devait entrer. Elle n'avait même pas téléphoné pour avertir, ça ne lui ressemblait pas.

Sandra l'accueillit d'un sourire : « Viens, entre, excuse le désordre. » Elle comprit vite que ce n'était pas une visite de courtoisie.

« Assieds-toi. » Elle lui désigna une chaise. « Je nous fais un café ? »

Rosa acquiesça et prit place à la table, un peu gênée. Il y avait du désordre partout.

« Excuse-moi. Tu sais, je suis rentrée à deux heures, et avec tout ce que j'ai à faire, je n'ai même pas trouvé le temps de faire la vaisselle. Désolée. »

Rosa fit un signe de la main comme pour dire : aucune importance.

Elle ne travaillait pas, n'avait jamais travaillé, et sa maison était toujours parfaitement tenue. Enrico n'avait pas le temps de casser les objets qu'elle ramassait déjà les débris à la balayette pour les jeter dans la poubelle.

Sandra posa la moka sur le gaz. Elle s'empressa de laver deux tasses parmi celles qui s'empilaient dans l'évier. Elle lui tournait le dos mais n'avait aucun mal à deviner l'expression de Rosa, et le motif de sa visite.

Tout finissait par se savoir. Et on en parlait, à mi-voix, dans les immeubles.

Sandra ne posa aucune question. Elle se contenta d'un sourire rassurant quand elle se retourna et croisa le regard de Rosa. Elle arrangea un peu la table avec deux serviettes en papier, les petites cuillères dessus. Posa le bocal de sucre au milieu, versa le café dans les tasses et, vu la tension, s'alluma une cigarette.

« Merci », chuchota Rosa, en reposant sa tasse. C'était le premier mot qu'elle prononçait.

Sandra sirotait son café en fumant. Se demandait si elle devait intervenir, lui demander ce qui l'amenait.

Rosa tourna les yeux vers la fenêtre ouverte : un grand soleil entrait, on entendait jusqu'ici le vacarme des enfants sur la plage. Alors elle commença à parler. Avec calme, sans tourner autour du pot, presque sans s'interrompre. Pendant dix bonnes minutes elle parla. Elle n'avait sans doute jamais autant parlé de toute sa vie.

« Sandra, commença-t-elle, tu sais pourquoi je viens te voir, tu t'en doutes... Le fait est que je n'en peux plus. Et aujourd'hui j'ai décidé qu'il fallait que je parle à quelqu'un... Je dois affronter la situation, je ne peux plus remettre les choses à plus tard. Et ce n'est pas pour moi que je le fais. Crois-moi, j'ai trente-trois ans, et là-bas au pays, je suis considérée comme une vieille. Je m'en fiche de moi. Je le fais pour ma fille. »

Elle adressa un long regard à Sandra, plein d'un désespoir muet. Et Sandra ressentit un mélange de sympathie et de respect pour cette femme qui tentait, au prix d'un grand effort, de dire sa souffrance.

« Elles sont allées à la fête, comme tu sais... » Rosa parlait, toute raide, sans même bouger les mains. « J'ai donné la permission à Francesca, sans le dire à son père. Jamais Enrico n'aurait accepté. Il était de l'équipe de nuit pour Ferragosto. Il double son temps de travail pour faire des heures supplémentaires et il n'était même pas censé rentrer dîner. J'ai dit à Francesca de ne pas s'inquiéter, que je la couvrais, que son père n'en saurait rien... »

Elle se tourna de nouveau vers la fenêtre, ferma à demi les yeux pour se distraire un instant de la lumière de l'été, du bruit vivant et innocent des enfants qui couraient se jeter à l'eau.

« Je ne veux pas que Francesca devienne comme moi... Je ne veux pas qu'elle finisse pareil. Je veux qu'elle sorte, qu'elle s'amuse comme toutes les jeunes filles de son âge... Je veux qu'elle continue d'aller à l'école, pour qu'un jour elle puisse partir, loin d'ici. Je veux qu'elle trouve un travail digne, un homme qui la traite bien. Est-ce que tu sais que je ne suis jamais allée à une fête ? »

Sandra fit non de la tête. Son sang se glaçait, à voir le calme de cette femme, la force souterraine de cette femme qui, d'une voix posée, se rebellait.

« Mais lui, il l'a su. Je ne sais pas comment. Quelqu'un a dû lui dire. À six heures du matin il est revenu, et il nous a réveillées. Il n'a même pas voulu me parler. Il m'a enfermée dans ma chambre, à clé. Après, je l'ai entendu aller dans la chambre de Francesca... » elle serra les poings contre elle, « et je ne pouvais rien faire. »

Sandra fit le geste de s'approcher mais Rosa esquiva.

« J'entendais le bruit des objets. J'entendais les coups. Tu sais que Francesca ne pleure jamais ? Elle ne pleure plus, maintenant, elle ne dit pas un mot... Elle est devenue comme moi. J'entendais le bruit, Sandra, je l'ai entendu jusqu'à sept heures du matin. Et je n'ai pas entendu une seule fois la voix de Francesca... Après, il a ouvert, il a remis sa veste et il est parti. »

Il y avait les cris des enfants, en bas, dans la rue, et le vent qui par instants gonflait le rideau blanc.

« Quand je suis entrée dans sa chambre, j'ai vu ma fille par terre, le sang sur son visage. Il lui a cassé le nez. Je l'ai relevée. Elle ne voulait même pas me regarder, Sandra », elle s'arrêta, « tu ne peux pas savoir comment je me suis sentie, à ramasser ma fille par terre pour la centième fois. »

Sandra lui prit la main, et Rosa ne la retira pas.

« À huit heures, on a pris le bus. Aux urgences ils nous ont posé des tas de questions. J'avais dit à Francesca : "Cette fois on porte plainte, cette fois on porte plainte." Mais elle répétait : "Non, non, il nous tuerait." Elle avait trop peur. À mon avis, ils nous ont pas crues, aux urgences. Ils vont nous envoyer les services sociaux... Et tu vois, moi, je dois dire... » elle leva le regard vers Sandra, ses yeux maintenant étaient vivants, « s'ils nous les envoient, je serai contente.

— Tu dois porter plainte contre lui, Rosa. Si tu veux, je t'accompagne. On y va maintenant, demain, quand tu veux...

— Francesca avait trop peur, j'ai pas eu le courage d'aller à la police. Mais je veux le faire, Sandra. Et s'il doit me tuer...

— Ne dis pas ça, même pour plaisanter. Ils te protégeront !

— Là-bas, au pays, dit-elle avec un sourire, les femmes comme moi, personne les protège. »

Sandra eut un mouvement de colère. Elle savait bien, elle aussi, que les femmes se font tuer par leurs maris et que personne ne dit rien. C'est comme ça dans ce pays de merde.

« Moi, ça n'a pas d'importance, mais je veux que Francesca soit en sécurité. Alors je suis venue te demander... quand j'irai porter plainte, parce que j'y vais, cette fois je te jure que j'y vais. Voilà, quand j'irai, est-ce que Francesca pourra venir chez toi ? Rester chez toi, s'il y avait un problème ?

— Tu n'as même pas besoin de demander, Rosa.

— Merci », avec un battement de cils.

« Et s'il te plaît, ne me remercie pas. »

Rosa se leva.

Elle était encore jolie. À son âge, beaucoup de femmes ne sont même pas encore mariées : elles travaillent, elles voyagent, vont au cinéma, au restaurant, danser.

Sandra la prit dans ses bras, et elle se laissa faire.

« Tu es courageuse. Je t'accompagnerai au commissariat, et tu verras, les choses vont changer... » Elle lui caressa les cheveux.

Rosa la regarda dans les yeux. Il y avait comme de la joie maintenant sur son visage.

« Tu sais, dit-elle, ça fait bizarre de dire ça à mon âge, mais tu es la première amie que j'ai... »

Sandra, qui avait pourtant les épaules solides, peina à retenir son émotion.

« Tu peux m'appeler à n'importe quelle heure. Et dès que tu es prête, je t'accompagne », répéta-t-elle sur le pas de la porte.

Rosa acquiesça. Et disparut.

Le ferait-elle ? S'asseoir devant un flic, porter plainte contre l'homme le plus important de sa vie après son père. Raconter à un inconnu ce qu'elle n'avait jamais raconté à personne, ce qu'elle ne s'était peut-être jamais dit à elle-même. Partir de chez elle, travailler, s'occuper seule de Francesca. Et qui sait, un jour, rencontrer un autre homme, vivre quelque chose qui ressemblerait à de l'amour.

Il fallait que Rosa le fasse. À son âge, il le fallait. Mais elle, Sandra, elle pouvait parler : elle en était où, après toutes ces années ? Elle se laissa tomber dans le fauteuil.

Pour moi, de toute façon, c'est trop tard.

Elle ne referait pas sa vie, elle le savait. Elle vieillirait seule.

Pas le courage de laver la vaisselle. Elle alla se mettre à la fenêtre où il y avait de la lumière, d'où arrivaient, avec le soleil, pareils au soleil, les cris réconfortants des enfants.

Pour aujourd'hui, ça resterait en désordre.

Elle décrocha le téléphone, tapa à toute vitesse le numéro de l'avocat. La seule chose à faire, la seule digne. Pas pour elle, pour ses enfants. Pour l'avenir, pour ces gosses qui jouent sur la plage et ne s'imaginent pas combien c'est difficile de faire ce qu'on doit faire.

8

Le 22 août, Anna avait quatorze ans.

Mattia lui regardait les fesses, les regardait bouger sous le paréo blanc. Elle écartait les roseaux, il se demandait où elle l'emmenait.

La lumière était impitoyable.

Ils s'étaient donné rendez-vous en dessous des escaliers, à deux heures, quand tout le monde fait la sieste. Anna l'avait attendu cachée, pieds nus sur le carrelage sale. Ça sentait la poussière et le pollen. Elle lui avait murmuré à l'oreille : « Je connais un endroit. »

Tout n'était plus maintenant que rythme et obsession. Le bruit des insectes, les moustiques derrière l'oreille. Mattia marchait torse nu, son jean roulé aux genoux. Fasciné par la ligne courbe, chaude, de ces hanches. Ce derrière en mouvement le martelait jusque dans les reins.

Il transpirait, ses mollets s'enfonçaient dans la vase. Les algues entassées macéraient sous le soleil. Merde, on va où ? Il s'attendait à une cabine fermée, ou une cave, la clé tournée à double tour.

Le soleil tombait à pic sur le sable.

Il la suivait dans ce désert, inconnu de lui. Un genre de cimetière à bateaux, semé de bidons de gasoil vides. Un silence assourdissant, et des chats, nichés dans les coins d'ombre. Il avait imaginé un endroit couvert, dans l'obscurité. Les filles aussi jeunes, pour leur première fois, elles ont peur de voir et de se laisser voir.

C'était la journée la plus chaude, d'après la météo. Quatre-vingt-quinze pour cent d'humidité, un ciel gonflé d'eau. Anna ôta son paréo blanc, le laissa tomber sur le sable.

« Il y a une petite membrane au début, avait-elle dit. Une membrane à moitié transparente qui peut avoir des tas de formes différentes. La mienne, j'ai essayé de la regarder mais je n'y suis pas arrivée. »

Le sable mouillé du bord barbouillait ses jambes. Le bout de son pied creusait des trous que l'eau remplissait aussitôt. Elle l'attendait.

« J'ai cherché le verbe dans le dictionnaire, disait-elle. On dit *déflorer*. Cueillir la fleur. » Comme s'il ne le savait pas. « C'est drôle, non ? » Elle avait souri, enfantine, malicieuse.

Anna entra dans la mer jusqu'aux genoux. Le bas de son maillot coincé dans la raie des fesses, les cheveux mouillés, poissés de sable. Immobile, à contre-jour, noire, plongée dans la contemplation de l'île d'Elbe, une main devant les yeux.

Mattia ôta son jean, le jeta sur une pierre. L'odeur de rouille, le soleil en pleine face. À deux heures de l'après-midi les gens restent chez eux, la tête trempée de sueur qui ballotte contre le dossier du canapé.

Il la rejoignit. Se laissa glisser dans l'eau sombre et terreuse de cette portion inconnue de côte.

« On va jusqu'à la bouée », proposa Anna.

Mattia la regarda qui plongeait puis se laissait flotter à la surface, le corps ouvert.

Il était inquiet. Comme quand, tout môme, dans un sac de couchage, il s'était glissé entre les jambes d'une femme pour la première fois. Mais il faisait nuit, et il n'avait rien vu. Sa bande de copains à côté qui fumait de l'herbe et attendait qu'il ait fini.

À présent, ils nageaient ensemble, Anna et lui. Et la mer était chaude et ferme, comme le dos d'un animal endormi.

Huit ou neuf ans s'étaient écoulés depuis sa première fois. Des années de jambes écartées contre la porte des chiottes, dans les restaurants ; contre les placards dans un vestiaire, dans des lits conjugaux, sur des vêtements épars. Toutes ces choses qu'Anna ignorait encore, qu'elle ferait peut-être un jour, peut-être avec lui. Dans des restoroutes, des lycéennes en voyage scolaire. Des femmes d'un certain âge, contre le tableau de bord d'une voiture. Dans le salon privé rouge et répugnant du Gilda. Un éventail de possibilités qu'Anna ne soupçonnait pas.

Ils nageaient ensemble, en brasses parallèles. Ondoyant dans l'écume blanche et les courants tantôt froids tantôt chauds. Mattia l'observait sous l'eau, comment elle déliait ses jambes, ses bras et son bassin dans la mer nue. Elle était habile à se laisser glisser jusqu'au fond, jusqu'à toucher du doigt les laminaires semblables à de la barbe.

Ils arrivèrent à la bouée, s'y accrochèrent.

Elle lui avait confié, comme une chose énorme, qu'avant d'aller dormir elle glissait ses doigts dans sa culotte. Tous les soirs elle se faisait son petit orgasme, en silence.

Ils se regardèrent, les yeux rougis par le sel, les cils collés par l'eau. Enlacèrent leurs jambes sous la bouée jaune.

« Dis-moi une chose : avec qui tu venais ici ? »

Anna jeta un regard vers la plage, là où il y avait les restes d'un sol jadis carrelé. Là où les chats venaient, mais pas à cette heure-ci, plus tard...

Qui sait si quelqu'un leur portait à manger maintenant. S'ils les attendaient encore, le soir après dîner. Les cornets en papier fourrés dans les poches.

« Avec personne.

— Je te crois pas. »

Pas le genre d'endroit pour jouer à cache-cache ou aux gendarmes et aux voleurs.

La lumière était écrasante. Sous l'eau, il chercha ses jambes, ses pieds minuscules. Il la dévorait des yeux. Il savait dénicher les poulpes sous les rochers, il savait les tuer au trident, même à distance. Il savait faire doucement, s'il le fallait.

« Tu aimes pêcher ? »

Anna dit : « Oui.

— Et puis, qu'est-ce que t'aimes d'autre ? »

Elle était en train d'éclore. Elle avait quelque chose d'indéchiffrable dans les yeux. Simplement, elle était encore entre deux.

Il vint près d'elle, l'attrapa par les cheveux. Maintenant qu'il la tenait bien, elle se laissait caresser. Elle souriait, entrouvrait à peine les lèvres. Mattia lui soulevait sous l'eau le bord de sa culotte et elle fermait les yeux.

« Attends, dit-elle en s'écartant. J'ai envie de faire pipi. »

Mattia la regarda s'éloigner.

« Viens pas près de moi, criait-elle en riant, sinon ça me bloque… »

Quand ils sortirent de l'eau, Mattia alla s'étendre sur la coque renversée d'une barque.

Son corps brun, posé là, impatient. À s'égoutter au soleil. Attendant qu'Anna s'approche. C'était elle qui avait voulu, elle qui l'avait amené ici, dans ce chaudron.

Mais Anna restait là-bas. Au lieu de venir vers lui, elle s'était mise à chasser les lézards sous les pierres. Elle tournait autour des restes de carrelage, se penchait pour ramasser quelque chose. Elle le faisait exprès.

Mattia avait dans les narines l'odeur de fer rouillé et d'algues pourries. Il se tourna sur le côté pour la regarder.

Elle ramassait une branche, maintenant. Et ce fichu maillot noué sur les hanches qui se coinçait dans les fesses et lui laissait le cul à l'air. La chaleur insupportable de moiteur, la lumière totale et fixe. Un marteau qui défonce les tempes. C'était insupportable de la voir se promener pieds nus, tourner en rond, comme un prédateur de petits animaux. Elle le faisait exprès.

« Viens là », dit-il.

Alessio était d'équipe, de deux à dix. Cristiano, à l'autre bout de Piombino, à Torre del Sale. Et cette petite salope avec sa branche qui pêchait dans la mer une méduse, l'emportait sur les cailloux et la regardait se dissoudre. Elle faisait semblant de ne pas entendre.

Elle voulait qu'on la regarde, voilà : elle aimait qu'on la regarde. Anna torturait le corps liquéfié de la méduse en épiant Mattia du coin de l'œil. Elle avait du mal à retenir son fabuleux sourire.

Il s'était branlé à mort sur ce sourire. Le matin, dès le réveil. Il l'avait puni violemment, sadiquement, ce sourire qui se fichait de tout. Pour elle, c'était un jeu, comme apprendre à conduire un scooter, comme faire la course en patins à une vitesse folle. Elle voulait arriver première devant ses copines. Mattia avait compris, pas si con.

Il avait dix ans d'avance sur elle, moins de romans dans la tête. Il savait manier les armes, désamorcer une bagarre, il n'allait pas se laisser tourner en bourrique par un maillot à moitié défait sur le corps fiévreux d'une gamine en train de s'amuser.

« Laisse-la, elle est crevée. »

Elle ne se doutait pas un instant qu'elle pouvait faire souffrir. Elle avait l'air de ne connaître, du monde, que le meilleur côté. L'air de quelqu'un qui a grandi dans un cocon. Bon, assez. « Viens ici », dit-il, du ton de celui qui ne le dira pas deux fois.

Anna s'approcha, désigna le relief que le maillot de Mattia avait pris. Elle éclata de rire.

L'air était irrespirable, demain ça tournerait à la pluie. Le soleil de deux heures de l'après-midi qui lui tombait à pic sur la tête, et demain il fallait bosser dans cette usine de merde. Charger et décharger les bobines de fil machine, des tonnes d'acier tout juste sorties des fours, encore brûlantes, rouges, incandescentes.

« Laisse les chats, viens ici. »

Anna obéit, cette fois. Et vint s'étendre près de lui.

L'envie de jouer lui avait passé. Elle restait muette et immobile sur le bord de la barque. Mattia dégrafait la pièce du haut, dénouait celle du bas. La faisait glisser le long de ses jambes. Percevait maintenant son appréhension.

Elle n'était pas prête. Il devait la maintenir, tandis qu'il montait sur elle avec son corps brun et lourd. Le soleil lui coulait le long du dos. Il la tenait et la mouillait petit à petit. On voyait les détails, maintenant. Ses poils à elle couleur châtaigne, le rose à l'intérieur. Ses veines à lui, sombres et dilatées. On sentait l'odeur – plus âcre que celle des algues.

Il lui écarta les jambes, perçut, la main sur son ventre, tout son effroi. Il devait la maintenir et la caresser. Il transpirait, il transpirait sur elle. Le soleil en pleine face, le ciel blanc, les chats nichés dans les coins d'ombre.

Elle avait l'âge et le corps pour le faire. Mais elle n'était pas prête. Comme chez le médecin, sur la table d'examen. Elle se laissait toucher et attendait quelque chose d'inconnu. Il forçait doucement, faisait doucement. C'était son anniversaire. C'était son moment.

Ça ne servait à rien de chercher les mots dans le dictionnaire. *Cueillir la fleur*. C'était réel, bien plus simple. Ça faisait mal comme une épine, comme un objet contondant qui ne blesse pas, qui s'enfonce seulement. Et la membrane s'ouvre en deux, comme un fruit.

Anna ne fermait pas les yeux, elle le regardait comme un enfant qui voudrait être rassuré mais qui s'est trompé de personne. Elle n'avait jamais été de cette façon-là *ensemble*. Elle tombait doucement, souriait doucement, cédait à cette chose indistincte et pleine. Un berceau. Un mouvement égal à mille autres choses du monde. Chaud et constant.

Mattia, la nuit de Ferragosto, avait juré, la main sur le cœur, la lèvre fendue, écroulé sur le capot de la Peugeot. Il avait juré.

Mais Alessio ne savait pas, ne saurait jamais comment remuait le corps de sa sœur, comment elle bougeait le bassin dans le soleil. La douceur de certains endroits de son corps. Il ne la connaîtrait jamais, son odeur marine et âcre. Comment elle savait s'agiter et céder et jouir avec un sourire enfantin.

Elle n'était plus à son frère, elle n'était à personne d'autre.

Il l'avait vue grandir dans la cour de via Stalingrado, jouer aux Barbie avec sa petite copine blonde. Il se la rappelait, le cartable sur les épaules, en tablier rose à carreaux. Il l'avait regardée se baigner dans la piscine en plastique sur le toit de l'immeuble, au milieu de dizaines d'autres enfants.

Et maintenant il la regardait jouir.

Soulever la tête, l'approcher de la sienne. Les yeux brouillés, la sueur sur le visage, la lumière ardente sur son visage mouillé, et ce fabuleux, ce merveilleux sourire. Anna sentit un fourmillement soudain monter du sol et l'envahir toute. Et sa tête retomba en arrière.

Mattia se retira au dernier moment, éjacula sur son ventre. Il se laissa tomber, cœur explosé, sur le sein blanc d'Anna. Comme de retour à sa place. Alessio, en ce moment, était sur le pont-roulant à soulever les poches d'acier fondu, le dos courbé, le front trempé de sueur.

Pendant qu'Anna et Mattia se relevaient, époussetaient le sable et les algues, Rosa sonnait chez Sandra et s'arrangeait les cheveux pour se donner du courage.

Pendant qu'Anna regardait d'un air égaré autour d'elle et s'en allait laver le liquide blanc sur son ventre dans l'eau de la mer, Alessio s'envoyait une autre ligne de coke dans la cabine de pilotage, avec un collègue qui venait d'être embauché.

Anna se recroquevillait tout entière entre les bras de Mattia. Ils s'étaient cachés sous une barque, comme les chats. Le soleil était torride, le vent s'était levé. Et une partie de l'île d'Elbe brûlait, comme toujours l'été, en un point noir du mont Capanne. Anna assaillait Mattia de questions, et Mattia riait au lieu de répondre.

Cristiano, lui, regardait l'incendie et la fumée noire qui s'élevait d'un point non identifié de l'île. Il ne connaissait pas le nom des montagnes, et il détestait les Elbains : qu'ils brûlent, tous autant qu'ils étaient.

Sous le parasol, il était assis sur un siège en plastique. Ils étaient allés à Torre del Sale, la plage entre la centrale électrique et l'usine Dalmine-Tenaris. Sa première sortie en famille.

Des familles, autour, il y en avait d'autres. Les hommes commentaient l'incendie avec force excitation et grands gestes. Cristiano détacha les yeux de l'île et monta le son de la radio pour entendre les dernières infos sur les transferts de joueurs.

Jennifer était étendue sur sa serviette de bain et prenait le soleil, les hanches et les fesses épaissies. Elle ne ressemblait plus vraiment à la gamine de quinze ans mince comme un fil qui se laissait faire l'amour debout, sous les escaliers ou dans le noir de la cabine de plage de ses parents.

Cristiano tenait dans ses bras le môme qui braillait. Il lui avait offert une paire de minuscules Nike dorées, comme c'était la mode. Il avait dépensé un paquet de fric pour ces chaussures de petit homme, visiblement trop grandes, mais qu'est-ce qu'il en savait, lui, des pointures des bébés. À la caissière, il avait dit : « Faites au mieux. »

Cristiano regardait tantôt Jennifer couchée, les écouteurs du walkman aux oreilles, tantôt la morve qui coulait sur le visage de son fils. Et il ne savait pas quoi faire. Attrapant un mouchoir dans le panier, il essuya le nez du petit James, qui avait l'air de vouloir dire quelque chose mais ne pouvait pas encore parler.

Cristiano n'y comprenait rien, à ces braillements. Ces yeux qui le regardaient, ça le mettait mal à l'aise. C'était lourd, comme truc. Il n'avait pas envie de se retrouver comme ces types avec du bide à quarante ans, la glacière à portée de main, capables de passer une heure à parler de ce que ça brûle en été sur l'Elbe.

Mais lui, comment il serait ? Quel avenir il avait ici, à Piombino, à respirer de la merde à la Lucchini sur son tracto-pelle, et le dimanche à la plage avec la petite famille...

Un casse. Fallait qu'il en parle avec Mattia. Un bureau de poste, une petite boîte. L'arme pointée. L'adrénaline. Et puis disparaître, aller se planquer dans un coin sympa. Il sourit. Caressa la tête chauve de James.

« Papa t'emmènera au Brésil, lui chuchota-t-il, voir le carnaval ! »

Mais James n'était né que depuis six mois, il ne comprenait pas les mots. Et il se mit tout à coup à hurler, l'obligeant à appeler Jennifer, à gueuler pour qu'elle l'entende sous ses écouteurs.

9

À peine rentrée chez elle, Anna se glissa dans la salle de bains sans dire bonjour à sa mère. Elle alla s'asseoir sur les waters, baissa la culotte de son maillot et l'inspecta attentivement. Il y avait une trace.

Elle s'acharna avec le savon dans le lavabo sur cette tache que personne ne devait voir. Et elle regrettait un peu de devoir l'atténuer. Justement : elle s'atténuait mais ne partait pas. Et Anna n'avait pas envie de passer une demi-heure à la savonner. Elle roula la culotte en boule et la cacha sous son lit.

Quand elle fit son apparition dans la cuisine, c'était visible qu'il y avait en elle quelque chose de nouveau. Sandra, un autre jour, y aurait sans doute prêté attention. Elle aurait mis bout à bout le désordre dans la salle de bains, la culotte de maillot disparue, les bruits qui couraient sur ce garçon à peine rentré de Russie, et l'attitude agressive et souriante de sa fille. Elle aurait additionné deux et deux, un autre jour.

Pour le moment, elle était assise dans le fauteuil, la tête dans les pages grandes ouvertes de *Liberazione*. Mais elle ne lisait pas. Quand elle entendit les pieds nus d'Anna s'approcher, elle leva la tête et ferma son journal. Elle vit une tonne de sable, mêlé à d'autres saletés, sur le sol qu'elle venait à peine de balayer.

« Combien de fois je t'ai dit de te laver les pieds ? »

Anna prit une pêche dans le panier à fruits et y plongea de tout son visage.

« Tu es une vraie catastrophe, dit Sandra en secouant la tête. Tu manges la peau ?

— C'est comme de la peluche, répondit Anna la bouche pleine. C'est bon ! »

Elle cracha le noyau directement dans l'évier. Sandra se leva, visiblement contrariée : c'est ça, les manières que je t'ai apprises ? Mais avant qu'elle ait dit quoi que ce soit, Anna planta ses yeux dans les siens : « Il revient quand, *ton mari* ? »

Elle l'avait prise à contre-pied, la maligne. Et ces petits airs supérieurs, qui lui tapaient sur les nerfs.

« Je ne sais pas quand *ton père* revient. » Elle lança le journal par terre. « Il a téléphoné hier, il a marmonné je ne sais quoi... Il a dit de t'embrasser, et de te surveiller. »

Anna s'efforça de rire. « Ah ça, on peut dire que vous me surveillez... »

Sandra prit le balai et commença à rassembler le sable sur le sol. Anna la regardait faire, perdue dans ses pensées.

« Mais il va bien ? »

Sa mère s'acharnait avec son balai dans les coins, sous les meubles.

« Bien... Qu'est-ce que j'en sais moi ? Il est vivant, siffla-t-elle. Monsieur est très occupé, il a ses affaires, ses œuvres d'art... Ce qu'il fait, je ne veux même pas le savoir ! En tout cas, il a dit qu'il rentrait demain. »

Anna, en entendant le mot *demain*, éprouva une sorte de joie soudaine, qu'elle essaya de cacher.

Mais Sandra planta là son balai pour mettre sens dessus dessous une étagère et un tiroir, à la recherche de ses cigarettes.

« Moi je le crois pas, qu'il va rentrer… Il a la belle vie, qu'est-ce que tu crois ? On l'a vu à San Vincenzo, des gens me l'ont dit… » Elle s'arrêta brusquement, ce n'était pas bien de dire ces choses-là à sa fille. « J'espère bien, qu'il va rentrer, ajouta-t-elle pour corriger le tir, j'espère qu'il va rentrer et vite, parce que sinon… » mais elle n'arrivait pas à le corriger vraiment. « Ton frère est un crétin, si tu veux savoir ! Voilà qu'il a versé des arrhes pour sa Golf. Il a fait un crédit pour une voiture ! Pourquoi c'est toujours à moi de me casser le cul ? Faudrait peut-être un peu réfléchir, des fois, non ? »

Anna, chaque fois qu'elle entendait parler de ces problèmes d'argent, se sentait gênée, presque honteuse. Elle n'avait pas envie d'être triste, pas aujourd'hui, mais elle l'était quand même. Pourvu qu'il rentre demain…

Elle voulait aller dans sa chambre. Réfléchir, penser, elle ne savait pas encore à quoi : à Mattia, à sa culotte roulée en boule, ou bien à son père qui, depuis plus d'un mois, n'était qu'une voix au téléphone. Elle allait quitter la cuisine quand Sandra dit : « Attends, il faut que je te parle. »

Anna se retourna et regarda sa mère. Prise d'une peur soudaine, totalement irrationnelle, d'être découverte : la culotte, et le reste.

« La mère de Francesca est venue, aujourd'hui… »

Anna resta pétrifiée.

« Il y a des choses dont je dois te parler. Assieds-toi. »

Elle s'assit machinalement, le cœur à cent à l'heure.

« Je ne sais pas si Francesca t'a dit, si elle t'a parlé... » elle expira avec force, « de son père. »

Anna devint blanche, comme pour dire : je suis au courant, continue.

« En tout cas, Enrico a su que vous étiez allées à la fête et il a cogné sur Francesca. Il lui a cassé le nez. Il paraît que c'est loin d'être la première fois, apparemment c'est une habitude pour ce salaud... »

Les mains d'Anna tourmentaient le bord de la table.

« Rosa veut porter plainte. Je la soutiens entièrement. Je suis prête à l'accompagner, à témoigner, n'importe quoi. » Sandra élevait la voix. Il allait falloir en parler au parti, soulever la question des violences contre les femmes. Pas celles des Roumains dans les rues, mais ce cauchemar, là, à l'étage en dessous.

Elle se calma. « Rosa veut que Francesca vienne habiter quelque temps chez nous... Elle a peur, c'est compréhensible. Elle croit qu'Enrico serait capable de faire une folie. Je la comprends. » Elle alluma enfin sa cigarette, et tira fort sur la nicotine.

« Ce matin, elle a été obligée d'emmener Francesca aux urgences... »

Elle n'eut pas besoin d'en dire plus.

Anna bondit sur ses pieds. Ses mains, ses paupières, ses lèvres, tout en elle tremblait de rage. Un sentiment de culpabilité énorme. Le visage incrédule et tout pâle, un gouffre soudain dans la poitrine. Elle se précipita jusqu'à la porte d'entrée, l'ouvrit et sans la refermer dévala l'escalier à toute vitesse.

Que je suis conne ! Elle n'arrêtait pas de se le répéter, en descendant les marches quatre à quatre. Elle aurait voulu se donner des claques, tomber et se cogner la tête. Comment avait-elle pu la laisser seule ? Faire semblant pendant une semaine de ne pas la voir... tout ça parce qu'elle lui avait fait la tête, tout ça parce qu'elle était devenue amie avec Lisa.

Et elle avait fait cette chose avec Mattia, elle l'avait emmené là-bas... Elle avait trahi Francesca, trahi leur amitié ! Et maintenant Francesca était couverte de bleus, le monstre, il l'avait tabassée. Anna était la seule à pouvoir... quoi ? Elle aurait voulu s'écrabouiller sur le sol, ressentir une douleur plus grande encore que celle qui lui dévorait en ce moment les poumons, le ventre, le cœur.

Et pieds nus dans l'escalier avec du sable partout, les yeux pleins de rage, elle pestait contre elle-même, au diable Mattia, je ne le verrai plus... Il faut que je la serre dans mes bras tout de suite, il ne faut plus qu'on lui fasse de mal, personne.

Elle était devant la porte. Sombre, fermée, comme toujours. Je m'en fous, j'entrerai. Elle appuya longtemps sur la sonnette. Je m'en fous, vous ouvrirez. Mais personne ne venait. Salaud. Elle insista. Une fois, deux fois, dix fois, rageant contre cette sonnette de merde, contre l'enfer qui gardait Francesca prisonnière.

Mais c'était fini. À partir de maintenant, Francesca viendrait habiter chez elle. Comme une vraie sœur, comme c'était juste que ça soit. Elle dormirait dans son lit. Elles se serreraient l'une contre l'autre. Prendraient leur petit déjeuner ensemble, iraient en classe en scooter. Et elle l'attendrait à la sortie devant la grille de l'IPS.

Je m'en fous, se disait-elle le doigt collé à la sonnette, je bougerai pas de là, je bougerai pas tant que je l'aurai pas vue. Et je l'emmène avec moi. Il ne la verra plus, ce monstre. Il ira pourrir en prison. Je vais le tuer, si personne vient m'ouvrir.

Elle entendit des pas. Le verrou qu'on tournait. Et la porte s'ouvrit, juste assez pour qu'on distingue un visage.

Deux yeux dans la pénombre, un éclat noir et froid.

Ni Rosa, ni Francesca. Enrico, qui la fixait sans rien dire.

Un géant. Visage congestionné de chair rouge, muet, énorme.

Anna fit un pas en arrière et chancela un peu. Au prix d'un immense effort, elle parvint à balbutier : « Je voudrais voir Francesca... »

L'homme ne cilla pas. Peut-être perçut-il la terreur de cette gamine devant lui. Il était comme une grande enveloppe vide, un corps lourd, une arme chargée. Il semblait n'avoir aucun sentiment, aucune pensée.

« Francesca n'est pas là, dit-il. Francesca n'a plus de mauvaises fréquentations. »

Il referma la porte.

Anna mit la main devant sa bouche. Pour ne pas crier, pour ne pas sangloter, pour contenir la fureur et la peur. Elle se retourna et s'enfuit, dévalant les trois étages.

Quand elle déboucha dans la cour, il était six heures du soir. Il y avait encore de la lumière. Elle éclata en sanglots désespérés. On vint la trouver, lui demander ce qu'elle avait. Elle sanglotait comme si elle avait perdu quelqu'un, lançait des coups de poing sans force contre Sonia et Maria qui essayaient de la calmer.

Mais Anna ne se calmait pas, elle se débattait et sanglotait. Elle continua une bonne dizaine de minutes. Puis elle repoussa les autres, alla s'effondrer sur un banc, celui avec leurs noms écrits au feutre rose. Elle pleurait doucement. Elle pleurait en silence à présent. Ses cheveux pleins de sable, des fils d'algues collés aux mollets, sa robe de plage trempée et sale. On aurait dit la petite marchande d'allumettes.

De sa fenêtre, derrière le rideau, Francesca la regardait pleurer, et pleurait aussi.

Elle avait entendu Anna sonner. Elle avait entendu son père ouvrir.

Sa mère tricotait dans le salon. Et elle, elle était enfermée dans cette chambre, sa chambre. Couverte de bleus. Son nez lui faisait encore mal. Quand elle avait reconnu la voix d'Anna, elle avait éprouvé une peur folle.

Mais maintenant, en la regardant derrière le rideau, ce n'était plus à cause de son père ni des bleus ni des coups qu'elle pleurait. Elle pleurait parce que tout ça, c'était la faute d'Anna.

10

L'été finissait, la lumière du jour raccourcissait.

Premiers jours de septembre. Anna allait faire l'amour chez Mattia, un petit appartement sombre constamment en désordre, au fond de la via Stalingrado.

Alessio avait fini par céder. Il les avait pris séparément et leur avait fait un beau discours. « Vous avez ma bénédiction. Mais pas de conneries tant qu'elle n'est pas majeure. » Et Mattia s'était récrié aussitôt : « Bien sûr, tu rigoles ? »

Maintenant Anna allait attendre son petit ami devant l'entrée de la Lucchini, ou bien il passait la prendre en bas de chez elle. Alessio n'était pas idiot, mais ça l'arrangeait de croire qu'ils passaient tout ce temps à se regarder dans le blanc des yeux. Alors qu'ils faisaient l'amour n'importe où : sur le grand lit défait, persiennes closes, dans la salle de bains, sur les waters ou dans la douche, et même dans le couloir, contre la porte.

Alessio regardait Anna monter dans la voiture de son copain, maquillée, joyeuse : elle lui faisait la bise, tripotait un peu l'autoradio, montait le volume au maximum et ils partaient en faisant crisser les pneus. Alors il jurait en silence et se roulait un pétard.

Un jour, Mattia raconta à Anna que sa mère était morte, une tumeur au cerveau. Et son père quelque part dans le monde, ailleurs. Cette confidence les avait rapprochés.

Mattia fumait une cigarette après l'amour, il lui racontait sa vie par morceaux. Il lui dit qu'il avait fait des erreurs, des trucs pas trop dans la loi, mais que c'était fini, tout ça. Anna l'écoutait, pleine d'admiration. Elle avait commencé à fumer aussi, en cachette.

Francesca, chaque fois qu'elle s'était retrouvée face à Anna, avait continué son chemin les yeux baissés, avec un sourire faux. Pendant une dizaine de jours, Anna s'était entêtée à l'attendre dans la cour, sur leur banc, pour tenter de lui parler, l'attrapant même une fois par le bras. Mais jamais Francesca ne s'était arrêtée. Elle continuait son chemin, entrait au numéro huit et sonnait chez Lisa. Jusqu'au jour où, après le déjeuner, elle ne l'avait pas vue à l'endroit habituel. Alors, mais jamais elle ne l'avouerait, elle avait senti un coup dans la poitrine.

Francesca passait tous ses après-midi chez Lisa, comme Anna passait tous ses après-midi chez Mattia. Sauf que Francesca ne faisait pas l'amour, ça ne l'intéressait pas, et elle avait cessé également de voir Nino. Elle restait dans la chambre de Lisa, se laissait admirer, et elles jouaient à *scala quaranta* et au rami. Elle lui avait appris à se maquiller, l'avait emmenée au marché s'acheter des fringues. Et Lisa lui avait parlé longuement de Donata. Donata dans la chambre à côté, au lit, ses comprimés sur la table de nuit et les stores éternellement baissés.

Elle avait empiré, la sœur de Lisa. Elle ne bougeait plus les bras ni les jambes ni la bouche. Elle était incapable même de faire son drôle de sourire.

Elle bafouillait quelques mots incompréhensibles. Personne ne parlait d'Anna ici. Et personne ne voulait admettre que Donata était en train de mourir.

Un jour de septembre, le 2 ou le 3, Anna était allée à la Coop avec sa mère acheter un cahier de textes, une trousse et des cahiers pour la nouvelle année scolaire. Mattia était resté assis chez Aldo, le bar de Salivoli, boire un verre en terrasse.

Il fumait, regardant le ciel d'automne limpide, dégustait tranquillement son Negroni. À cette heure du matin, c'était quasiment vide. Personne au baby-foot. Un vieux lisait le *Tirreno*, lunettes sur le bout du nez, un demi-cigare aux lèvres. Le type habituel actionnait la manette du vidéo-poker sans rien gagner. Même la radio était éteinte.

Puis Mattia vit Cristiano. Et merde, se dit-il. L'autre marchait comme à son habitude, dégingandé dans son jean large de gamin. Les cheveux fixés au gel et un nouveau piercing sous la lèvre. Il avait tout l'air de se diriger vers lui : manquait plus que ça.

Cristiano, en effet, s'assit à sa table et commanda un whisky. Mattia n'avait aucune envie de discuter. Il voulait juste rester tranquille, penser à ses trucs.

Mais Cristiano n'arrêtait pas de parler, visiblement sous amphètes.

« Je suis de nuit, aujourd'hui, dit Mattia à un moment, ils m'ont mis au fil machine mais ils vont me changer, j'irai aux convertisseurs...

— Trop cool les convertisseurs ! » fit l'autre, d'un ton convaincu. « On n'en branle pas une là-bas ! »

Mattia n'avait déjà pas trop envie de discuter, mais de l'usine encore moins.

« Ça va, le petit ? » demanda-t-il distraitement pour changer de sujet.

Cristiano se prit le visage dans les mains : « Mattia, c'est du délire. Il pleure toutes les putains de nuits, il s'y met dès que je baise, tu te rends compte ? Chaque putain de fois, bordel. Et l'autre, faut toujours qu'elle se lève. Mais laisse-le donc pleurer, merde ! »

Mattia ne l'écoutait pas, il se contentait de le regarder.

« En fait, c'est pas le petit qui m'énerve. Lui, il grandira, il fera sa vie... C'est même marrant, des fois. Non, c'est Jennifer qui me les casse. J'ai eu tort d'aller habiter chez elle, avec ses parents en plus ! Je sais pas si tu vois ses parents, les casse-couilles que c'est... »

Il continua ainsi pendant un quart d'heure.

Mattia finissait son Negroni, regardait la tête des gens qui entraient. Des mômes en tongs qui voulaient de la monnaie pour le baby-foot. Des ouvriers en bleu de travail, des vieux expliquant qu'eux, le Viagra, ils en avaient pas besoin. Mattia posait son verre, vérifiait les progrès du type au vidéo-poker. Et l'autre, pendant ce temps, qui continuait à jacter et à s'agiter. Pas méchant, juste lourd. Mattia s'apprêta à payer et partir.

« Attends », le retint Cristiano, et il baissa la voix et le menton vers la table. « Je voulais te parler d'un truc... »

Cristiano avait un air presque sérieux maintenant.

Nous voilà bien, pensa Mattia. Puis il décida qu'il pouvait faire ce petit effort, et resta. Il se mit à jouer avec sa paille.

« Tu peux me faire confiance, tu le sais... Je suis muet comme une tombe, et puis, je suis pas exactement... » il sourit, « blanc comme neige. Tu sais bien, la poudre, des histoires par-ci par-là...

— Parle. » Déjà il n'en pouvait plus.

« Non, c'est que... Je sais que t'es en contact avec certains types à Follonica... »

Mattia changea de visage.

« Je sais que ces types-là, c'est des pros, et je sais que toi, tu touches ta bille... On m'en a parlé, du casse de 98, un joli petit coup bien monté... J'en ai plein le cul de cette vie, Mattia, plein le cul de la Lucchini et de Gianfranco qui me casse les couilles pour une minute de retard et qui me paie pas mes heures sup. Ça m'intéresserait, voilà, de faire *quelque chose*. Et je sais que toi, tu peux m'aider.

— Pas question.

— Arrête, Mattia... Fais pas le con. Je te propose juste de faire un petit boulot avec toi... Je suis pas un tocard, je sais me débrouiller.

— Je ne fais pas ce genre de petits boulots, on t'a mal renseigné.

— Merde, si je te dis que tu peux me faire confiance !

— Je connais personne à Follonica. » Mattia parlait d'une voix basse et sèche.

« J'ai juste besoin d'une arme et d'un numéro de téléphone... »

Une arme ? Il est dingue ce mec, se dit Mattia, il est complètement à l'ouest. C'est bien le dernier crétin sur terre capable de faire un casse sans tout foirer.

« Laisse tomber, lui dit-il d'un ton sans appel. Tu sais pas de quoi tu parles.

— Au contraire, je sais très bien », il semblait s'exalter tout seul, « je suis très bien informé. Peut-être qu'en ce moment tu serres les fesses, mais moi, je suis de la partie, Mattia, et je sais beaucoup de trucs. Je sais aussi que le père de ta petite copine... c'est lui, le contact sur Piombino. »

Mattia resta bouche bée, la paille à la main.

« Mais le dis pas à Alessio, hein. Il ferait un massacre s'il apprenait ça. »

Mattia était livide et mettait la paille en pièces, à présent.

« Je croyais que t'étais au courant. J'étais sûr que... »

Mattia se leva, alla payer.

« Je te le dis en ami, ajouta-t-il en passant près de lui. Laisse tomber. »

Cristiano resta assis, un peu gêné, comme un enfant qui a fait une connerie énorme et s'en rend compte trop tard.

Mattia monta dans sa voiture et claqua la portière. Il voulait aller directement chez lui, attendre Anna. Jamais il n'aurait pu croire un truc pareil. Cette histoire du père d'Anna, il espérait que c'était encore une des conneries de Cristiano.

Anna tournait dans les rayons, accumulait des trucs dans le chariot que Sandra, évaluant le prix et l'utilité, remettait généralement en place. Anna fouillait avec frénésie dans les bacs des trousses, saisie d'une sorte d'enthousiasme. Les cours allaient commencer. Ça serait le bonheur. Elle avait appris à conduire le scooter de son frère. Mattia lui avait donné des leçons de conduite sur un parking de banlieue, et elle se débrouillait comme une reine. Elle était allée au dispensaire en cachette se faire prescrire la pilule. Elle était sûre qu'un jour tout redeviendrait comme avant. Que c'était juste un moment à passer. Qu'un jour Francesca reviendrait sonner à sa porte et se jetterait dans ses bras.

Anna faisait la queue à la caisse, sûre que rien en elle n'avait changé.

11

La météo annonçait des températures de quatre ou cinq degrés supérieures à la moyenne, quand on entendit la sonnette.

C'était un dimanche matin, le dernier de l'été.

En plein petit déjeuner, biscuit à la main, ils se regardèrent d'un œil interrogateur. La voix du colonel de la météo annonçait du soleil sur toute la péninsule[1]. Un même pressentiment. Sandra se leva pour aller ouvrir.

Semelles en caoutchouc sur le sol. Un pas énergique.

Arturo entra, sanglé dans un mémorable complet à rayures qui semblait sortir de la teinturerie. Un paquet de gâteaux à la main, un pardessus gris perle sous le bras.

« Bonjour ! »

Pétrifiés, ses enfants, sur leur chaise. Sa femme réapparut derrière lui en robe de chambre et s'adossa au montant de la porte.

« Vous avez l'air en forme ! » Comme s'il ne les avait pas laissés en plan, dans la merde, presque tout un été. En forme ? Muets, plutôt, et furieux.

---

1. C'est l'armée qui fournit et présente les informations météorologiques à la télévision italienne.

Arturo laissa tomber son pardessus sur le canapé, où il s'installa en croisant les jambes. Un talent perdu pour le théâtre. Les excuses aussi s'étaient perdues, même tirées par les cheveux, juste pour la forme.

« Allez-y, ouvrez les gâteaux... »

Ému comme un gosse qui a réussi à voler son premier scooter, qui n'arrive pas à y croire et qui se sent le roi du monde.

Où était-il pendant tout ce temps ? Avec sa maîtresse ?

Arturo affichait un sourire canaille.

Sandra devait faire un effort énorme pour se contrôler et cacher l'embarras, le malaise que lui causaient ces vêtements neufs, le pli impeccable du pantalon de son mari (qui les avait repassés ?). Il avait beau être sur son trente et un, il resterait toujours un voyou.

Anna croqua timidement dans son biscuit.

Il y avait un abîme entre l'étoffe de son costume et le mauvais tissu du canapé, de la nappe, la robe de chambre décousue de sa femme. Le soleil haut et clair filtrait à travers le rideau blanc, et Sandra s'arrangeait les cheveux, essayait de les discipliner, de maîtriser ses nerfs.

L'indicatif du journal télévisé retentit.

« Je suis revenu, dit-il en avalant sa salive, pour rester. »

Alessio n'avait plus faim.

« C'est encore chez moi, ici, non ? »

Silence de mort.

Alors Arturo glissa la main dans sa veste. Cette fois, il allait les épater. Le geste dont il avait rêvé toute sa vie, la grande scène du film qu'il s'était fait dans la tête. De sa poche il tira un écrin de velours rouge. Le sourire éclatant sur son visage, les couleurs à ses joues, contrastaient fortement avec les lèvres scellées de sa femme, le regard glacial de son fils. Anna, regardant le petit écrin rouge, retenait son souffle.

Il l'ouvrit. En sortit le contenu. Le montra à Sandra.

La bague qu'Arturo tenait dans ses doigts était la chose la plus précieuse qu'elle ait jamais vue.

« Je suis revenu pour rester, répéta-t-il, pour vous offrir la vie que vous méritez. »

Sandra en fut, malgré elle, foudroyée. Elle ne voulait pas, mais elle cédait. Contre toutes les convictions forgées par une vie de parti, de réunions syndicales, de *courage on les aura*, elle passait le diamant à son doigt. Il était bien rasé, son mari, le foulard imbibé de parfum.

Alessio se leva de table en traînant bruyamment sa chaise. La comédie atteignait des sommets.

« Où tu vas ? » lui cria son père, inquiet.

« Aux chiottes », répondit son fils, d'un air dégoûté.

Depuis toujours il était comme ça, ombrageux et méfiant. Arturo ne l'avait jamais bien compris : son fils lui reprochait toujours tacitement quelque chose, mais quoi ? Il aurait fallu une boule de cristal.

« Écoute, ta voiture est en bas », s'empressa-t-il de dire, avec l'assurance du joueur qui sort un as de sa manche. « Voilà les clés. »

Il claqua sur la table un porte-clés avec le logo Volkswagen, énorme.

« Elle est entièrement payée, dit-il avec un sourire de triomphe. Elle est à toi. »

Alessio se retourna pour le regarder. Incrédule, cette fois.

L'extraordinaire pouvoir de l'argent.

« Je te l'ai garée près des containers. »

Alessio avait changé de visage. Il haïssait son père, et pourtant il avait changé de visage. Arturo lui souriait avec enthousiasme.

Alessio resta immobile quelques instants, partagé comme jamais. Il ne voulait pas lui donner satisfaction, il n'avait pas confiance. Arturo le regardait de cet œil un peu macho un peu tendre qui convenait à un père généreux.

« Va au moins la voir... »

Une supplication dans les yeux.

Alessio ne pouvait pas ne pas y aller. Il attrapa le trousseau de clés et sortit, en pyjama.

Sandra faisait mentalement les comptes, en regardant Arturo ouvrir avec désinvolture le paquet de gâteaux puis tourner dans la pièce. Elle additionnait des chiffres fantaisistes à plusieurs zéros, et son esprit s'échauffait tandis qu'elle arrondissait les sommes, tantôt vers le haut, tantôt vers le bas. Elle n'avait aucune idée du prix d'un diamant. Si tant est qu'il l'ait acheté...

Elle ne voulait pas savoir. Ça ne l'intéressait pas. Arturo, les jours suivants, sortirait de sa poche intérieure, tel un prestidigitateur, l'argent du loyer, arriérés compris, l'argent pour solder le crédit du lave-vaisselle et celui de l'autoradio. Et chaque fois elle regarderait ces liasses apparaître sans rien demander. Elle, l'épouse, elle empocherait cet argent sorti comme le lapin du chapeau, sans formuler, fût-ce pour elle-même, la seule question à poser.

« Alors, t'es contente ? » lui demanda-t-il, en lui passant les bras autour des hanches.

Elle rappellerait l'avocat, abandonnerait la procédure de divorce, éprouvant pourtant de tout cela une légère honte. À cause de l'argent. Mais pas uniquement. La volonté de croire en une chose dont on sait bien qu'elle est impossible. Sandra se laissait sombrer entre les bras de son mari. Comme un effet Valium, ou comme les cloches automatisées qui sonnent à l'église une fin de messe, à laquelle personne ne va plus.

Anna était restée pendant tout ce temps silencieuse.

« Et moi ? finit-elle par réclamer. Tu ne m'as rien apporté, à moi ? »

Après le déjeuner, Alessio emmena son père faire un tour dans la Golf neuve.

L'Arbre Magic accroché au rétroviseur sentait les années 80. Alessio ne dépassait pas cinquante à l'heure. Son père était enfoncé dans le siège ergonomique, nœud de cravate desserré et lunettes de soleil. Ils parlèrent de femmes et de moteurs, avec un soupçon d'embarras.

Alessio conduisait, caressait le volant, caressait le moteur à l'oreille. Il conduisait avec concentration, soleil oblique, vitre arrière fumée, comme les mecs vraiment cool. Les pneus glissaient sur la chaussée avec une grâce subtile et la moquette intérieure absorbait tous les bruits. Arturo regardait l'étendue du paysage, les couleurs de septembre qui étincelaient sous le soleil. C'était ce qu'il avait voulu. Les petits squares égayés par les mômes défilaient sur sa droite, des couples étaient assis sur les bancs ou promenaient le chien. Lui aussi, maintenant, était à sa place. Le clair paysage, gentiment animé, des familles le dimanche après-midi.

L'important, c'est ça. Une voiture neuve qui étincelle, et les nuages, les arbres, les maisons qui se reflètent sur le capot. Montrent qu'on a réussi. La climatisation. Saluer de la tête les passants par la vitre en ralentissant dans l'avenue Marconi. Longer le trottoir : nous, on n'a rien à se reprocher.

Alessio conduisait, mesurait en silence les performances de son rêve. Débouchait sur la nationale qui longeait le périmètre de l'usine sur dix kilomètres. Père et fils ensemble, il y avait quelque chose d'un peu intimidant. Il alluma l'ampli Clarion et laissa la musique en fond sonore. Une musique anonyme, une radio au hasard. Sur la droite filaient les cheminées à rayures blanches et rouges, le feu presque transparent des convertisseurs. Et au-dessus, noire de rouille, la tour de l'Afo 4, qui ne s'arrête jamais.

« Pourquoi tu continues à travailler dans cette usine de merde ?

— J'ai pas le choix. »

Son père se tourna pour le regarder à travers les verres fumés des Ray-Ban.

« Je te comprends pas... T'aurais les moyens de faire autre chose ! »

Alessio se laissait dépasser par les voitures plus grosses. Des 4x4 immatriculés Milan ou Florence qui doublaient avec agressivité.

« J'ai les allocations chômage garanties. »

Les derniers touristes qui débarquaient de l'île d'Elbe, pressés de rentrer chez eux.

« J'ai le salaire qui tombe tous les mois », continua Alessio en rétrogradant.

L'envie lui était venue tout à coup de faire chier une Cayenne qui lui collait au cul avec des appels de phares.

Arturo alluma une cigarette, baissa la vitre, et le vacarme de l'usine envahit le petit royaume clos.

« N'importe quoi, dit-il avec mépris en regardant dehors, vaut toujours mieux qu'ouvrier.

— Je vois pas ce que j'aurais pu faire d'autre.

— Il te manque l'esprit d'initiative, l'envie de prendre des risques... »

La radio transmettait une chanson de Gianna Nannini, *Fotoromanza*. Ce qui lui manquait, c'était Elena, et elle lui manquait à crever.

« Moi à ton âge, j'avais des idées, des rêves. J'avais envie de changer de vie. » Il sourit. « Et je l'ai toujours, pour ça oui ! N'importe quoi vaut toujours mieux que la Lucchini. »

Alessio prit vers San Vincenzo, laissant l'usine derrière eux. La traduction des rêves de son père : quatre-vingts mètres carrés au troisième étage d'une barre d'immeuble, et déjà deux fois les huissiers. Les collines commençaient. Au bord de la route, des pancartes annonçaient : *Melons et pastèques à 1 euro = 2 000 lires*.

Arturo lança son mégot par la vitre, rabattit le pare-soleil et se regarda dans le miroir de courtoisie. Son fils était devenu un ouvrier, avec la mentalité du pauvre type qui paie ses impôts et qui se fait enculer.

Alessio laissa échapper un sourire amer.

« On va à Baratti, dit-il pour changer de sujet.

— Si j'étais toi, je tenterais le coup.

— Quel coup ?

— Faire autre chose ! rétorqua son père en élevant la voix. Entre dans le commerce, prends des initiatives, merde ! Ou bien tu continues à te faire enculer, tu te chopes le cancer et à quarante ans t'es vieux, si jamais t'arrives jusque-là... »

Arturo tapa du poing sur le tableau de bord. Ravalant sa rage.

Alessio tourna à droite, vers Populonia. Les tombes des Étrusques étaient prises d'assaut par les touristes. On était en septembre et il y avait encore des tas de gens qui faisaient la queue pour visiter une nécropole de connards morts trois mille ans plus tôt.

« Toi et moi, on n'est pas pareils, dit Alessio en détachant bien les mots. Te fatigue pas. Ça me plaît de me faire enculer, de verser l'acier dans les poches de coulée et de jouer le rôle du plus con de la terre. Ce qui me plaît pas, à moi, c'est d'enculer les autres. »

L'aiguille du compteur bondit de soixante à quatre-vingt-dix.

À présent, son père restait silencieux derrière ses verres fumés. Mais ses mains avaient commencé à tourmenter le bord du siège.

« Parce que toi, hein, qu'est-ce que tu fais ? Tu me paies une bagnole ? Ah, c'est sûr que t'es le plus malin. »

Arturo ne répondit pas. La marée de trucs jamais dits qui lui bouillait à l'intérieur.

Ce soir-là, il suivrait attentivement l'édition de nuit du journal régional. Il attendrait une information, et cette information arriverait. Il passerait un coup de fil en plein cœur de la nuit. Puis un autre coup de fil, au bord de la crise cardiaque. Après quoi, il serait incapable de trouver le sommeil.

12

Francesca émiettait une tranche de pain qu'elle n'avait aucune intention de manger. Elle roulait minutieusement la mie, genre boulettes de pâte à modeler. Et regardait les mains de son père, si douces en ce moment à manipuler les rouages, comme une caresse. Des gestes maîtrisés et précis, sans rapport avec le cerveau qui, malgré tous ses efforts, n'arrivait pas à comprendre où était la panne et donc la solution.

Enrico réparait le presse-agrumes. Devant lui, sa caisse à outils, où chaque chose était rangée dans son compartiment. Il prenait un tournevis, une clé. Les remettait aussitôt en place.

Francesca l'observait, sous la frange de ses cils. Avec ses lunettes, il faisait plus vieux. Elle était assise à côté de lui, dans la cuisine froide. Une pièce où le soleil n'entrait jamais, à aucune heure du jour. Ce matin au moins, elle aurait aimé une phrase, quelque chose comme : « Bonne chance pour ta nouvelle école. » Mais rien. Les habituels signes de tête, sans un mot.

Son père se leva, alla brancher l'appareil. Qui ne marchait pas. Il se rassit, le démonta une nouvelle fois. Pour certaines choses, il avait une patience infinie.

« Laisse tomber, on en achètera un autre... »

Dans le tintement des clés à molette, la voix de Rosa se perdait.

Il ne répondait pas, recommençait.

Francesca haïssait le petit déjeuner, la façon dont tout était impeccablement disposé sur la nappe à fleurs. Une haine tranquille, méditée. La serviette de table dans le rond de serviette, la tasse sur la soucoupe assortie, le verre sur son dessous-de-verre. Elle n'avait pas encore l'âge d'en sourire. Dès que l'école reprenait, quand son père n'était pas de l'équipe du matin, elle avait l'appétit coupé.

La télévision transmettait *Uno Mattina* : le présentateur montrait comment désosser un poulet. C'était la seule voix vivante. Francesca mangeait sa confiture les yeux baissés et les observait.

Il n'arrivait jamais rien.

Rosa était dans son fauteuil, comme toujours.

Ah, non. Elle avait voulu un chat. Elle s'était réveillée un matin avec cette idée. Pour la première fois de sa vie elle faisait un caprice. Elle avait insisté, jour après jour, du matin au soir. La chose avait paru si singulière à Enrico qu'il avait fini par lui en ramener un : un petit chat blanc et noir, ramassé dans une halle de la Lucchini. Il était rentré un soir avec l'animal minuscule, enveloppé dans un chiffon. Comme l'ogre dans la publicité pour les pâtes Barilla.

Rosa tricotait une écharpe. Le chat sur ses genoux. Elle ne s'en séparait plus. C'était ça, la nouveauté. Si elle était allée au commissariat, peut-être qu'elle n'en aurait jamais voulu, d'un chat qui met des poils partout et fait ses griffes sur le canapé.

Enrico remontait le presse-agrumes pour la quatrième ou cinquième fois. Il n'était pas rasé de plusieurs jours. Francesca ne baissait pas la garde, elle découpait du bout des dents de minuscules morceaux de biscuit qu'elle mâchait ensuite avec la plus extrême lenteur. Il fallait un certain laps de temps, qu'elle avait appris à calculer, pour prendre le petit déjeuner sans vexer personne. Elle devait tout manger, ou bien le cacher dans ses poches, maîtriser la nausée et garder les yeux baissés, faire semblant d'écouter la télévision, attendre au moins un quart d'heure, puis se lever en faisant attention de ne pas traîner sa chaise.

Ils n'avaient jamais pu se décider à acheter ces trucs en feutre qu'on met sous les pieds des chaises. Francesca n'avait pas envie de récolter une paire de claques pour ça. Si sa mère était allée au commissariat, au lieu d'aller voir le premier médecin venu...

Francesca regarda la pendule et essuya le jus d'orange au coin de ses lèvres.

Le médecin, ce même connard qui lui avait recousu le poignet. Mais dans la tête de Rosa, descendue de son village perdu des montagnes de l'Aspromonte, le docteur, c'est celui qui sait. Les policiers, ils ne savent rien. Un docteur, ça a des diplômes et ça gagne bien sa vie.

Un lundi matin, Rosa avait pris son courage à deux mains, mis son unique robe correcte, et s'était rendue au cabinet médical, bourré de monde. Elle avait attendu son tour pendant des heures, préparant dans sa tête ce qu'elle dirait. Elle se l'était répété entièrement une douzaine de fois en ponctuant de la tête, comme quand elle apprenait sa leçon pour l'école. Mais devant le bureau du médecin, au moment de le dire à voix haute, elle s'était emberlificotée puis avait éclaté en sanglots, pour se mettre à rire aussitôt après.

Épisode dépressif, avait conclu le médecin. Il avait prescrit du Prozac et des cachets pour dormir.

Francesca alla poser sa tasse dans l'évier, enleva les miettes sur la nappe. Enrico avait enfin réussi à faire marcher le presse-agrumes et avait esquissé un demi-sourire, comme un enfant qui vient enfin d'arriver au bout de sa multiplication.

Il aurait pu contacter les services sociaux, lui indiquer un avocat. Mais le docteur Satta n'était pas là pour résoudre les problèmes des familles, les *insolubles* problèmes des familles.

Rosa souriait toujours ainsi maintenant, vague et absente. Elle souriait à la fenêtre comme à sa fille, au chat, à n'importe quoi. Et Francesca s'était mise à la haïr. Et à s'occuper de la maison, puisque sa mère était toujours fatiguée.

Mais elle les entendait, la nuit. Le bruit sourd et régulier de l'autre côté de la porte, à travers le couloir sombre et moisi. L'accélération des coups. Les voyelles rauques. Trop minces, les murs, creux à l'intérieur. Francesca restait immobile, tête cachée sous le drap remonté.

Francesca enfila sa veste, attrapa son cartable et fit un signe d'au revoir sur le pas de la porte. Le dégoût absolu de ces deux animaux. Elle referma doucement derrière elle. Avec Lisa, elles avaient rendez-vous en bas, dans la cour, à huit heures. Elles pédaleraient de concert jusqu'à Montemazzano, tout en montée, vers le groupe scolaire du second cycle. Sur son cartable, le même que l'an dernier, il y avait encore les inscriptions au feutre faites par Anna.

La cloche sonna à huit heures et demie.

Dix ans plus tôt, les établissements de second cycle étaient en centre-ville, de vieux bâtiments à trois étages avec fenêtres sur la mer, d'où l'on s'échappait à la récréation pour un baiser ou une cigarette sur le port de plaisance. Ils avaient tous été transférés au bord de la nationale, entre un terrain de foot pelé et une station-service. Quatre blocs carrés de béton.

Devant ces blocs trônaient les aciéries Lucchini et les fours.

Francesca dit au revoir à Lisa devant la porte du bâtiment numéro un, le lycée classique. Elle avait repéré, garé le long de la grille, le scooter d'Anna. Elles se firent la bise, Francesca frôla la joue de Lisa sans poser les lèvres. Puis elle courut vers l'entrée du bloc quatre, celui de l'Institut professionnel.

La cloche sonnait pour les quatre bâtiments en même temps.

Elle était à peine entrée dans sa nouvelle classe que ce furent des hurlements en chœur.

« Waouh, la bombasse ! » entendit-elle pendant qu'elle remontait l'allée entre les tables. Une armée de débiles.

Elle alla s'asseoir au fond, près de la fenêtre.

Visages connus et interchangeables, corps avachis sur la chaise. Que des garçons ou presque, beaucoup redoublaient, beaucoup étaient de via Stalingrado. Ils étaient là pour foutre le bordel, chauffer les bancs parce que la loi les y obligeait.

Dans deux ans, ils seraient tous à l'usine. À soulever les poches de coulée, perdre un bras à fabriquer l'acier.

Francesca ouvrit son sac, installa cahier et stylo sur son pupitre. Ignorant les commentaires des garçons, leurs mots obscènes, leurs revues pornos sous la table. Elle se demandait ce qu'elle faisait là. Les obligations légales, les décrets du gouvernement ne suffisent pas à changer la réalité.

Elle ne regarda même pas qui était à côté d'elle. De toute façon, ce n'était pas Anna.

Sans cesse elle tournait vers la fenêtre ses grands yeux vert sombre. Et ne répondait pas aux questions : « Comment tu t'appelles ? Eh, je te parle, comment tu t'appelles ? » Les cartes de géographie accrochées au mur, le tableau périodique des éléments, elle s'en fichait. Autant que du nom de sa voisine de classe.

Seul l'intéressaient les fenêtres d'en face.

Tous les bâtiments étaient identiques : le cube de béton où elle était et celui où était Anna. Entre les deux, un grillage de séparation, un grillage en mauvais état, rafistolé ici et là. Certains avaient dû vouloir passer de l'autre côté.

Mais on ne peut pas. Les deux mondes ne communiquent pas. Il ne suffit pas de faire un trou dans le grillage et d'y glisser la tête pour vivre une autre vie.

Anna était de l'autre côté. Cachée derrière une de ces fenêtres.

Elle ignorait laquelle mais Lisa, plus tard, lui ferait un plan. Alors, tous les matins, elle regarderait là-bas en espérant l'apercevoir : un vague profil, une épaule, un flamboiement de boucles derrière un reflet de vitre. Elle ne lui parlerait plus jamais, c'était sûr. Elle la haïrait toujours, à jamais. Parfois elle jouait à imaginer sa réaction si elle mourait, elle se voyait pendue à un poteau de la cour, pour le seul plaisir de la tête qu'Anna ferait en la découvrant, les terribles sentiments de culpabilité qu'elle aurait.

Elle regarderait sa fenêtre tous les jours, pendant toute l'heure de cours, passant au crible toutes les ombres, et elle finirait par la voir, un jour ou l'autre. Cette morte qui marchait encore. Pendant les cinq heures de la matinée de classe, Francesca fixerait la vitre, dans l'attente de voir Anna.

Ce même jour, Elena se réveillait à Campiglia, chez ses parents. Elle regardait, par la grande fenêtre du salon, l'étendue des champs, des oliveraies, des vignes qui se succédaient jusqu'à la mer, jusqu'aux gigantesques bâtiments industriels.

Vu de là-haut, le Val di Cornia semblait un lieu paisible et ordonné. Les paysans d'un côté, les métallurgistes de l'autre, et les pêcheurs en bas, du côté du port. De la villa on apercevait même la silhouette de l'île d'Elbe, un roc entouré de brumes.

Elena buvait son café à petites gorgées et une fois de plus réfléchissait aux choix qui se présentaient à elle. Et se demandait pourquoi aller à Pise ou à Florence, quand ces champs, cette mer, la ligne douce des collines jusqu'à la tour de Populonia étaient son pays. Alors elle s'était habillée et coiffée, avait tourné avec énergie la clé dans le contact et roulé jusqu'à Piombino, prête à affronter son premier rendez-vous d'embauche. Salles lambrissées, portes à poignée de cuivre. La principale usine de la région. La Lucchini.

Diplômée en Gestion des entreprises, avec les meilleures notes. Parfaitement consciente des opportunités que cela lui ouvrait. Jeune, jolie, dynamique et fille du médecin-chef de l'hôpital de Piombino.

Elena conduisait tranquillement vers la grande aciérie, pressentant peut-être qu'elle s'occuperait bientôt de sélectionner le personnel qui fabriquerait des rails pour toute l'Europe, et même pour les États-Unis.

Alessio, pendant ce temps, dormait comme un bienheureux, épuisé par huit heures aux prises avec Afo 4 le rebelle, le mythique, le funèbre four. L'acier en fusion qui coule dans les poches, l'acier incandescent qui se transforme en produits, en profits, en salaires, en connexions dans l'espace et le temps. Hétérogenèse et palingenèse : mais la fin véritable de tout ça, c'était quoi ?

Il ne pouvait imaginer que dans quelques semaines son grand amour aurait son bureau dans la tour de la direction. Pour embaucher et licencier, évaluer la vie, les heures et les journées des gens comme lui.

Ou que dans quelques mois peut-être, après la mort d'un énième collègue, il brandirait le drapeau du syndicat des métallos, contre elle, qui était désormais, dans tous les sens du terme, de l'autre côté.

Elena conduisait tranquillement, se garait à l'entrée de la grande usine. Sûre d'être prise, sûre qu'Alessio serait content, elle qui n'avait jamais vu de sa vie une poche de coulée, qui ne savait même pas à quoi ça ressemblait, et pour qui via Stalingrado était un décor de bande dessinée.

Le soleil dardait ses rayons sur la ville au travail, les milliers de vitres derrière lesquelles des gens se penchaient sur des comptoirs, des bureaux couverts de dossiers, à calculer ou faire des schémas, sur les deux mille ouvriers qui fabriquent des lingots, des poutrelles, des billettes en évitant de tomber ou de se laisser distraire et de prendre feu sous la coulée continue des métaux. Verre, fer et béton.

2001. Ce jour-là était le 10 septembre.

13

Le lendemain, c'était encore l'été.

Mattia était venu l'attendre à la sortie du lycée. Adossé à la portière de la Panda garée en double file, il attendait, avec tous les parents d'élèves. En congé, il voulait l'emmener prendre le dernier bain de mer de la saison. Il la vit sortir au milieu d'une foule bariolée de gamins portant sur le dos des sacs énormes d'où pointait le double décimètre.

Anna balança son cartable sur le siège arrière et s'installa sur le siège passager. Tournant la poignée à toute vitesse, elle baissa complètement la vitre puis allongea ses jambes sur le tableau de bord. Comme ça, elle était bien. Elle se repassait l'alphabet grec pendant que Mattia conduisait d'une main et de l'autre lui caressait le genou. Le paysage défilait doucement à la fenêtre : terre de collines et de bâtiments industriels miroitants sous le soleil encore chaud.

Ils allèrent à Torre del Sale, la plage blanche entre la centrale électrique de l'Enel et la Dalmine-Tenaris. C'était quasiment désert. Quelques femmes bronzaient, leurs vêtements de travail pliés à côté d'elles. Pause-déjeuner : dernière occasion pour bronzer. Le soleil brillait comme si tout pouvait recommencer : l'été, les jeux, Francesca couchée au bord de l'eau... Un soleil trompeur.

L'eau s'était refroidie de quelques degrés. Anna trempa le bout de son pied et le retira en frissonnant. Mais Mattia arrivait en courant et la jeta à la mer. Il voulait se baigner et faire l'amour dans l'eau. Ils s'embrassèrent longuement, comme font les amoureux, dans la vase argileuse du fond, dans le mouvement régulier des vagues. Ils mangèrent un sandwich et un fruit. Puis recommencèrent à s'embrasser, le sable crissant qui collait partout. Presque quinze heures. Les femmes se rhabillaient pour retourner au travail. Eux deux se serraient l'un contre l'autre dans la lumière et l'odeur de gasoil montant du tuyau d'évacuation de l'usine, là, tout près.

« Quand est-ce que tu m'emmènes à l'Elbe ? demanda-t-elle.

— Bientôt. »

Après le bain et la jouissance, la vie était revenue dans la norme. Septembre. Tous enfermés à nouveau dans les bureaux. La semaine scandée par le nom des jours : le rythme sans fin de la productivité. Mais il y avait un vide, qu'Anna et Mattia percevaient vaguement. À l'intérieur de la norme, quelque chose était arrivé. On sentait, sur la plage déserte, l'absence des enfants qui jouent au ballon, le ballon qui roule jusqu'à ta serviette. Ils étaient à l'école, les enfants. Et la mer glissait dans une léthargie.

Dans le silence, quelque chose d'inouï s'était produit. Un navire marchand avançait lentement à l'horizon vers la Sardaigne, et lentement ses contours s'estompaient dans l'azur.

Mattia prit au retour le chemin du terrain d'entraînement des chiens de chasse. Anna regardait par la vitre le périmètre de la Dalmine-Tenaris. Les meules de foin, les pylônes.

« Pourquoi y a plus les fils sur les pylônes ? » dit Anna.

Mattia soumettait à rude épreuve les suspensions de sa vieille Panda sur les cailloux et les trous du chemin, soulevant un nuage de poussière de terre. Il sourit.

« C'est parce qu'elle n'est plus en fonction, la ligne ? insista Anna.

— Disons que ton frère lui a porté le coup fatal... »

Il était quinze heures trente. Mattia roulait maintenant sur la nationale, dans la tranquillité du promontoire un mardi après le déjeuner. Les hangars où les camions entraient et sortaient. Les rideaux métalliques relevés pour nettoyer les commerces avant la reprise.

« On fait un saut chez Aldo ? »

Anna acquiesça à contrecœur : c'était triste et sale, trop d'hommes là-dedans. Mais pour les vieux à la retraite et les jeunes désœuvrés, c'était l'heure du bar. Dans les banlieues, on va glander dans le bar du quartier où tout le monde se connaît.

Mattia se gara à cheval sur le trottoir. Ils descendirent de voiture, cheveux mouillés, tongs aux pieds où collait le sable.

« C'est la belle vie, vous deux », dit un vieux en les voyant entrer.

Mattia posa un coude sur le comptoir, commanda une sambuca et un jus de fruits.

« Tu peux le dire, ducon ! » s'écria en riant Alessio, assis à une table avec Cristiano et d'autres qui jouaient aux cartes.

Il y avait un père flanqué de ses deux gamins, à qui il achetait une poignée de sucettes en se commandant un Fernet-Branca. Il y avait l'habituel type qui s'acharnait sur le vidéo-poker sans ramasser un centime. Le baby-foot pris d'assaut, et la balle qui faisait un boucan d'enfer en cognant contre les parois. Un flic en civil qui fumait. Des métallos encore en bleu de travail et d'autres qui s'apprêtaient à embaucher. Il était presque quatre heures. Au fond de la salle, la télé transmettait Rai Uno.

Anna s'était assise sur les genoux de Mattia et buvait tranquillement son jus de fruits. Autour d'eux, ça parlait sans discontinuer. Des mots comme *poudre* s'échangeaient, et des projets baptisés *histoires*, qu'il allait falloir concrétiser et qui rapporteraient *un paquet de fric*. La puanteur des cigarettes. Elle était fière de son frère, fière de son petit ami. Elle se sentait bien. Les types qu'elle connaissait la saluaient en lui pinçant la joue.

Fière de son univers, même s'il était sale et puant. Quelques minutes plus tard arrivèrent Maria et Jessica. Oui, son univers solide, élémentaire : elle en était fière.

« Y a une cliente aujourd'hui, je l'aurais tuée », dit Jessica.

Elles prirent deux chaises pour s'asseoir avec les autres.

« Elle voulait un string, je lui ai dit : Désolée, nous n'avons pas votre taille. » Les clients autour allaient et venaient. « Elle était vexée, elle s'en est prise à moi ! Je regrette, j'ai dit, voyez la boutique en face. Pas ma faute si t'es trop grosse, j'ai failli dire. Quelle conne ! » Les vieux parlaient des Ukrainiennes. Personne n'écoutait Jessica et son histoire de string. Personne n'écoutait personne, à moins que ça ne parle de fric ou de cul.

L'indicatif du journal télévisé retentit.

À cette heure ? Aldo demanda à tous le silence, en montrant l'écran.

Édition spéciale. Les cartes claquèrent sur les tables sales. Cigarettes éteintes dans les cendriers débordants.

« Merde ! Laissez-moi écouter ! » cria le patron qui, son torchon roulé sous le bras, s'approcha du téléviseur. Il monta le volume à l'aide de la télécommande.

Le journaliste était un de ceux qu'on voit rarement, qui font les remplacements à Pâques ou à Noël.

Édition spéciale. Un à un, les clients se taisaient et tournaient la tête vers l'écran.

Le journaliste bafouilla des phrases incompréhensibles. Et l'écran fut occupé par une image : deux gratte-ciel et une épaisse colonne de fumée. Une incrustation apparut : *Live. World Trade Center. New York*.

« C'est quoi ? »

Le vidéo-poker marchait toujours.

« C'est en Amérique... »

Quelqu'un posa son verre.

Un autre restait le verre à la main, sans boire. Et les enfants continuaient de hurler : « Vas-y Del Piero ! », « Allez, Inzaghi ! »

« Taisez-vous ! On n'entend rien. »

Tous étaient figés, maintenant.

Anna colla discrètement son Big Babol à la fraise sous la table.

« Ben quoi ? Ils ont assassiné le président ? »

Les parties de cartes interrompues restaient sur les tables en poignées éparpillées, des cartes étaient tombées par terre dans les cendres de cigarettes et les tickets de caisse. Les enfants continuèrent à jouer au baby-foot, jusqu'à ce que le silence devienne trop fort. Alors ils baissèrent les bras, laissant la balle rouler quelques instants encore, avant de s'arrêter.

La voix du speaker s'enrayait. L'image s'éclipsait puis revenait, toujours la même. Deux gratte-ciel et une colonne de fumée. Zoom sur les gratte-ciel :

deux colonnes de fumée, qui sortaient par deux trous. Sur le moment, personne ne réalisa que cette surface de verre éventrée était des fenêtres de bureaux. Personne ne pouvait comprendre que les petits points noirs qui tombaient dans le vide étaient des êtres humains.

Cristiano se tourna vers la porte. Deux carabiniers en uniforme venaient d'arriver.

« Qu'est-ce qui se passe ?

— Édition spéciale sur New York. »

Ils s'appuyèrent au comptoir et regardèrent aussi, non sans avoir commandé deux cafés-sambuca.

« Les deux avions se sont écrasés ce matin, disait la voix. Un Boeing 757 qui venait d'être dérouté. Il est clair que... » Mais rien n'était clair. « Dix-huit minutes plus tard un autre avion s'est écrasé sur la tour. » On n'y comprenait rien.

L'image était immobile. Seule bougeait la fumée.

« C'est en direct ? » demanda quelqu'un.

« Borelli, demanda le journaliste, avez-vous des informations ? » De New York apparut en direct Giulio Borelli, visage familier s'adressant à l'Italie depuis ce lointain endroit du monde pour tenter de lui donner une explication. « Euh, dit-il, eh bien, c'est une catastrophe jamais vue, le plus important attentat terroriste, en plein cœur de l'Amérique. »

Silence général, lourd à supporter et parcouru de frissons, comme quand on regarde un film d'action. Cristiano dit : « À mon avis, c'est Real TV[1]. » Et il se mit à battre les cartes. « Des conneries à l'américaine... »

Les conversations reprirent, à voix basse. Certains renoncèrent à comprendre et revinrent au poker, redressant devant eux les piles de pièces de

1. Chaîne qui transmet uniquement des vidéos amateur montrant des situations réelles dramatiques ou à fort suspens.

mille lires. Anna avait du sable dans son maillot. Alessio fixait toujours l'écran mais c'était l'un des seuls. Les gens retournaient à leurs affaires, certains rentraient chez eux.

Quarante-deux minutes s'écoulèrent ainsi, d'images live et de prises de vue monotones, de journalistes parlant des islamistes et d'un troisième avion tombé sur le Pentagone.

Aldo ne servait plus, il tentait de relier cette nouvelle au reste, à son monde. Les autres s'en foutaient, de ce qui se passait en Amérique. Des Boeing 757 qui s'écrasent sur les tours de la haute finance, cent dix étages de gens qui travaillent là, c'est une histoire pour Hollywood, personne n'y croit.

Mattia faisait des chatouilles à Anna derrière l'oreille. Et Anna disait qu'elle devait encore réviser pour demain l'alphabet grec et les substantifs latins.

« Tu me ramènes ? »

Les deux carabiniers appelèrent la caserne pour en savoir plus. Mais à la caserne de Piombino, un petit bâtiment décrépi avec deux palmiers plantés devant, on en savait encore moins qu'au bar.

Au bout de ces quarante-deux minutes, l'image s'anima brusquement.

Ils virent le gratte-ciel tomber. Tomber comme le sable qui s'écoule dans la clepsydre. Puis l'autre gratte-ciel s'effondrer à son tour. Alors, dans le bar de Salivoli, quelqu'un se mit à crier, crier d'émerveillement et de stupeur, pendant qu'en retour les cris des Américains venaient jusqu'à eux implorer du secours.

« Putain ! »

Mais ça n'avait aucun sens, cette chose qui arrivait de l'autre côté de l'océan et du monde. *En dehors du monde*, peut-être. Alessio et Cristiano se regardèrent. Tous se regardaient maintenant, incrédules, tandis que les Américains hurlaient comme des bêtes et que les gratte-ciel avaient disparu.

« C'est en direct ?

— C'est pour de vrai ou ils sont tous shootés ? »

Ils furent nombreux alors, dans le bar d'Aldo, à Piombino, à se précipiter pour téléphoner ou envoyer des messages.

« Eh ! Allume la télé ! » disaient-ils à leurs femmes, à leurs enfants. « Grouille-toi, y a le monde qui s'écroule ! »

Francesca aussi, chez Lisa, était devant la télévision. Elle aussi regardait les tours tomber, la chute retransmise en boucle. La répétition de l'extraordinaire a quelque chose d'incompréhensible, et Francesca mit quelque temps à comprendre que c'était historique.

Aldo posa un verre sur le comptoir. « Eh les gars, s'écria-t-il, comment qu'ils leur ont mis dans le cul aux Amerloques ! »

Quelques-uns applaudirent.

Mattia sourit à Anna comme pour dire : T'as vu ? On est ensemble pour un événement important.

« Ils y sont pas allés mollo, les mecs ! »

Alessio, abasourdi, hochait la tête : « Tu te rends compte ? Ils sont allés s'écraser dessus direct, comme si en ce moment un avion arrivait et s'écrasait sur le haut-fourneau. Ça ferait un massacre ! Toute la Lucchini qui saute... »

Il y avait de l'exaltation dans l'air maintenant, comme pendant les grèves des métallos. Impossible d'imaginer que dans cette image qui n'avait aucun sens des gens étaient en train de mourir.

« Tu crois qu'on va bosser, aujourd'hui ?

— J'te crois ! fit un autre en riant. Il se passe un truc en Amérique et la Lucchini s'arrête ! »

Ils s'étaient tous mis à rigoler.

« Capitalistes de merde ! »

C'était un événement qui n'en était pas un. C'était un film.

Anna, en regardant pour la énième fois tomber les géants de béton au cœur de Manhattan, sentit que l'Histoire existait, que l'Histoire, c'était cette chose immense et incompréhensible dont pourtant elle faisait partie.

Elle s'étonnait d'appartenir à l'Histoire, mais surtout elle se rendait compte que Francesca lui manquait. Elle aurait voulu qu'elle soit là, maintenant, avec elle, comme si ce qui était retransmis sur les ondes était un mariage ou un enterrement, un de ces événements où l'on est forcément ensemble, où les disputes d'avant ne comptent plus.

Francesca, chez Lisa, ressentait la même chose, qu'Anna lui manquait, la petite main d'Anna, tandis que les tours s'écroulaient encore et toujours. Et que c'était absurde d'être séparées.

Le lendemain, le *Manifesto* titrerait : *Apocalypse*.

Ce soir-là, à Piombino, les rues étaient désertes. Tout le monde était planté devant la télé. Côte à côte sur le canapé, ensemble autour de la table de la cuisine, excités d'assister à quelque chose qui resterait dans les manuels d'histoire. Sandra était survoltée, téléphonait sans cesse au parti. Elena était bouleversée, elle aurait voulu envoyer un message à Alessio. Mais pour lui dire quoi ?

Et Anna et Francesca, chacune dans son lit, ne pouvaient s'empêcher de penser l'une à l'autre, d'avoir envie de se revoir, et aussi un peu de se détester.

Alors Anna s'était relevée, avait rallumé sa lampe et s'était mise à feuilleter son journal de l'année précédente, elle avait relu toutes les phrases de Francesca, avec les fautes d'orthographe, les lettres pleines de fioritures et les petits cœurs à la place des points sur les i.

Alessio sur le pont-roulant écoutait la radio. Des centaines de radios et de télés allumées dans les hangars de la Lucchini, réglées sur la même fréquence. L'attaque des tours jumelles, le terrorisme devenu en quelques heures plus fort que l'Occident, ça remplaçait les flammes, les trains-citernes, les milliers de petits bonshommes en bleu de travail qui fondaient le fer et le charbon, l'acier et la fonte, et fabriquaient les rails, les navires et les armes de l'Europe et des États-Unis.

Seul Enrico, inerte dans son fauteuil, avait changé de chaîne. Il était tombé sur un drôle de dessin animé, puis sur un western avec Clint Eastwood. Il pensait à autre chose. Il pensait au corps de sa fille dans l'œil de ses jumelles. Découpé net au centre de la lentille. Son dos, le bout de son sein à contre-jour, dans l'eau. L'été était fini et il avait rangé les jumelles en lieu sûr, quelque part dans la maison. Si loin, l'Amérique, la chute des tours. Sa petite fille, qu'il avait tenue tout entière dans la paume de sa main quand elle était sortie de la couveuse.

Puis il s'était endormi, tout seul.

TROISIÈME PARTIE

Ilva

1

Il pleut à verse. C'est bien le mot.

Arturo regarde le mouvement des essuie-glaces et des bribes de pensées lui traversent la tête. Il conduit dans une tension terrible. Vire à gauche, débouche sur la nationale. Sauvé, peut-être.

Des flics en civil, ils avaient sorti leur arme. Arturo roule doucement, pour ne pas attirer l'attention, dans ses bras et ses jambes il sent les décharges d'adrénaline. Ils ont foutu en l'air un plan à cent briques, plus peut-être, mais lui en tout cas ils n'ont pas pu l'attraper.

Qu'est-ce qui se passe, maintenant ? La voiture devant lui a freiné et met ses warnings. Quelque chose, qui oblige à ralentir, et même à s'arrêter. Stop. Ça n'avance plus. Un accident ? Manquait plus que ça.

Il pleut à verse, depuis cette nuit.

Il pleuvait déjà, ce matin à l'aube, sur le port, quand ils ont déclenché le coup de filet. Et il pleut toujours. La circulation est arrêtée. L'eau frappe les capots des voitures. Tout le monde part au boulot, les gens klaxonnent, ils doivent pointer. Huit heures et demie du matin. L'eau refoule par les grilles d'évacuation. Descend le long de la tige des feuilles, les rares qui restent. Agite les branchages dénudés des arbres au bord de la chaussée.

Arturo n'arrive pas à réfléchir. Il doit décider où aller, trouver une solution, une planque – après, peut-être, il téléphonera à Sandra. Arturo regarde les essuie-glaces et pense aux milliards de micro-événements qui se produisent dans le monde, tous connectés entre eux, étrangers les uns aux autres mais connectés. Et lui, il est un de ces événements. Qui vit et qui pense, dans la chaîne indifférente et sans fin.

L'eau descend le long des tiges des feuilles, dans les gouttières des hangars sur la nationale à la sortie de Piombino. Il suffit d'un instant, et on perd le contrôle. L'eau refoule par les grilles d'évacuation et forme des flaques sur la chaussée crevassée. Il suffit d'un instant et on dérape, on se retrouve catapulté dans une constellation inconnue d'événements. Sans avoir le temps de comprendre.

Il pleut sur un scooter renversé, sur le corps d'un homme couché par terre.

Arturo regarde les essuie-glaces, puis jette un œil dans le rétroviseur et blêmit : une voiture de flics, juste derrière lui.

Il allume le chauffage. Les vitres commencent à s'embuer.

Pasquale… pauvre gars. En ce moment, ils doivent l'emmener à Livourne, à grands coups de sirène, dans une bagnole du genre de celle qui est derrière, ils ont dû lui passer les menottes… À un poil près, c'était moi.

Il fixe le mouvement des essuie-glaces, de gauche à droite, de droite à gauche. Il est vivant ou il est mort, le corps couché sur la chaussée, à une centaine de mètres en arrière ? Les gens ne savent pas conduire sous la pluie, se dit Arturo, ils se laissent surprendre.

Aquaplaning, ça s'appelle. Paraît que si tu perds le contrôle et que tu te paies le rail de sécurité, ça fait très mal. Mais y a des milliers de manières de se faire mal. Un *accident* on appelle ça. Comme chaque fois qu'on va dans le mur.

Impossible de deviner si l'homme couché dans les morceaux de tôle est déjà un cadavre ou respire encore.

Il pleut sur les hangars de la Lucchini S.p.A., sur les cheminées à rayures rouges et les rubans qui transportent la fonte. Arturo fixe le mouvement automatique des essuie-glaces, il sait qu'à sa droite se déroule sur plus de dix kilomètres carrés le spectacle de l'usine. Mais il ne veut pas regarder.

Ça a dû se passer il y a quelques minutes. Il faut encore que les gens téléphonent. Comprennent qu'il y a quelqu'un par terre, au milieu des débris de tôle, composent le numéro des urgences. Arturo pousse le chauffage pour désembuer les vitres en se disant que le type est mort, tandis que lui, il est vivant. Ou l'inverse.

Sur sa droite, la Lucchini noyée sous la pluie brûle son carburant. Il le sait, mais il ne veut pas regarder. Il pleut depuis cette nuit sur le haut-fourneau. Le truc qui ne s'arrête jamais. L'eau frappe le métal sans discontinuer, frappe les billettes et les poutrelles rangées dans les parcs, la file des camions qui attendent et les ouvriers qui s'abritent sous des bâches improvisées. Les Caterpillar immobilisés, comme les autos sur la nationale, comme le corps de l'homme couché par terre.

« Cristiano, dit le chef, rentre chez toi. On fera rien aujourd'hui. »

De toute façon, ça n'a pas l'air de vouloir s'arrêter. La pelle ne ramasse que de la gadoue, impossible de séparer l'inerte à recycler. Dans quelques minutes, l'ambulance sera là. Alessio et Mattia se relaient sur le wagon moteur du train de torpilles. Trempés comme des soupes, jurant tout ce qu'ils peuvent. Sur la nationale, mais ils ne le voient pas, il y a un type qui a fait un vol plané en scooter, vivant ou mort on ne sait pas.

Ç'aurait pu être mon fils, pense Arturo. Mais il ne veut pas penser, il regarde les essuie-glaces – le maillon le plus simple dans la chaîne du monde. Il pleut sur le capot de la voiture. Derrière lui, une Alfa 147 de la police, gyrophare allumé. Le bleu du gyrophare sous le ciel sombre comme s'il faisait nuit. Mais c'est le matin.

Arturo regarde les flics et son cœur part en vrille. Ils sont sûrement en train de parler du coup de filet sur le port, de dire : il y avait un cinquième individu mais le fumier s'est carapaté.

Alessio décharge les poches de coulée dans le train de torpilles, il ne sait pas que le cinquième individu est son père.

Son père pense : si Pasquale donne mon nom, je suis foutu.

Les autres se sont fait prendre à l'aube, pendant qu'ils déchargeaient le bateau. Et lui s'en est sorti, peut-être. Il pleut sur le cadavre d'un chat que personne n'a ramassé. L'ambulance n'arrive toujours pas. Cristiano monte sur son scooter et regarde avec ennui la file qui s'est formée sur la nationale. Alessio et Mattia se sont abrités sous une bâche et discutent, le bleu de travail trempé, la cigarette allumée.

« Quel temps de merde », et ils rigolent.

Mouvement régulier des essuie-glaces, un rythme rassurant. La voiture est bloquée dans l'embouteillage, mais les essuie-glaces marchent.

Ç'aurait pu être moi, le type mort sur la chaussée. Au lieu de ça, je suis dans la voiture de quelqu'un d'autre, heureusement, et je respire. Se concentrer sur l'essentiel, la chaîne minimale de l'existence. J'ai bien éteint mes portables ? Oui, j'ai même jeté les cartes SIM. Le type par terre, trop baraqué pour être mon fils.

Arturo regarde de nouveau dans le rétro. Deux flics à l'avant, un à l'arrière. Dans la voiture arrêtée au milieu de la circulation, celui qui est au volant parle, celui d'à côté allume une cigarette. Le troisième discute dans son portable, il est plus jeune et complètement survolté. Peut-être qu'il était là, ce matin, peut-être que c'est un des deux qui ont sorti leur arme... il va avoir une promotion, c'est sûr !

Le fleuve ne cesse pas de grossir. Le fleuve de tôles et de klaxons. Le fleuve de pluie. Alors le flic au volant s'énerve, envoie la sirène et commence à se frayer un passage entre les voitures.

Arturo se pousse sur le côté, sa main tremble sur le levier de vitesse. Pourvu que Pasquale dise rien...

L'ambulance arrive. Arturo est presque sur la bande d'arrêt d'urgence.

On charge à présent le corps sur un brancard. Encore une petite minute et il pourra foncer, à cent soixante-dix, cent quatre-vingt-dix même. Il prendra l'autoroute direction Florence, non, direction Gênes : à Viareggio il y a Sandrini, son avocat, et aussi ce copain qui lui doit un service...

Sandra, elle comprendra jamais.

L'embouteillage se défait, ça repart enfin. Reste une question, éventuelle : « Qu'est-ce que je fabrique ? » Mais ça, il n'a pas le courage.

Piombino s'éloigne rapidement dans le rétroviseur. Disparus, les cheminées et les hangars et les toits des cités, qui emportent avec eux les problèmes de famille et les ennuis domestiques. Ils iront peut-être perquisitionner chez lui, mais il est clean. Possible qu'ils veuillent l'interroger, mais ils ont quoi comme preuves ?

Pasquale, nom de Dieu, me balance pas !

La Lucchini défile de l'autre côté de la vitre, avec ses ouvriers trempés de pluie. Il a peut-être pas tort, mon fils – juste un éclair de pensée.

Anna regarde le ciel par la fenêtre de sa classe. Gonflé, lourd de condensation. Il pleut indifféremment sur les toits plats des écoles et sur les tas d'algues pourries battues par l'hiver.

En novembre, Piombino devient une ville pour les morts. Il fait nuit tôt, et dans le froid ce sont toujours les mêmes qui sortent. Cristiano et Alessio se jettent sur les banquettes chez Aldo, en attendant de prendre leur service. La vie rythmée par les repas chauds à la maison et les fonctions essentielles. Mais Mattia fait l'amour avec elle sous la couverture de laine qui pique tous les après-midi. Et elle rentre à la nuit toute dépeignée, l'odeur et la transpiration sous son anorak.

La prof explique la troisième déclinaison.

Elle trace des signes à la craie sur le tableau, les voyelles à toute vitesse. Une couleur pour le radical, une autre pour la désinence. Anna n'écoute pas. Elle fixe la vitre, regarde la chute régulière de l'eau. Aujourd'hui non plus Francesca n'est pas venue.

Alors elle se tourne vers Lisa, qui prend des notes à l'autre bout de la classe. Sur son visage concentré elle cherche les traces d'une explication. Le vélo de Francesca n'est pas avec les autres, rangés à la grille. Il y a plus d'une semaine qu'elle n'est pas venue en cours, elle est peut-être malade. Anna a compté les jours. Les a cochés dans son journal. Lisa sait quelque chose, forcément. Anna pose sur elle un regard insistant, la prof décline les substantifs groupe par groupe, et soudain Lisa se sent observée, lève la tête.

Elles ont toujours soigneusement évité de se regarder, de se saluer. Toujours évité de se rencontrer à la sortie du lycée.

Mais Anna sait que Lisa l'épie, de la même façon qu'elle épie Lisa. Elle sait que chaque détail sera enregistré et rapporté à Francesca. Sa moyenne en classe, ce qu'elle porte et comment elle se coiffe, quand elle est de mauvais poil, quand elle s'est visiblement disputée avec son copain, et même la confiserie qu'elle prend au distributeur automatique : tout sera rapporté, fidèlement.

La prof explique dans le vide la troisième déclinaison et Anna se dit qu'elle n'a plus envie de faire semblant.

Penchée sur son cahier, elle écrit en haut à gauche : *Noms imparisyllabiques ayant deux consonnes avant la terminaison du génitif en -is. Exemple : mens mentis, pons pontis*. Le génitif est le cas qui marque l'appartenance, répète la prof, il est, comme son nom l'indique, le cas de la génération. Elle devrait peut-être coincer Lisa dans un coin à la récré et lui demander ce qui est arrivé à Francesca. Le génitif indique la matière. Qu'est-ce qu'il lui est arrivé ? Il indique par conséquent de quoi les choses sont faites, d'où elles proviennent : c'est à la fin du substantif que l'information nous est donnée.

La cloche sonne et la prof de latin ramasse les livres, ferme le registre. Anna devrait devenir copine avec Lisa, par pure stratégie, même si elle la déteste. Entre alors en classe le jeune prof qui fait histoire, et quelques idiotes font mine d'en tomber de leur chaise.

Anna se souvient tout à coup d'un prétexte possible. Qui lui éviterait d'interroger Lisa. Trouver un cadeau pour Francesca, ajouter un petit mot, sonner chez elle, et ne pas flancher même si c'est Enrico qui vient ouvrir.

« Jeunes gens, nous sommes aujourd'hui le 22 novembre », dit le professeur beau gosse. Et il ajoute : « Ça ne vous dit rien, cette date ? »

La classe est muette et endormie, à part celles qui ont prévu le petit haut ajusté et le jean moulant pour le cours d'histoire.

« Il y a presque quarante ans, jeunes gens, au Texas, fut assassiné le président John Fitzgerald Kennedy. Ça ne vous dit vraiment rien ? »

Visages absents, genre : non, ça nous dit rien.

« Le Texas, jeunes gens. La région du pétrole, les affaires énormes qui tournent autour du pétrole. Il n'y a pas de hasard. L'histoire se répète. Kennedy était président des États-Unis, c'était en 1963. La guerre froide. Aujourd'hui aussi, comme vous l'avez compris avec l'attentat des tours jumelles, nous sommes en guerre. »

Le prof beau gosse s'enflamme.

« C'est très important. Les États-Unis ont toujours assassiné leurs présidents... »

Blague prévisible en fond de classe : « Pourquoi nous on fait pas pareil ? »

Anna apprend l'histoire du président assassiné par l'ouvrier Oswald et calcule que vingt-quatre ans plus tard exactement naissait à l'hôpital de Piombino, province de Livourne, Francesca Morganti, prématurée et sans trop de cheveux sur la tête.

Le 22 : comme Anna.

La moitié de 22, c'est 11 : les rats. Le double, c'est 44, la prison. Et 22, le fou, bien sûr. Son père lui avait expliqué le code des chiffres de la *smorfia napoletana*, qui sert à interpréter les rêves pour trouver les numéros gagnants au loto.

« Jeunes gens, c'est très important », continue le prof jeune et mignon. Gardez bien à l'esprit les dates et les événements. Entraînez-vous au soupçon. Il y a toujours un complot derrière une simple date, un simple événement. Isolez le vrai du faux. Mais sachez que le vrai et le faux, au même titre, font l'histoire. »

Anna trouve ça con, ces dix minutes de réflexion sur l'actualité. Elle attend le moment où il faudra ouvrir à la page 30, « La Bataille de Salamine », pour pouvoir y gribouiller tranquillement.

« Ben Laden et Oswald », dit le professeur, qui doit avoir dans les vingt-cinq ans. « Qui sont-ils en réalité ? Est-ce que ce sont eux qui représentent le mal ? Ou y avait-il un complot qui impliquait le gouvernement, le capital, le système tout entier ?

— C'est tout ? » ricane quelqu'un.

Mais le prof est lancé maintenant : « Le système, jeunes gens... Voyons, qu'avez-vous pensé du 11 Septembre ? »

11 : les rats.

Big Bagol par dizaines collés sous les tables et les chaises.

« Je vous ai apporté *La Repubblica*, c'est très important de lire les journaux. »

Les élèves font la gueule. Anna les déteste, ces dix minutes sur l'actualité.

Et pendant que le prof lit un autre article sur le monde qui part à vau-l'eau, Anna pense : 22 novembre, le jour où Francesca est née, et 11 septembre, le jour où son absence lui avait tant pesé, dans le bar d'Aldo. Et elle se demande pourquoi Francesca n'est pas venue en cours depuis plus d'une semaine. Elle se dit que oui, il y a le vrai et le faux. Ce qui est faux, c'est de continuer à faire semblant. Et ce qui est juste, c'est d'aller sonner à la porte de sa meilleure amie. Elle se fiche bien de Ben Laden et des complots.

Finalement, il arrivera peut-être quelque chose de bien aujourd'hui.

2

Pendant deux bonnes heures, Anna tourna en scooter sous la pluie pour trouver le bon magasin.

Elle ne trouvait pas. Il lui fallait quelque chose de spécial, quelque chose qui dirait : toi et moi, on reste amies. Amies pour toujours, quoi qu'il arrive. Même si on ne s'adresse plus la parole, même si c'est l'hiver et qu'il fait déjà nuit : c'est ton anniversaire, et je suis venue t'offrir ce cadeau. Accepte-le, parce que je ne trouve pas les mots pour le dire autrement.

Anna roulait, et son blouson et son pantalon étaient trempés. Il n'avait pas cessé de pleuvoir de toute la journée. Pour la énième fois, elle repassait par les mêmes rues du centre-ville, ralentissait devant les mêmes magasins, prise dans la circulation, sans se décider à s'arrêter. Rouler l'aidait à réfléchir, à faire travailler sa tête, pour trouver quelque chose d'extraordinaire à offrir à Francesca. La nuit tombait, et à cinq heures et demie les réverbères s'allumèrent tous en même temps.

Les gens se pressaient dans la lumière des vitrines, leur parapluie tout dégoulinant, le pas vif esquivant les flaques. Dans un mois ce serait Noël, la mairie avait déjà installé les décorations. Anna ne se décidait pas à se garer. Elle voulait quelque chose de symbolique, si possible éternel. Pour dix mille lires.

À sept heures, elle s'arrêta chez un fleuriste. Ce n'était pas celui auquel elle avait pensé. Décidément, elle faisait tout de travers. Mais elle ne trouva pas mieux, et puis il était tard. Elle entra dans le magasin et regarda les fleurs : elles étaient toutes pareilles, et pas terribles. Mais au moins, elles étaient vivantes. Une fleur. Même coupée, elle est vivante. Anna en vit une qui avait l'air différente. Elle l'indiqua à la fleuriste : c'était un arum en pot.

Elle le lui apporterait elle-même, ce soir, avec un petit mot.

Elle fit nouer un large ruban rose autour et dépensa tout son argent de poche de la semaine.

Elle repartit à scooter, avec l'arum sur ses genoux, l'arum martyrisé par la pluie. Elle essayait de le protéger avec son blouson mais l'eau tombait à verse, et sur l'avenue du bord de mer le vent soufflait fort. Quand elle arriva chez elle, la tige s'était visiblement courbée et deux feuilles étaient cassées. Sa mère qui préparait le dîner lui dit d'emblée :

« T'as eu ton père ?

— Non », répondit Anna, qui fila dans sa chambre.

Elle avait bien autre chose à penser. Elle lança son blouson dégoulinant sur le lit et salua à peine son frère en train de se peigner devant la glace, son portable à côté où ne cessaient d'arriver des messages.

« C'est pour l'anniversaire de votre rencontre ? » dit Alessio dans un rire, en désignant la plante.

Anna s'assit à son bureau. Farfouilla dans les tiroirs à la recherche d'une feuille de papier convenable.

« On dirait un zob !

— Mêle-toi de tes affaires, espèce de naze ! » Elle était énervée et n'avait qu'une hâte, qu'il foute le camp.

Chère Francesca, comme tu vois, je n'ai pas oublié que c'est ton anniversaire. Et même si nous nous sommes disputées, je veux te le souhaiter quand même

Son frère téléphonait dans la pièce, il parlait fort et riait. Anna ne savait pas comment finir sa phrase.

Pourquoi on s'est disputées ? Ce n'est qu'une fleur, je sais, mais en réalité elle veut dire beaucoup. Elle veut dire que dans la vie, quand on est vraiment amies, les disputes ne comptent pas

Son frère hurlait dans son portable et Anna mordillait son stylo bleu, tapotait de la pointe le bois de la table. S'efforçant de trouver cette fichue phrase.

Parce que moi, je t'aime toujours autant

« Ale, tu te tires, oui ou non ?

— Attends, dit Alessio à son correspondant, excuse-moi mais y a ma sœur qui vient de rapporter à la maison une fleur qui ressemble à une bite... »

Ma chère France, voici une fleur pour toi, parce que tu es ma meilleure amie

Elle ne savait pas quoi écrire.

Ma chère France

Elle jeta le stylo, froissa la feuille en boule et passa à table avec un gros cafard.

« Anna, lui dit Sandra, depuis ce matin le portable de ton père est resté éteint... »

Anna croqua dans un gressin et répondit en mastiquant :

« Il a dû le perdre.

— Je suis inquiète. »

Il était huit heures, les pâtes seraient bientôt prêtes. Et Arturo n'était toujours pas là. C'est bizarre, se disait Sandra en attrapant les maniques, c'est vraiment bizarre.

« Je fais un saut chez Francesca », dit brusquement Anna.

Dans sa chambre, elle prit la plante. Laissa sur le bureau le petit mot roulé en boule et se donna du courage en prenant une inspiration profonde.

« Où tu vas ? Je suis en train d'égoutter les pâtes ! »

Elle referma la porte derrière elle et descendit les deux rampes d'escalier qui la séparaient de sa meilleure amie, son ex-meilleure amie, son éternellement et pour toujours meilleure amie.

Elle tenait la plante devant elle, mais ne se décidait pas à sonner. Et si c'est l'ogre qui vient ouvrir ? Elle ne pouvait pas savoir qu'il n'y avait personne. Imaginer ce qui s'était passé le matin même. Pas le moins du monde.

Elle fit ce qu'elle pouvait faire de plus idiot : elle posa la plante sur le paillasson devant la porte, sonna et remonta quatre à quatre.

Les spaghettis attendaient depuis vingt minutes dans la passoire. Ce n'étaient plus que des fils froids et collants, semblables à des cheveux. Sandra ne se décidait pourtant pas à les jeter.

« Le téléphone de ton père est toujours éteint. »

Il était plus de huit heures et demie, le journal télévisé était terminé. Anna fixait l'écran et se disait qu'elle avait été complètement idiote de ne pas mettre son nom sur la plante, même pas un bout de papier avec *Bon anniversaire*.

Sandra commençait à s'inquiéter pour de bon : depuis qu'Arturo était revenu, il n'avait jamais manqué le dîner. Sûrement il s'était passé quelque chose.

À neuf heures, Anna avait fini tous les gressins et se plaignit d'avoir faim. Alessio avait passé ses coups de fil et s'était tartiné les cheveux de gel. Il arriva dans la cuisine, tout pomponné et souriant.

« T'as eu ton père ? lui demanda Sandra. Son téléphone est resté éteint toute la journée...

— Qu'est-ce que j'en ai à foutre ? » dit-il en sortant et en claquant la porte.

Dehors il continuait de pleuvoir à torrents, un temps à vous filer des pressentiments.

Sandra composait sans arrêt le numéro de son mari et à l'autre bout entendait chaque fois trois petits bips, suivis d'un silence de tombe. Même pas la voix préenregistrée d'Omnitel. Le néant. La pluie, ça vous file des pressentiments.

« Il n'est pas seulement éteint, il n'a même pas le message qui dit : *Votre correspondant n'est pas joignable pour le moment*... Comme si on avait enlevé la carte SIM. »

Neuf heures et demie.

« Donne, laisse-moi faire. »

Anna essaya d'appeler son père, et c'était vrai : même pas le message Omnitel. Trois petits bips, et rien. Elle regarda sa mère, déconcertée. Elles étaient seules dans la cuisine. Elles avaient baissé le son de la télévision. Dehors il continuait de pleuvoir et le vent soufflait. Sandra chercha ses cigarettes dans le tiroir et quand elle les trouva, le briquet lui échappa des mains.

« Il est arrivé quelque chose. Il est arrivé un accident, j'en suis sûre ! »

Anna était calme, elle n'avait pas envie de stresser. Pas envie d'accidents. Aucune envie de choses moches.

« J'appelle l'hôpital.

— Quoi, t'appelles l'hôpital ? » s'écria sa fille, agacée. « Arrête, s'il te plaît, tu vas voir, il va arriver ! »

Sandra était debout, pâle, le récepteur à la main.

Il y avait un drôle d'air dans la maison. La table mise et les spaghettis froids, comme une pelote de vers blancs dans la passoire. Le vent battait aux persiennes, secouait les mâts des bateaux avec des bruits hostiles.

À dix heures passées, la sonnette retentit.

« Ah, enfin ! soupira Sandra. Il a dû encore oublier ses clés... »

Anna sourit. « Tu vois ? Qu'est-ce que je te disais ? Tu imagines toujours des catastrophes !

— Artù, tu m'as fait une de ces peurs ! s'écria Sandra en se précipitant pour ouvrir. Vraiment tu exagères ! » contente, soulagée, en tirant le loquet de la porte.

Trois policiers se tenaient devant elle. Deux hommes et une femme.

« Madame Sorrentino ? »

Le sourire était resté collé à ses lèvres, un sourire qui n'avait plus aucun sens.

Elle ne répondit pas. De ce qu'elle voyait elle ne distinguait ni les lignes ni les couleurs.

« Votre mari est là ? Nous avons un mandat de perquisition. »

La femme-flic tendit un papier à Sandra.

« Maman ? » appela sa fille de l'intérieur.

Sandra ne parlait pas, ne bougeait pas, ne respirait pas. Lentement le sourire s'effaçait de son visage.

« Madame, je vous ai demandé si votre mari...

— Il est pas là », réussit-elle à bafouiller.

Sandra restait plantée là, et les trois policiers commençaient à s'impatienter.

« Nous n'avons pas beaucoup de temps, laissez-nous entrer. »

Comme si on t'arrachait tout à coup à ta propre vie pour te projeter dans une série policière. Sandra ne refusait pas de s'écarter, simplement elle en était incapable.

Elle regarda un des flics puis l'autre, puis la femme. Mit la main devant sa bouche, s'appuya au chambranle en émettant un son étouffé et pâteux qui n'avait rien d'humain, pendant qu'ils la poussaient brutalement de côté.

Anna les vit débarquer dans la cuisine, avec leurs uniformes et le reste. Le reste était une sorte de caisse à outils contenant des torches, du matériel pour les prélèvements, des instruments de mesure. Le pistolet dans son étui, vu de près, l'impressionna grandement.

Elle restait debout, médusée et muette.

« Mademoiselle, dit un des policiers, essayons d'accélérer. Vous êtes sa fille ? »

Elle hocha la tête.

On n'est pas assistantes sociales non plus, pensait le flic. Puis, d'un ton sec : « Nous devons perquisitionner l'appartement. Où est la chambre de tes parents ? »

Anna entendait sa mère sangloter dans le couloir.

« Par ici », répondit-elle en leur montrant le chemin. Non que ce soit vraiment nécessaire : l'appartement faisait quatre-vingt mètres carrés.

Comme quand quelqu'un meurt. Au début, qu'est-ce que tu fais ? Tu te détaches de la vie et tu fais ce que tu dois faire. Tu penses aux choses qu'il est nécessaire et indispensable de faire. Ou quand on t'annonce qu'on va perquisitionner chez toi, et que tu réalises que ton père a fait une énorme connerie. Tu leur dis où est la chambre à coucher, où est la salle de bains. Tu réponds mécaniquement aux phrases du policier sans essayer de les comprendre. Tu n'as simplement pas les moyens de comprendre cette phrase : « Nous devons perquisitionner l'appartement. »

Elle entendit sa mère se traîner jusqu'à la cuisine. Elle ne sanglotait plus mais s'était mise à parler toute seule. Un policier retournait les tiroirs du buffet et fouillait l'intérieur des paquets de céréales et de biscuits.

« Un coffre-fort ou quelque chose de ce genre ?

— Non, répondit Anna.

— Il est pas rentré aujourd'hui, hein ?

— Non. »

Le policier eut un petit sourire pensif, puis se reprit : « Tu ne l'as jamais vu sortir avec un pistolet, ou ranger un pistolet quelque part ? »

Abasourdie, Anna secouait la tête.

« À quelle heure il sort d'habitude, le matin ?

— À neuf heures.

— Et il rentre toujours dormir ? »

Anna ne pouvait pas savoir que la police l'avait à l'œil depuis des mois. Elle ne pouvait pas imaginer que ces gens en savaient dix fois, cent fois plus qu'elle. Elle s'efforçait de répondre de façon exacte à leurs questions. Comme si son père et le père dont parlait le policier n'étaient pas la même personne.

« Oui, répondit-elle.

— Il ne s'est jamais absenté ? Une semaine, par exemple, ou un mois ? »

Anna se troubla, pendant que les policiers mettaient l'appartement sens dessus dessous. Si les deux pères n'en faisaient qu'un, il fallait peut-être qu'elle le protège...

« Il ne s'est jamais absenté », dit-elle, après un certain temps.

« Tu n'as jamais remarqué quelque chose de bizarre ? Un coup de fil bizarre ? Des déplacements bizarres ? »

Le policier qui était en train de retourner le matelas la regarda et lui sourit d'un air plein de sous-entendus. Comme s'ils étaient complices, Anna et lui.

« Non », sèchement.

La femme-flic marmonna quelque chose, et Anna comprit : « … un père pareil… » Mais elle ne savait pas si la policière l'avait vraiment dit, si ce n'était pas une hallucination. Elle regardait la chambre à coucher de ses parents, où tout était ouvert et éventré. Elle voyait voler les petites culottes de sa mère, les chaussettes de son père, et cette intimité mise à nu lui faisait mal.

« Y a rien ici. » La femme ferma les portes de l'armoire.

« Regarde s'il y a pas des doubles-fonds », ordonna l'autre.

Pendant ce temps, le policier qui était dans la cuisine passa dans la salle de bains. Anna eut peur soudain d'avoir oublié une vieille serviette hygiénique sur la machine à laver. Elle se précipita. Non, pas de serviette hygiénique sur la machine à laver. Juste les traces de dentifrice sur le lavabo. Rien de plus normal, mais Anna eut honte malgré tout, pendant que l'homme en uniforme vidait l'armoire à pharmacie.

Elle entendit sa mère égrener des jurons.

Anna se tenait immobile au milieu du couloir, comme un animal aux aguets, il lui venait tout à coup une ouïe de petite souris, elle percevait les bruits les plus infimes, le froissement des vêtements dans la panière de linge sale.

Sandra vint sur le seuil de sa chambre et vit de quelle façon ils la fouillaient. Les tiroirs étaient sortis de la commode, le linge éparpillé sur le sol, et un policier grimpé sur l'escabeau semblait étudier le dessus de l'armoire.

« Il n'a rien fait ! » s'écria-t-elle.

Fermement décidée, maintenant, à intervenir.

« Madame, dit la policière, nous sommes désolés mais c'est notre travail...

— Il n'a rien fait ! répéta Sandra d'une voix étranglée.

— Sans doute... ricana le policier en haut de l'escabeau. Mais un petit oiseau nous a dit que votre mari trafique des tableaux volés, et même qu'il écoule de la fausse monnaie. »

Sandra enregistra l'information comme on enregistre les messages publicitaires.

Puis, de toutes ses forces, elle explosa : « C'est pas vrai !

— Vous n'êtes pas au courant, madame, des trafics de votre mari ? Vous êtes sûre ? » Ils la prenaient pour une imbécile. « Sorrentino, c'est une vieille connaissance, on connaît ses exploits... Vous ne savez pas quand il rentre, par hasard ? »

Sandra battait des paupières. Elle avait du mal à réaliser qu'il y avait trois policiers chez elle.

« Vous avez mis notre ligne sur écoute ? » demanda-t-elle, indignée.

L'un des flics eut un sourire, comme pour dire : question stupide, ma bonne dame.

Puis il ajouta : « S'il se manifestait, dites-lui de faire un saut au commissariat... c'est mieux s'il se présente spontanément.

— Ses copains, vous les connaissez ? intervint l'autre. Parce que c'est peut-être eux qui l'ont embarqué là-dedans... Qu'est-ce que vous pouvez nous en dire ? »

Sandra resta silencieuse. Ce n'était pas un cauchemar. C'était réel. Son mari n'était pas rentré et trois policiers étaient en train de lui saloper tout l'appartement.

« Y a rien de rien ici, nom de Dieu ! s'écria l'agent qui avait fini de fouiller la chambre.

— Il est malin, le fils de pute ! Tu veux parier qu'il nous entube encore une fois ? »

Sandra repensait aux tableaux volés, aux faux billets... Autant d'hypothèses tout à fait dans les cordes d'Arturo. Voilà donc d'où venaient le diamant et la Golf... « Le misérable ! » laissa-t-elle échapper, les dents serrées. Elle avait envie de casser quelque chose, tout de suite.

Ils partirent à minuit passé, les mains vides.

Une fois la porte refermée, Sandra courut vérifier le filigrane vert des billets de cent mille lires qu'elle avait dans son portefeuille. Ils avaient l'air vrais, heureusement... Puis elle alla s'asseoir dans la cuisine, où sa fille se tenait debout, sidérée.

Quelques minutes s'écoulèrent, en silence. Elles se regardèrent.

Anna voulut parler mais sa mère la fit taire aussitôt : « Ne dis rien, je t'en prie, ne dis rien ! »

Elle se leva, furieuse.

« Va te coucher, t'as le lycée demain. »

Anna ne bougeait pas.

« Je t'ai dit d'aller te coucher ! Fiche le camp, faut que je range ici, tu vois pas ? » Et elle désigna d'un geste l'ouragan qui avait traversé toutes les pièces.

Anna la regarda comme pour dire : t'es folle, vous êtes tous fous.

Puis elle pensa : en quoi c'est ma faute, à moi ? Et elle craqua, fondant en larmes.

« Ils vont l'arrêter ? » bafouilla-t-elle entre deux sanglots.

Sandra se ressaisit et prit sa fille dans ses bras. « Non, ils ne vont pas l'arrêter, ne t'inquiète pas... » commença-t-elle tendrement, pour la rassurer. Mais la pensée des faux billets, du diamant acheté avec des faux billets, et des tableaux volés – raison pour laquelle ils étaient venus tout fiche en bazar chez elle – lui injecta les yeux de sang. De nouveau, elle sortit de ses gonds.

« Cette espèce de salaud ! Ce misérable ! Allez, va dormir... » Elle regardait autour d'elle, les tiroirs, les casseroles, les draps qui partout jonchaient le sol. « En prison, voilà où est sa place ! Et si c'est pas eux qui l'y mettent, je l'y mettrai moi-même ! Qu'il n'essaie même pas de revenir, qu'il n'essaie mê-me-pas ! »

Elle criait et chacun pouvait l'entendre, à l'étage au-dessus comme au-dessous. Tout le monde serait au courant, demain on ne parlerait plus que de ça dans tout l'immeuble.

Anna, les yeux brillants, regardait sa mère qui pestait puis attrapait le balai serpillière et le reposait, prenait la balayette et la pelle, les reposait, et ne savait par où commencer.

Elle la vit s'emparer du spray dégraissant comme d'un pistolet et en vaporiser partout, sur les tables, les portes et l'intérieur des placards, les étagères. Anna décida qu'il valait mieux aller se coucher. Les spaghettis froids étaient restés dans la passoire. Quand son frère rentrerait de boîte, demain matin... On allait l'entendre, Alessio ! Les objets recommenceraient à voler

Pendant ce temps, sur l'A12, Arturo ralentissait, mettait le clignotant, entrait sur l'aire du restoroute.

C'était là qu'il avait rendez-vous avec son avocat de Viareggio. Il descendit de voiture, inspecta autour de lui le parking dans l'ombre. La trouille.

Il attendait Sandrini avec impatience, comme un magicien armé d'une baguette magique. Sandrini arrangerait le coup, c'était sûr, avec tout le fric qu'il lui avait filé, déjà.

Mais l'attente mettait ses nerfs à rude épreuve.

Il entra dans le restoroute et commanda un café-sambuca. Il y avait quelques routiers qui dévoraient d'énormes sandwichs farcis à la viande. Une gamine pas bien épaisse, sûrement une prostituée. Et une cabine téléphonique.

C'est vite fait, de sortir des rails, de prendre le mauvais chemin. N'empêche, se disait Arturo, quel pied d'avoir échappé aux flics et d'être là, à prendre un café dans un restoroute… Quelques mois, et il reviendrait chez lui comme un prince ! C'est pas un diamant mais deux, que je rapporterai à Sandra !

Arturo alla jusqu'à la cabine, souleva le combiné et fit le numéro de chez lui. Mais à la première sonnerie, voyant l'avocat arriver, il raccrocha.

3

Ils l'opéraient en urgence. Fractures des côtes et des vertèbres. Une main écrasée. Un hématome dans le cerveau, qu'ils tentaient de résorber.

L'homme était resté trop longtemps étendu sur la chaussée, sous la pluie, à perdre son sang. Sang et connaissance perdus, emportés par l'eau dans les bouches d'égout, au milieu des klaxons.

L'ambulance avait tardé, les urgences étant ce qu'elles sont, à Piombino.

Salle d'opération numéro trois, troisième étage. Ce n'était guère plus qu'un paquet de viande à son arrivée, Enrico.

Amore mio, répétait la femme assise dans le couloir. Un visage bouffi de sommeil et de Valium, la plainte étouffée des gens habitués à ne pas réagir. Une femme du Sud, habillée de noir. La jupe rigoureusement sous le genou, les pieds qui transpiraient dans les mocassins.

Amore mio.

Tandis qu'on opérait son mari, Rosa sous les néons paraissait plus vieille et plus grosse. À sa fille assise près d'elle, bien droite, elle faisait horreur. Petite et noiraude, la mère. Grande et blonde, la fille.

« Docteur », marmonna la mère.

Elle tenait entre ses doigts une sorte de rosaire.

Le médecin expliqua qu'il ne pouvait rien dire.

L'odeur de désinfectant et de Javel. La couleur éteinte du carrelage. Le mur du couloir sans fenêtres. Le bruit grêle des brancards. Francesca aimait l'odeur de désinfectant, parce que sous la chose qui tue se tient la chose qui vit, et qui inquiète.

Francesca, muette et immobile, aurait voulu arracher le rosaire des mains de sa mère et le lui faire avaler, avec quinze, vingt flacons de Valium. Directement dans la gorge. Un flacon, puis un autre et un autre. Rosaire, Valium, Prozac. T'es grosse, pensait-elle. Tu me dégoûtes. La salle était à moitié vide et les heures y passaient avec une grande lenteur.

Bruits de brancards transportant des corps incapables de retenir leurs liquides.

Au milieu de tout cela, Francesca resplendissait. Encore plus belle que d'habitude, si la chose était possible : il y avait dans son visage une lumière, et dans le vert sombre de ses yeux une brillance lactée. La pupille tranquille et fixe. Vivante et confiante. La joie impitoyable des gens qui sont forts, beaux et en pleine santé.

Par intermittence, un éclair traversait ses yeux, l'espace d'une milliseconde, quand affleurait à la conscience le mot que transmettaient ses neurones.

Crève crève crève crève crève.

Elle alla aux toilettes. S'adossa au mur de céramique. Elle était en effervescence. Le jour de son anniversaire, que personne n'avait pensé à lui souhaiter. Fais-moi ce cadeau, fais-moi ce cadeau : crève.

Elle revint s'asseoir. Rosa tripotait son rosaire en psalmodiant à voix basse. En de tels moments ressortait son éducation calabraise. Dans la vie, pensait Francesca, il y a deux possibilités : l'esclavage et la liberté. Elle se souvenait de sa grand-mère, qui ne parlait que le dialecte et giflait encore Rosa, même après son mariage. Elle se souvenait du taudis d'où elle venait, en Calabre, pendant que les médecins qui passaient jetaient à Rosa des regards de commisération.

Elle psalmodiait l'Ave Maria en s'emmêlant dans les paroles parce qu'elle ne se rappelait pas bien. *Ave*, ça veut dire quoi ? Un mot qui n'a pas de sens, un mot rituel. Sa mère l'avait eue à dix-neuf ans. Elle avait pratiquement bousillé sa vie pour la mettre au monde. C'était seulement parce que l'autre porc l'avait mise enceinte qu'elle l'avait épousé. Et maintenant, regarde ce que t'es devenue.

Francesca lui apporta un verre d'eau, un café pris au distributeur.

Elle répétait : « Si j'avais travaillé, on aurait fait réparer la voiture, il aurait pas pris le scooter. Si j'avais travaillé. Je lui avais dit, avant qu'il sorte. Prends pas le scooter, il pleut. Si j'avais travaillé, on aurait eu de l'argent. De l'argent. Ave Maria. »

Francesca surveillait entre ses cils le regard mobile de deux infirmiers. Elle le sentait fourmiller sur elle, des chevilles aux mollets. Et elle bouillait.

Il avait dit : « Toi, l'école, t'y vas plus ! » Il avait dit : « Tu restes à la maison pour aider ta mère au ménage. » Persuadé que l'école obligatoire n'existait pas. Persuadé qu'il n'existait aucune loi en dehors de la sienne. Et il avait raison. Elle n'était plus allée en classe.

Mais si là, maintenant, il mourait... Le monde s'ouvrait comme un éventail de possibilités infinies.

Ils sont en train de lui enfoncer du métal dans la chair. Des bistouris, des pinces. Ils sont en train de le coudre et de le désosser. De lui pomper de l'oxygène et de lui injecter des drogues. La différence qui sépare l'esclavage de la liberté, cette différence-là, elle est magnifique.

Francesca l'imaginait comme à la télé. Couché sur la table d'opération, avec de grosses lampes rondes autour. Et une fièvre s'emparait d'elle. Les heures passaient et elle rêvait à tout ce qui deviendrait possible si son père mourait. Concourir pour devenir top model. Rome, Cinecittà, Canale 5. Anna la verrait à la télévision. Et elle ne tenait plus en place. Ne pouvait pas rester assise. Et puis un jour, Anna comprendrait qu'elles ne pouvaient pas vivre séparées, et elle quitterait son petit ami. Anna dirait : rien que toi et moi.

Boum : il n'existe plus. En aucun lieu sur la terre, en aucun moment du temps. Tu te réveilles le matin, et tu sais qu'il n'existe pas. Francesca marchait de long en large dans le couloir, elle avait du mal à contenir cette lumière, sa hâte, son envie. Jusqu'au moment où le docteur revint et dit : « Nous avons dû l'amputer d'un doigt. »

Elles passèrent la nuit à l'hôpital. L'arum était resté sur le palier. La tige, déjà éprouvée par le vent et la pluie, s'était courbée, presque recroquevillée sur elle-même. Elles passèrent une autre nuit à l'hôpital, sans rentrer à la maison, même pour prendre l'essentiel. L'arum s'abîmait rapidement, appuyait son pétale concave sur le bord du pot, le cône oblong de son pistil noircissait. Elles passèrent une troisième nuit à l'hôpital, sans se laver les dents ni les aisselles. L'arum ne supportait plus le poids de la poussière et des heures. Au matin, les employés du service de nettoyage le prirent et le jetèrent dans un grand sac-poubelle noir.

4

Ni chez les Sorrentino ni chez les Morganti, cette année-là, on ne fêta Noël.

L'année 2001 glissa dans l'année 2002 sans mousseux à déboucher ni pétards à faire exploser. Les persiennes du troisième et du quatrième étage du numéro sept de la via Stalingrado restèrent fermées, pendant que tout le quartier était en effervescence. Un lave-linge balancé dans la cour, une dizaine de blessés aux urgences et un enfant avec la main arrachée[1].

Chez Anna, il y avait une chaise vide. Alessio était parti en boîte et personne n'appela à minuit pour souhaiter la bonne année. Arturo se hasarda à téléphoner, mais sa femme lui hurla des choses incompréhensibles dans le combiné et raccrocha aussitôt.

Seules toutes les deux, Sandra et Anna s'assoupirent devant la télé pendant que Fabrizio Frizzi faisait le compte à rebours.

Chez Francesca, tout le monde était au lit longtemps avant minuit. Enrico se coucha à sept heures, après avoir avalé une cuillerée de bouillon.

---

1. En Italie, surtout au sud, la coutume veut qu'au nouvel an on jette par les fenêtres les objets usagés et qu'on fasse exploser d'énormes pétards

Il fallait le faire manger et le laver, maintenant. Il voulait que ce soit sa fille qui le fasse.

Francesca s'enferma dans sa chambre et griffonna longtemps dans son journal. Elle dessinait les vêtements qu'elle porterait un jour, en *prime time*. Elle écoutait d'une oreille distraite Rosa qui faisait des mamours au chat dans le salon, les enfants qui lançaient des petits pétards en bas dans la cour et jouaient à la guerre. « C'est moi Ben Laden ! criait l'un d'eux. Je vous aurai tous ! »

Chacune imaginait qu'elle s'éclipsait, allait jusqu'au palier de l'autre, et qu'elles se retrouvaient dans l'obscurité intermittente du feu d'artifice. Qu'elles le regardaient ensemble, serrées contre la baie vitrée. Aucune des deux ne bougea. Elles se contentèrent d'imaginer, sous les couvertures, la tête enfoncée dans l'oreiller pour écraser cette pensée.

Un père en cavale. L'autre cloué dans son fauteuil. Les mois avaient passé. Leur amitié était devenue quelque chose qui n'avait pas explosé, comme les pétards défectueux qu'on trouve le lendemain. Ceux qui t'arrachent un œil si tu les ramasses sur le trottoir.

Anna était assise à la table de la cuisine, c'était un jour quelconque de février. Son cahier ouvert et son dictionnaire de latin devant elle. Il y avait quelque chose qui la rongeait de l'intérieur. Elle cherchait les mots, sans les chercher. Et le temps ne passait pas.

On ne les aime pas, les mots. Ils ne vous changent pas. Les mots ne réparent jamais rien.

Anna s'ennuyait. Pour la première fois. C'est vrai qu'elle n'était jamais restée seule aussi longtemps, à regarder ce décor inerte autour d'elle, combien les objets sont morts quand le présent se fiche complètement de toi et de tes problèmes. C'est vrai qu'il n'y a strictement rien l'hiver à Piombino. Personne ne sort, les rues sont vides, les gens se planquent en survêt chez eux devant la PlayStation.

Elle avait l'impression que les après-midi d'été sur les toits, au milieu des draps qui séchaient, à montrer leurs nichons aux voisins, avaient disparu à jamais. Le sein nu de Francesca jaillissant à la fenêtre. Disparu.

Elle se leva brusquement de sa chaise.

À quel moment les choses deviennent-elles irréversibles ? Elle alla au frigo, regarda à l'intérieur. Prit de la viande hachée sous cellophane, émietta du pain trempé d'eau et mélangea le tout.

Elle s'était mise à prendre le temps en grippe, c'était sa façon de le contrer. Elle enveloppa la mixture avec soin dans un papier d'alu plié en triangle. Le glissa dans sa poche d'anorak. Si tu allais voir comment c'est aujourd'hui là-bas, ce qu'il en reste...

Elle sortit. C'est vrai que seule, tu ne te suffis pas.

Dehors. Une poésie célèbre dit : *Février est espiègle. / Il n'a pas les repos du grand hiver, / il a les piqûres / les taquineries / du printemps qui naît*[1]. Il ne naît rien du tout, dehors. On leur faisait réciter ce poème debout, devant l'estrade, à Francesca et elle, en dernière ou avant-dernière année d'école primaire.

Elle lui manquait, elle n'y pouvait rien. Descendant l'escalier quatre à quatre, elle contourna une petite fille qui faisait pipi et dont riaient des garçons à l'étage en dessous. Ce qui lui manquait

1. *Febbraio è sbarazzino. / Non ha i riposi del grande inverno, / ha le punzecchiature, / i dispetti / di primavera che nasce* (Vincenzo Cardarelli, Poesie, 1936, non traduit en français).

c'était Francesca, il lui manquait ce truc d'être à deux au lieu d'une. Et elle volait sur le trottoir désert. Pas même un scooter trafiqué garé en plein milieu. Elle traversa la rue en courant.

La mer avait déposé toutes sortes de débris sur le rivage. Bidons vides, vieilles serviettes hygiéniques, bouteilles de verre et flacons en plastique. Anna les écrasait sous sa semelle, fermait son anorak parce qu'il y avait du vent et qu'il faisait froid.

Ce qu'il restait de sa plage.

Le rideau de fer du bar était baissé, les tables et les parasols attachés ensemble, sur le côté, qui pourrissaient sous la pluie. Le bout du nez d'Anna pointait sous la capuche de son anorak bordée de fausse fourrure.

Elle longeait des cadavres d'objets. Tessons de bouteilles et canettes de jus de fruits. Couverts en plastique et assiettes éventrées. Les douches rouillées là-bas, et là un seau de plage cassé. Elle voulait penser que dans quelques mois tout redeviendrait comme avant. Les mômes pieds nus, leur serviette de bain roulée sur l'épaule. Lisa et les autres filles qui jouent aux cartes. Nino et Massi qui jouent au ballon. Pourquoi ça serait pas comme ça ?

Ça a toujours été comme ça. La saison recommence. Le bar remonte son rideau de fer, tout le monde se bouscule pour les glaces à l'eau. Début juin, on va au marché s'acheter un nouveau maillot de bain, plus décolleté, du genre transparent une fois mouillé.

Mais ça ne serait plus pareil. Anna enleva ses chaussures, ses chaussettes, roula son jean aux genoux. Dans la partie marécageuse, l'eau était glacée, mais elle s'y enfonça quand même.

Elle se fraya un chemin entre les roseaux. Un abandon, des amas de métal rouillé. Voilà la barque rouge où j'ai fait l'amour pour la première fois. Voilà la barque bleue où je m'asseyais avec Francesca. Les barques étaient toujours là mais ce n'étaient plus que des carcasses. Anna passa la main sur le bois.

Un endroit te colle après. Et puis te devient étranger.

Elle mit deux doigts dans sa bouche et siffla. Un sifflet long et cadencé. Elle n'y croyait pas, n'espérait même pas qu'ils viendraient. Quand quelque chose est cassé, c'est pour toujours. Son père n'était pas revenu depuis novembre, de temps en temps il téléphonait mais sa mère ne le lui passait pas, elle raccrochait immédiatement. Un misérable, un irresponsable… Pas son, pas ton, pas votre père.

Le mien.

Pourtant, ils vinrent. Un par un ou en petits groupes. Sortant de sous les barques, des buissons, des barils de pétrole vides. Il y en avait plein. Ils étaient tous là. Vingt et un, exactement.

Anna se pencha et ouvrit le papier d'alu au milieu des miaulements et des queues dressées. Ce qui revient, et ce qui ne peut pas revenir. Elle n'arrivait pas à sourire, en était incapable. Tu crois que tu auras encore plus, toujours plus, chaque jour qui passe. Que c'est ça, la logique des choses. Mais en fait tu as moins, toujours moins, chaque jour qui passe.

Les chats étaient estropiés mais vivants. Anna compta les mois depuis que ni Francesca ni elle n'étaient venues leur apporter à manger. Cinq. Mais ces bêtes-là résistaient à tout. Elles se réfugiaient dans les tuyauteries, sous les ruines, toutes griffes et canines dehors.

Pourquoi Francesca n'est pas là ? Pourquoi je suis toute seule à regarder les chats se cracher au museau pour un morceau de viande ?

Aujourd'hui, l'Elbe était cachée. Il y avait tellement d'humidité dans l'air qu'on ne voyait rien. Même pas la silhouette du mont Capanne, la ligne brisée des mines de fer.

Anna fit demi-tour, sans arriver à distinguer qui se tenait là, assis sur une pierre à l'aplomb des rochers, car il y avait quelqu'un, là-haut, à quelques dizaines de mètres. Mais le soleil se couchait, le brouillard montait de la mer, ça ne servait à rien de regarder.

Elle voulut croire que c'était Francesca. Son pâle fantôme, accroupi sur les rochers où battaient les vagues. Comme dans les légendes.

Cette salope de Francesca. Anna l'avait appelée tout de suite, dès qu'elle avait su pour Enrico, mais cette conne ne lui avait même pas parlé. Alors Anna était allée sonner, mais elle ne lui avait pas ouvert.

Mais pourquoi elle était aussi têtue ?

C'était qu'une jalouse de merde, une malade. *Une gouine !*

L'idée que la silhouette assise en haut des rochers était celle de Francesca faisait circuler des petits courants de chaleur dans sa poitrine.

Qu'est-ce qu'elle aurait pu lui dire, de toute façon ? Les mots, ça ne répare jamais rien.

5

Elles se rencontrèrent un samedi matin à l'épicerie au fond de la via Stalingrado.

C'était un petit magasin, de ceux qui disparaîtront dans quelques années, composé d'une seule pièce, avec les cageots de légumes posés par terre, les friandises et les biscuits tellement empilés sur les étagères que tout semblait devoir s'écrouler d'un instant à l'autre.

Sandra demandait des rosettes et une baguette. En entendant la clochette de la porte, elle se retourna par curiosité.

À travers le rideau de perles, elle vit apparaître Rosa.

Sur le moment, elle resta stupéfaite. En quelques mois, Rosa était devenue une vieille femme. Elle se la rappelait mal habillée, c'est vrai, mais avec un visage encore frais et ses cheveux noirs bien peignés… Des fils gris étaient apparus sur ses tempes et des rides en pattes-d'oie au coin de ses yeux. Ses joues bouffies, relâchées près du cou, avaient un coloris jaunâtre inquiétant. Elle tirait un caddie à grosses fleurs, de ceux à roulettes en caoutchouc, comme même sa tante n'en prenait plus pour aller faire ses courses.

En la reconnaissant, Rosa baissa les yeux.

« Bonjour », dit Sandra, avec un peu de gêne dans la voix.

L'autre répondit d'un signe de tête et se plongea aussitôt dans l'examen des feuilles de céleri.

Il était clair qu'elle voulait l'éviter. Sandra saisit le message, demanda deux autres petits pains, « Ce sera tout, merci », fourra le tout dans son panier et paya rapidement.

Mais dehors, elle se dit qu'elle avait été lâche et s'arrêta. Assise sur un muret, elle attendit Rosa.

Elle se le rappelait encore, le jour où elle avait débarqué chez elle pour lui parler de Francesca. Sandra, les injustices, c'était quelque chose qu'elle ne supportait pas. C'était pour ça qu'elle militait à Rifondazione, qu'elle distribuait des tracts, collait des affiches, faisait griller des saucisses à la fête de l'Unità et à la fête de Liberazione. À vrai dire, quand les camarades avaient appris pour son mari, on avait commencé à la regarder de travers, à lui envoyer des piques pas très sympas.

Pas besoin de chef d'accusation précis ni de mandat d'arrêt, même un enfant était capable de comprendre qu'Arturo était un vaurien. Et elle l'avait épousé.

Rosa sortit quelques minutes plus tard, la vit assise sur le muret. D'abord, elle parut effrayée. Rosa n'avait pas envie de parler, ni avec Sandra ni avec personne. Elle qui n'avait plus rien à dire, pensait-elle.

Mais après un instant d'hésitation, elle se dirigea vers Sandra et s'assit près d'elle sur le muret. Après quelques pas, elle avait tout de suite mal aux genoux.

« Comment ça va, Rosa ? » Sandra allait droit au but.

« Je sais pas, répondit l'autre. Je prends des saloperies maintenant, des médicaments… En principe, avec ça, je devrais aller mieux.

— Tu devrais pas, ça crée une accoutumance.

— Je sais bien. »

Toutes deux regardaient droit devant elles.

« J'ai appris pour ton mari, l'accident… Je voulais passer te voir, mais je ne savais pas trop… Il va mieux ?

— Il est comme mort », répondit Rosa, sans émotion dans la voix. « Toujours dans son fauteuil, il ne bouge plus un seul doigt. Et ma fille doit être aux petits soins, il l'appelle sans arrêt, elle lui sert de nounou… »

Silence.

« Au moins, il peut plus nous frapper, ajouta-t-elle.

— Tu peux encore le quitter. » Sandra fut prise d'une énergie, tout à coup. Elle se tourna vers Rosa, lui attrapa le bras, la secoua. « Tu peux encore le plaquer et demander le divorce. La mairie te laissera l'appartement… »

Rosa sourit. « Tu sais, quelquefois j'y pense. Je me dis : appelle Sandra, demande-lui si elle a envie de faire une promenade. Je me dis : et pourquoi tu n'irais pas avec elle faire un tour en ville ? Et puis je le fais pas et le téléphone ne sonne jamais… »

Sandra l'interrompit : « Écoute-moi : va te renseigner à la mairie, je suis sûre qu'ils te laisseront l'appartement, et c'est lui qu'ils mettront dehors. Dehors ! » Elle s'échauffait : « Tu comprends ? L'appartement et une pension alimentaire… Il faut que tu trouves le courage de le faire ! »

Rosa se tourna vers elle. « Ça m'aurait vraiment plu, tu sais, d'aller en ville faire des courses avec toi. » Il y avait comme une accusation dans ses yeux, maintenant. « Je voulais avoir une amie, Sandra, quelqu'un avec qui parler et après se sentir mieux. C'est bien ma faute aussi, je suis une ignorante. Je ne connais pas autant de choses que toi... »

Sandra resta interdite un instant. Elle ne comprenait pas où Rosa voulait en venir.

« Mais ce que je sais », et Rosa fit mine de se lever, « c'est que pour parler, tu parles. Sauf que le divorce, tu l'as toujours pas demandé. Et ton mari, il mène la belle vie à Massa, à Viareggio. Et s'il te trompe ? Pendant que toi, tu te coltines tous les problèmes, ici... T'es seule, en définitive. »

Sandra ne s'était pas attendue à cela. Elle l'écoutait, médusée.

« Tu peux toujours parler, c'est les faits qui comptent. Et moi, être seule comme tu l'es, j'ai pas envie. Je préfère garder mon boulet et prendre des médicaments. Dans mon pays, Sandra, une femme seule, ça finit toujours mal. »

Elle s'en alla en tirant son caddie derrière elle. Les jambes déjà gonflées, à trente-quatre ans. Et Sandra aurait voulu la frapper, là maintenant, mais restait assise à la même place, sur le muret devant l'épicerie.

6

Nino et Massi l'écoutaient attentivement, les yeux plantés dans les siens.

« Faut pas lui envoyer des fleurs ! Tu la prends et tu la bascules direct sur le capot ! » expliquait Cristiano à Nino.

Il parlait fort, et à une table voisine des gens se retournèrent, amusés. Alessio fumait et regardait ailleurs, l'avenue qui commençait à se remplir de jeunes.

« Les femmes, c'est comme ça qu'il faut les traiter ! En levrette, sur la banquette arrière…

— J'ai pas de bagnole, objecta Nino avec une pointe de désespoir.

— Et alors, t'as pas un scoot ? » soupira Cristiano. Il en connaissait un rayon lui, il avait vécu, et voilà qu'il perdait son temps avec ce gamin amoureux de sa petite voisine. Ça l'agaçait, mais ça lui plaisait bien aussi, d'avoir à leur expliquer comment marche le monde, à ces deux-là.

Il l'expliquerait à James, un jour, et cette pensée le gonflait d'orgueil.

« Arrête, c'est pas compliqué ! Tu la renverses sur la selle et tu te la travailles, dans la verdure ou sur un parking, à toi de voir. Mais faut pas lui envoyer des fleurs, bordel de merde ! »

Nino devint pensif.

À quatre heures de l'après-midi, le Jack Daniel's, à Massi, ça lui montait vite à la tête.

« Mais tu la connais pas, France... » Nino hochait la tête. « C'est compliqué, elle l'a jamais fait... Et puis elle me regarde même pas. C'est pas une fille qui couche, tu vois ? Je suis pas dans la merde... »

Cristiano perdait patience, il posa son verre sur la table en le claquant exprès. Ça faisait une heure qu'il essayait d'expliquer à ces deux bourricots comment il faut faire pour tringler. Il abaissa ses lunettes de soleil achetées chez le Marocain et dit : « Oh, mec ! T'as vu combien d'années j'ai au compteur ? Chez moi », et il tapa du poing contre sa poitrine, « les femmes, ça valse autant que les chats sur l'Aurelia ! »

Alessio en avait assez entendu, il se leva pour commander un autre verre.

Nino et Massi restèrent silencieux. Ils imaginaient un chat qui marchait d'un pas hésitant sur l'arête du rail de sécurité, puis finissait par se décider, se lançait au milieu des voies sur l'Aurelia et à l'instant même, baoum ! une bagnole l'envoyait valdinguer.

Malgré tous ses efforts, Nino n'arrivait pas à relier cette image à celle d'une baise éventuelle avec Francesca.

Tous les quatre, ils attendaient quelque chose – que le samedi après-midi remplisse les rues de scooters et de jolies filles, qu'une bagarre éclate, que Francesca arrive avec des fringues à tomber, et Sonia, Jessica ou même Elena, que Mattia et Anna réapparaissent, vu que ça faisait bien une semaine qu'on ne les voyait plus, bref, que quelque chose se passe dans ce printemps qui commençait à peine, dans ce putain de trou.

Ils étaient affalés autour d'une table du Nazionale sur le corso Italia, les épaules contre le dossier, les jambes allongées devant eux. De temps en temps, ils lançaient des regards féroces aux passants, gratuitement, style : attention, c'est moi que v'là.

Aux autres tables, des groupes de retraités forçaient un peu sur la grappa et les MS sans filtre. Des gamines en jean moulant, nombril à l'air, passaient près d'eux en remuant les fesses, bras dessus bras dessous, et riaient fort. Elles marchaient vite dans leurs ballerines dorées, à la chasse au plus beau du quartier. Et eux, les vieux, ils se retournaient sur leur chaise pour les regarder, s'imaginant toujours en piste.

Les quatre garçons restèrent assis une bonne demi-heure à la terrasse du Nazionale. Si tant est qu'on puisse appeler terrasse une sorte de tonnelle rudimentaire au montage bancal, posée entre la rue et le trottoir. En face, sur la piazza Gramsci, un groupe de gamins jouaient au foot en visant systématiquement les portières des voitures, tandis que d'autres s'exerçaient au lancer de cailloux sur le monument érigé à la mémoire du grand Antonio.

Alessio regardait la place, et Cristiano débitait ses conseils sur la manière de positionner la nana dans la bagnole ou sur le scooter.

Sur le banc à côté du distributeur de l'Unicredit Banca, il y avait trois vieilles aux cheveux teints tartinées de maquillage, comme parquées là. Trois veuves, ou trois vieilles filles, assises tous les après-midi à attendre on ne savait quoi.

« La voilà, la voilà ! »

Nino avait quasiment fait un bond sur sa chaise en l'apercevant.

« Mais qu'est-ce t'as à crier comme ça ? Crie pas ! lui souffla Cristiano. Pendant qu'elle passe, tu fais celui pour qui elle existe même pas. »

Elle existe même pas... Facile à dire.

Francesca arrivait telle une déesse du fond de la via Pisacane, traversait la rue en minijupe et talons hauts, un blouson en jean noué à la taille, et Nino sentait son cœur cogner de ses talons à ses tempes. Francesca se détachait, nette et blonde, sur la masse des gens qui affluait vers le corso, et même ce crapaud verruqueux de Lisa, accrochée à son bras, n'était pas capable d'entamer sa beauté.

Nino, Massi, Cristiano, Alessio et tous les retraités baveux qui bivouaquaient au Nazionale s'étaient tournés pour la regarder, ou plutôt la détailler d'un œil fixe et brûlant.

Elle n'y prêtait aucune attention. Elle passait, légère, flottant dans une aura qui n'était qu'à elle. Seule Lisa fronçait les sourcils, mesurant avec étonnement l'effet excessif que son amie produisait sur les hommes.

« Salut ! » s'écria Nino depuis la terrasse, en levant une main mal assurée.

Francesca se tourna à peine dans sa direction.

« Salut », lâcha-t-elle tout bas, avec ennui.

Un « salut » qui ne se comprenait qu'au mouvement des lèvres, jeté comme une aumône, à contrecœur. Mais Nino, ça lui avait monté à la tête et il s'agitait sur sa chaise.

« Celle-là, je peux t'assurer que même dans dix ans, même dans vingt ans, tu la sauteras jamais », commenta Cristiano en rigolant.

Mais Nino n'écoutait plus, il fixait hypnotisé le trottoir où Francesca s'ouvrait un chemin.

Elle s'était arrêtée devant la vitrine d'Intimissimi. Montrait à Lisa des soutiens-gorge et des strings. Cette vitrine devait vraiment l'intéresser car elle resta près de cinq minutes devant. Et pendant ces cinq minutes, Nino passa par toutes sortes de pensées. La rejoindre, l'embrasser là, tout à trac, sans même lui demander la permission. Mieux : se glisser à l'intérieur de la boutique et en sortir avec une dizaine de petites culottes dans un joli paquet, deux grands sacs qui la feraient s'évanouir de surprise. Nino avait sérieusement envisagé cette option, mais il n'avait pas un radis.

Quand il la vit qui s'éloignait pour disparaître dans la foule, il se leva d'un bond.

« Viens », dit-il à Massi.

Ils partirent sans dire au revoir, et surtout sans payer. Cristiano et Alessio les regardèrent se précipiter sur le corso à la poursuite de Francesca et secouèrent la tête.

« Il est trop con pour conclure, ricana Cristiano, et Francesca est trop canon.

— Ouais... » Alessio devint pensif. « Tu sais qu'elles se parlent plus avec Anna, depuis que ma sœur s'est mise avec l'autre con ?

— Je sais. Mais, ta sœur et Mattia... qu'est-ce qu'ils fabriquent, ces deux-là ?

— Qu'est-ce que j'en sais ! fulmina Alessio. Je préfère pas y penser... »

Cristiano éclata de rire : « Hé hé, la petite sœur...

— Francesca, c'est une drôle de fille, reprit Alessio d'un ton distrait. Je l'ai toujours vue chez moi, tu comprends ? Elles avaient deux ans quand elles sont devenues copines. Je trouve ça triste. En plus, c'est absurde.

— Elle doit être jalouse de Mattia, ça lui passera.

— Ouais. » Alessio termina son verre et fixa Cristiano. « Sauf que maintenant, avec le truc qu'est arrivé à son père... »

Enrico, avant comme après l'accident, était de ces types qui ne mettaient jamais les pieds au bar.

Quand il n'était pas au travail, Enrico restait chez lui à regarder la télé ou lavait sa voiture ou démontait et remontait les appareils électroménagers.

« C'est un trou-du-cul, celui-là », dit Cristiano, tout à coup sérieux. « Rappelle-toi ce que je te dis, Ale. Ce type, c'est un vrai trou-du-cul, ma main au feu qu'il joue les débiles pour mieux les baiser, à la Lucchini. »

À quatre heures de l'après-midi, les collèges et les lycées de Piombino s'étaient déjà déversés dans le centre, pour le rituel du traînage en ville.

Des bandes d'ados, Nike argentées aux pieds et jeans déchirés à hauteur des fesses, d'un pas rapide, comme s'ils étaient pressés, se dirigeaient l'air décidé vers la piazza Bovio. Arrivés là, ils faisaient demi-tour et repartaient vers la piazza Gramsci. Un va-et-vient incessant, de Gramsci à Bovio, de Bovio à Gramsci. Jusqu'au moment où une fringale les prenait, et ils se jetaient avec des hurlements dans l'antre de la friterie.

Devant le Rivellino ou la salle de jeux Excelsior, en troupeau ils tentaient des approches auprès des filles de la classe. Des gamines habillées à la Britney Spears, qui se mettaient du fard à paupières et du rouge à lèvres loin des parents, penchées sur le rétroviseur d'un scooter.

Quelques-unes étaient même mignonnes, ainsi attifées. Les gamins s'agglutinaient autour, débitaient les gros mots les plus choquants pour tenter l'abordage. Effort inutile, elles ne les regardaient même pas : elles visaient les grands.

À celles qui se laissaient approcher, en général des boutonneuses et des trop grosses, ils collaient des chewing-gums mâchouillés dans les cheveux.

Lisa les regardait et ressentait de la pitié, autant pour elles que pour elle-même qui marchait, inutile et invisible, à côté de Francesca. Un vilain accessoire, un cabas à provisions : voilà comment elle se sentait. Et elle ne comprenait pas pourquoi elle devait se soumettre tous les samedis à cette torture : se promener en compagnie de la plus jolie fille de via Stalingrado.

Pourquoi elle faisait ça ?

Francesca ne loupait pas une seule vitrine : et Replay, et Rinascente, et Benetton, et même le Semaforo Rosso, qui vend des fringues de vieilles. Lisa se sentait coupable d'avoir, comme d'habitude, laissé Donata à la maison.

« Tu te grouilles, oui ? cria-t-il d'un ton bougon.

— Un instant... »

Anna était assise sur la 125 métallisée de Mattia, au milieu d'une horde de Phantom, Typhoon et autres Ciao garés en tous sens sur le trottoir. Elle se passait du crayon noir autour des yeux, courbée sur son petit miroir rond.

Mattia la regardait avec impatience.

« On dirait Moira Orfei[1], dit-il quand elle releva la tête.

— Va te faire foutre. »

Anna chercha son rimmel dans son sac, sortant pour le trouver une quantité phénoménale de choses.

« Mais tu veux te montrer à qui ? C'est moi ton mec ! »

Anna soupira sans répondre, occupée à identifier le tube de rimmel dans le chaos.

1. Artiste née en 1931, icône kitsch dont le visage très maquillé tapisse depuis des décennies les murs des petites villes italiennes où passe son cirque.

« T'as même emporté du savon ! » s'écria Mattia, exaspéré.

« Et comment je fais pour me démaquiller, tu veux me dire ? Si je croise mon père, par exemple, ce soir... S'il me voit comme ça, je te raconte pas !

— Des coups de bâton il devrait te filer, oui ! » fit Mattia en riant. Puis, sérieux, il ajouta : « Il a donné des nouvelles ?

— Qui ça ? Le babouin ? Vaut mieux pas ! » Anna avait trouvé le rimmel et s'en tartinait posément les cils. « Il a appelé l'autre semaine : il promet toujours de revenir. Mais maman dit qu'il s'est sauvé à Saint-Domingue, elle dit que nous on est là, pendant qu'il se la coule douce sous les palmiers... »

Mattia écoutait en silence.

« Mais je le connais, je sais comment il est, continua Anna. Ce con, il est capable d'arriver comme ça, pouf, n'importe quand ! Il débarque, il nous fait ses boniments, il nous apporte des gâteaux... et s'il s'aperçoit que je me suis maquillée il me casse une chaise sur la tête !

— Allez, ton frère nous attend.

— Deux minutes ! »

Anna ferma son sac, arrangea ses boucles, bloqua la direction et d'un bond descendit du scooter.

« On fait un tour, hein, on reste pas tout le temps avec Alessio, j'ai pas envie... »

Mattia partit d'un pas rapide et agacé. Anna avait bien autre chose en tête qu'une soirée au bar Nazionale, à respirer la fumée des autres et à mordiller une paille. Même sans l'admettre intérieurement, Anna espérait la voir.

Quand elles arrivèrent devant Calzedonia, Francesca voulut encore une fois s'arrêter.

Lisa n'avait pas d'autre choix qu'obéir. Ce fut à cet instant que Mattia et Anna traversèrent la rue. Lisa les vit, mais ne dit rien.

« Putain la meuf ! »

Un pauvre mec affalé au Ice Palace (autre bar de Piombino avec tonnelle et faune caractéristique) fixait avec enthousiasme la blonde en train de comparer les collants exposés en vitrine.

« Ouais. Ça c'est de la chatte, dis donc ! »

Francesca n'avait pas d'argent pour acheter des collants et s'écarta de la vitrine pour reprendre son défilé, sans un seul regard aux spectateurs, ces maniaques de la branlette assis au Ice qui puaient le Martini jusqu'ici.

« Y a pas que toi qu'en as une, tu sais ! Tellement que tu te la pètes, elle va t'exploser à la gueule ! »

Francesca se promenait, cuirassée, traînant Lisa derrière elle. Elle ne consentait à parler qu'aux garçons plus âgés et bien habillés, juste pour passer le temps. Et les compliments l'ennuyaient.

L'hiver dernier, le samedi après-midi, c'était avec Anna qu'elle se promenait sur le corso Italia, et elles se tenaient par la taille, la main de l'une dans le jean de l'autre comme les couples, et la première halte c'était le tabac pour acheter des Big Babol et de l'Estathé, puis elles faisaient étape chez le marchand de *zonzelle* où elles dévoraient pour mille lires de beignets. Après, elles allaient au Gardenia voler du rouge à lèvres.

Il n'y avait pas plus heureuse au monde que Francesca quand elle suçait la paille de son Estathé à côté d'Anna, et de temps en temps elles se souriaient et se chuchotaient des trucs, et tous les garçons les regardaient et s'exclamaient : « Qu'est-ce que vous les sucez bien, ces pailles ! »

Elle ressentait une violente colère, à présent. Cette petite conne, qui ne s'était même pas souvenue de son anniversaire, qui ne lui avait pas souhaité Noël, n'avait même pas trouvé le moyen depuis tout ce temps de glisser un mot sous sa porte. Et maintenant elle se retrouvait à passer un bavoir au cou de son père avant de lui donner la becquée. Francesca haïssait le monde entier.

Anna aussi, assise en cet instant au bar Nazionale, obligée de se farcir son frère et cet autre imbécile de Cristiano – qui étaient là à roter, se rouler des joints sous la table et parler de cuivre, de dope, toujours la même chose –, aurait voulu rembobiner le magnéto du temps, s'arrêter sur cet instantané de Francesca et elle devant le stand L'Oréal au Gardenia, et *rewind*, à l'infini.

Elles s'amusaient trop, à piquer du rouge ou du crayon à paupières. Elles construisaient toute une scène, avant de tendre discrètement la main... Anna se souvenait. Elles jouaient aux dames : « Essaie donc celui-ci, Francesca, n'est-il pas magnifique ? Oh ! Je trouve qu'il te va très bien !
– Mais non, Anna, tu ne vois pas comme il éteint mon visage ? Non, vraiment, il ne me convient pas du tout ! » Et au beau milieu de leur numéro, au lieu de reposer le crayon à paupières, elles le glissaient dans leur poche.

Anna se souvenait, et souriait.

Si elle la rencontrait aujourd'hui, par hasard, elle lui proposerait peut-être tout de suite d'aller piquer des trucs. Et peut-être que Francesca dirait oui, et elles se sauveraient ensemble vers les parfumeries, les rayons de la Coop... Ensemble, comme s'il ne s'était rien passé. Impossible. Abolir le temps, on ne peut pas. Mais tout compte fait, à bien réfléchir, quelle faute avait-elle commise ?

Anna regardait les gamines de treize ans qui défilaient sur le corso, ornées de pacotille comme des arbres de Noël. Elle regardait son Mattia qui tirait deux bouffées du joint avant de le passer à Cristiano, et Cristiano qui riait comme un débile. Les boules.

Elle ne voulait pas l'admettre, mais c'était tellement mieux avant, quand elles étaient amies.

Les haut-parleurs, accrochés tant bien que mal aux quatre coins de la tonnelle, s'étaient mis à passer une chanson de Renato Zero. *Sarà che noi due siamo di un altro lontanissimo pianeta*. Et Anna écoutait. *Ma il mondo da qui sembra soltanto una botola segreta. Tutti vogliono tutto*. C'est vrai, pensa Anna. *Noi non faremo come l'altra gente*[1]...

« Oh les enfants, j'ai une de ces dalles ! »

Cristiano, saisi brusquement de la fringale du shit.

« Ouais, moi aussi... dit Mattia. Qu'est-ce qu'on fait ? On va à Pizza Più ?

— Nooon, moi ce qui m'irait, c'est une glace...

— Alors on va au Topone », dit Alessio en se levant.

Le Topone, c'était le Top One, le glacier.

« Anna, tu rêves ? dit Mattia en la secouant. Bouge tes fesses ! »

Anna se leva de sa chaise avec agacement pendant que Renato Zero continuait de chanter *I migliori anni della nostra vita*.

Entre-temps, un des retraités du Nazionale avait craqué et, après plus d'une heure, s'était décidé : il était allé offrir un bonbon digestif à l'une des trois vieilles juchées sur leur banc devant Unicredit

1. « Nous deux, on est sûrement d'une autre planète, très lointaine. / Mais le monde vu d'ici n'est qu'une trappe secrète. Tous veulent tout avoir. / Nous, on ne fera pas comme les autres. »

Banca. Et l'élue s'était soudain animée et avait éclaté d'un gros rire sonore, en cachant sa canne dans son dos.

« France... Tu sais ce que je me disais ? » hasarda Lisa devant la vitrine du Semaforo Rosso.

Quelqu'un de normal aurait répondu : « Quoi ? » Mais Francesca ne répondit rien.

« Je me disais », et Lisa déglutit, « que samedi prochain on aurait peut-être pu emmener Donata avec nous. »

Francesca continuait de comparer les prix, muette et indifférente.

« J'ai plus envie de la laisser toujours à la maison. »

Silence. Francesca s'écarta de la vitrine et se mit à marcher.

« C'est ma sœur », protesta-t-elle faiblement.

L'autre s'arrêta aussitôt.

Elle tourna vers Lisa deux pupilles incendiaires.

« Écoute-moi bien, moi, cet avorton, j'en veux pas avec moi. Pas question. »

Elle reprit sa marche d'un pas rapide, droite comme un I.

Lisa resta un instant en arrière. Elle avait senti quelque chose qui se fendait puis se cassait dans sa poitrine. Quelque chose qui était une douleur, oui, mais de la colère aussi. Ça, elle n'allait pas laisser passer.

« Je prendrais bien une glace », dit Francesca comme si de rien n'était.

Lisa lui courut après, mais cette fois elle était vraiment en rogne. Elle n'avait d'ailleurs aucune idée de ce qui pouvait se cacher derrière cette allure désinvolte et insolente, derrière ce visage de star de cinéma.

Elle n'était jamais allée chez Francesca.

Quand elles entrèrent au Topone, elles durent s'ouvrir un chemin dans la foule qui se pressait devant le comptoir. Pistache, Kinder Bueno, Schtroumpf, griotte... Francesca les examina toutes avant de choisir. Puis elle alla faire la queue à la caisse pour le ticket, et là, tomba sur Jessica et Sonia.

« Oh, France ! Qu'est-ce que tu racontes ? demanda Sonia.

— Rien », répondit Francesca. Elle n'avait aucune envie de parler avec elles.

Si elle avait tourné la tête à gauche, elle aurait vu Mattia et Alessio qui faisaient semblant de se mettre des coups de boule.

« Ça va, à l'Institut ?

— J'y vais plus.

— Ah ? fit Jessica. Tu travailles ? »

Elle avait laissé Lisa quelque part, elle ne savait plus où, dans cette boutique remplie de monde.

« J'en cherche », dit Francesca pour couper court. Elles pouvaient toujours se brosser, ces deux-là, pour qu'elle leur raconte sa vie. Elle voulut partir. Se retourna.

Et soudain, quand elle s'y attendait le moins, elle se retrouva face à elle.

Elle sentit son cœur bondir dans sa gorge et blêmit.

Anna, bousculée comme elle dans la foule, avait presque sauté en l'air. Elle aussi venait de se retourner pour se retrouver nez à nez avec elle, sa meilleure amie, à deux centimètres.

C'était tellement logique de se rencontrer corso Italia un samedi après-midi. Disons-le : elles n'attendaient que ça. Pourtant, maintenant que cela devenait réel, elles avaient cette expression absurde sur le visage. Elles étaient presque collées l'une à l'autre, dans la cohue. Je fais quoi, là ?

Un instant passa, rien de plus, où leurs coudes, leurs genoux se touchèrent, une brûlure insupportable. Un instant passa où elles se regardèrent, incrédules. Il y avait tellement de choses à dire et à faire, dans leur tête, qu'il n'y avait plus rien.

Anna aurait voulu lui crier d'un seul souffle : « France je regrette tellement viens habiter chez moi ça suffit on part ensemble il est con Mattia ton père c'est un monstre je t'aiderai à le bâillonner à l'attacher viens on va piquer du rouge à quoi tu la veux ta glace ? » Mais elle restait muette, la gorge sèche.

Francesca, pendant ce temps, se disait qu'elle avait envie de la prendre dans ses bras et de la frapper et de l'embrasser et de lui arracher toutes ses boucles. Parce que quand elles étaient amies – non, des sœurs – tout était bien, tout était juste, et maintenant elle n'était plus qu'une merde, et son père était un monstre et il fallait même lui donner la becquée, et tout ça c'était la faute d'Anna.

Anna ne s'apercevait même pas qu'il lui était venu un sourire grand comme une maison. Francesca allait presque céder et sourire à son tour, quand Mattia apparut, et elle s'assombrit aussitôt.

« Tiens ! Qui on retrouve ! » s'exclama Mattia.

Anna pâlit. Le fusilla du regard.

Arrivèrent alors Cristiano et Alessio, et Sonia et Jessica, toute la joyeuse petite bande, paupières en berne et sourire niais.

« France, ça fait un bail ! gueula Cristiano. Putain ce que t'es canon, waouh ! » et il balança un coup de coude à Alessio.

Francesca commença à regarder dans toutes les directions.

Anna, d'instinct, eut un geste pour lui prendre la main, mais à cet instant surgit Lisa, et Francesca bondit sur elle.

Là, devant le comptoir réfrigéré, avec les gens qui levaient la main et criaient : « Un cornet ! Une coupe ! Deux parfums, non trois... Non ! Celui au lait, pas le fondant... » Là, au milieu de tout ça, Anna avait essayé de toucher la main de Francesca, et Francesca ne s'en était pas aperçue.

Elle s'agrippait à Lisa maintenant, elle ne la lâchait plus. Et Lisa était dans une rage noire et lançait à Anna des regards incendiaires. Elle avait envie de lui dire : « Tu pouvais te la garder, cette salope ! »

Francesca s'esquiva rapidement sans dire au revoir à personne. Demanda sa glace, tira Lisa par le bras et disparut.

Elle voulait rentrer chez elle tout de suite, maintenant. Elle marchait vers l'arrêt de bus de piazza Verdi. Bouleversée. Elles s'étaient frôlées ! Francesca courait, en émoi. Non, elle ne pourrait jamais lui pardonner. Sous l'abribus elle perdit l'équilibre et buta contre le trottoir.

« T'es vraiment con, toi, c'est rien de le dire ! » cria Anna, furieuse, à Mattia.

Et lui, il ricanait, sans comprendre.

« Merde ! Tu le voyais bien qu'on était seules, elle et moi... Qu'est-ce que t'es venu foutre ? » Elle était hors d'elle.

Les autres se marraient.

« Camés de merde... » Sa voix se faussait.

Sonia lui tendit un cornet à la pistache et à la crème.

« J'en veux plus de ta glace ! » Anna prit le cornet et le balança par terre au beau milieu de la boutique prise d'assaut.

« Et toi... » Anna s'était tournée vers Mattia, « toi... » elle avait les larmes aux yeux, « t'as tout gâché ! »

7

Lisa rejoignit Francesca à l'abribus.

Elle marchait lentement, les poings serrés. Elle n'était pas idiote, elle comprenait tout maintenant. Décidément, elle s'était bien plantée : elle aurait dû choisir Anna comme amie, au lieu de Francesca.

L'autre se relevait du trottoir où elle venait de glisser.

« Et zut, j'ai filé mes collants...

— C'est ton problème ! » répondit Lisa.

Francesca la regarda, surprise, mais se rembrunit vite : « Oh là, ma petite, va falloir te calmer... »

Genre : c'est moi qui commande, oublie pas ça.

Mais ça ne marchait plus sur Lisa : « Tu m'as vraiment cassé les couilles, France. Quoi ? Tu crois que je le vois pas, que je te sers seulement à rendre Anna jalouse ? »

Francesca resta ébahie.

« Maintenant, j'en ai marre, c'est clair ? Le bus, tu le prends toute seule ! Moi je rentre à pied, explosa-t-elle. Et même, tu sais quoi ? À partir d'aujourd'hui, toi et moi on n'est plus amies. »

Elle lui tourna le dos pour s'en aller.

Francesca avait changé de couleur : personne ne s'était jamais permis de la traiter de cette façon, encore moins un boudin couvert de boutons.

« Mais barre-toi, pauvre conne ! Qui voudrait de toi ? hurla-t-elle. Tu t'es regardée ? T'es qu'une grosse baleine de merde ! T'as raison, rentre à pied, ça te fera maigrir ! »

Lisa s'arrêta net au milieu de l'esplanade des bus. Elle revint à toute vitesse.

Elle ne savait même pas d'où ça lui venait, tout ce courage.

Elle se planta devant Francesca et lui cracha à la figure : « Tu ne vaux même pas un petit doigt de Donata. »

Et cette fois elle s'en alla pour de bon, la laissant seule sous l'abribus.

Quand elle tourna via Petrarca sous les arcades, la tension tomba d'un coup. Lisa, t'as été géniale, se dit-elle en souriant : un à zéro.

Pendant quelques instants, Francesca fut incapable de bouger un seul muscle. Va te faire foutre, Lisa, allez tous vous faire foutre.

Oui, elle était vraiment seule maintenant, plus seule que n'importe qui au monde. Le bus n'arrivait pas, et en plus elle avait filé son collant. De toute façon, où aller, à part chez elle ?

Alors ce bus, il n'avait pas besoin de se presser.

Elle s'assit sur un banc et se prit la tête entre les mains.

Ce que ça faisait mal... Elle était peut-être belle, mais ça l'avançait à quoi. Elle haïssait le monde entier. Pas un seul connard, sur cette planète de merde, qui l'aime un peu. Elle se disait ça, et elle avait beau vouloir s'en empêcher, elle pleurait à gros sanglots.

En réalité, il y en avait un qui l'aimait. Un pauvre gars raide dingue d'elle qui l'avait cherchée tout l'après-midi et qui soudain, quand il l'aperçut – seule et sanglotant sur un banc –, n'en crut pas ses yeux.

Il courut comme un dératé, et se retrouva près d'elle, hors d'haleine et tout ému.

« Va-t-en ! » lui cria Francesca quand elle le vit.

Nino recula d'un pas. Pourquoi c'était toujours tellement difficile ?

« Qu'est-ce qui t'arrive ? essaya-t-il de demander.

— Rien », marmonna-t-elle, les mains toujours collées sur le visage.

« C'est depuis que je te connais que tu pleures et que tu dis : “Rien”...

— Alors va-t-en et laisse-moi tranquille !

— Mais moi je peux pas supporter de te voir comme ça... »

Nino ne savait que faire. Il fit appel à tout son courage et s'assit à côté d'elle sur le banc.

« Je t'ai dit de me laisser tranquille », continua Francesca, la bouche tout empâtée de larmes.

Mais Nino ne la laissa pas finir et, impulsivement, la prit dans ses bras.

Et Francesca y resta un peu, entre ces bras, parce que c'est bien d'avoir quelqu'un près de toi qui te serre et qui te réchauffe. Elle ne voulait plus retourner chez elle, elle n'en pouvait plus de la via Stalingrado, de Piombino, de nettoyer la bouche de son père.

Elle se secoua. « Nino, écoute... » et fit mine de le repousser.

« Mais France, pourquoi tu veux pas être avec moi ? Pourquoi tu te fais du mal comme ça ? » Il n'en pouvait plus de garder cette question pour lui. « Je te l'ai déjà dit de toutes les manières, mais tu veux pas comprendre... » C'était le moment : « Si on se mettait ensemble ? »

À ce moment-là arriva l'autobus.

Francesca se leva d'un bond.

« Tu peux pas être toujours comme ça avec moi ! dit Nino en la retenant. T'en va pas...

— Nino, lui dit-elle en se dégageant. Nino... répéta-t-elle calmement, j'aime pas les mecs. »

Elle monta dans l'autobus et l'autobus repartit.

Si elle lui avait donné un coup de massue sur la tête, il aurait été moins sonné.

Pendant que tout cela arrivait, Anna traversait la même piazza Verdi sans rien voir. Elle tournait dans la via Petrarca, la remontait à pied d'un pas vif. Basta ! se répétait-elle, je quitte Mattia, ce coup-ci je le plaque. Il est trop nul. Il a tout foutu en l'air !

Furieuse et désespérée. C'était Francesca qu'elle voulait. Ça suffisait de faire comme si. Elle allait rentrer et l'attendre en bas dans la cour, sur le banc avec les graffitis, celui où il y avait encore écrit en gros *Anna et France forever together.* Elle allait l'affronter, une fois pour toutes.

Alors ? elle lui dirait. Qu'est-ce qu'il y a ? C'est Mattia le problème ? Ça te fait chier ? Très bien, je l'ai plaqué.

Mais quand elle arriva piazza della Costituzione, devant le bar Pinguino, elle remarqua une voiture noire garée en double file avec les warnings. Une grosse Mercedes brillante comme un miroir, une classe E immatriculée Livourne. Elle s'approcha, lut bien tous les numéros.

Merde. La voiture de son père.

Anna resta pétrifiée. Elle lorgna à travers les vitres fumées : personne à l'intérieur.

Pourtant le babouin devait être quelque part par là. Il était forcément dans les parages : il y avait les warnings...

Anna se cacha derrière un pilier des arcades et attendit. C'était absurde, évidemment. Mais au moins il n'était pas au Brésil ou à Saint-Domingue, babouin de merde.

Elle attendait, le cœur battant la chamade, surveillant la voiture derrière le pilier.

Au bout de cinq minutes, le voilà !

Arturo sortait tout joyeux du bar, avec son pas bancal de toujours. Il tenait quelque chose à la main, une sorte de paquet non identifiable, et il riait fort. C'était un vaurien, et il riait. Il n'était pas rentré à la maison depuis quatre mois et il se baladait paisiblement dans Piombino… Ce n'était pas un paquet qu'il avait à la main : c'était une bouteille de mousseux !

Mais qu'il est con, pensa Anna, quel foutu salaud.

À cet instant-là, elle aurait voulu sortir à découvert, l'attraper par la veste et lui crier : Salaud ! Pourquoi tu rentres pas à la maison ? T'es qu'une merde !

Mais il n'était pas seul. Il y avait un autre homme avec lui.

Tous deux étaient bien habillés : pantalon noir, veste noire et chemise blanche au col défait. Tous les deux avec des airs insolents et des lunettes de soleil.

Anna regarda son père monter en voiture avec l'homme, manœuvrer et partir.

Il lui vint un nœud dans la gorge, elle sentit de grosses larmes dans ses yeux. Alors elle craqua.

À la première cabine téléphonique elle inséra une carte et composa le numéro de Mattia. « Mon père, c'est qu'une merde ! » cria-t-elle dans le combiné entre deux sanglots.

Mattia, assommé par les joints, n'y comprenait rien.

« Mattia ! Je l'ai vu ! T'entends ? Il est à Piombino ! Il en a rien à foutre de nous… Maman sera folle si je lui dis… Mattia, qu'est-ce que je dois faire ? » et vas-y les larmes, et les sanglots, et les coups de poing dans la vitre de la cabine.

8

Cri, tu te rappelles ? Quand il avait neigé. C'était quoi ? 94 ? 95 ? C'était de la bonne, t'avais dit, de la bombe. Merde, quel âge on avait ? Quinze ans, maximum seize. T'étais vraiment taré, complètement barjo, même. Et tous ces putains de flocons. De la neige, tu criais, c'est de la neige qui tombe, il tombe de la coke ! Sur les trottoirs on glissait parce qu'on n'avait pas les chaussures qu'il fallait.

La neige, la vraie, on connaissait pas. Alors toi, à un moment, tu l'as prise dans ta main, tu l'as mise sous ton nez et t'as dit : Putain, Ale ! Ale, prends la neige, regarde ! Qu'est-ce que tu vois ? Non, pas comme ça, regarde à l'intérieur du flocon. Et moi qui t'écoutais, en plus. Mais je vois rien, Cri. Non, regarde bien, regarde le signe, le dessin qu'il y a dedans. Je vois pas... Comment ça ? Mais c'est le logo de l'Ilva !

Tu t'étais tourné vers moi et tu m'avais regardé sous le ciel blanc, avec un sourire magique. Et autour de nous la rue, la cour, les piliers en ciment, tout ça, ça respirait doucement. C'était quoi, Cri ? Une blague pour me faire marrer ou quoi ? Les plages étaient toutes blanches, on avait des flocons dans les cheveux et sur les cils. On sentait pas le froid. Tout était comme de la farine et du lait, tout était muet, étouffé dans la douceur. Un autre monde.

Alessio était debout maintenant, au milieu de l'étendue déserte du parc à billettes, un téléphone dernière génération à la main. Et il repensait à tout ça.

Elle s'appelait Ilva, en 94 ou 95. Et sa grand-mère aussi s'appelait Ilva, et la grand-mère de Cristiano aussi. Et les grands-mères d'un tas de gens, celles nées après 1918 : elles s'appelaient toutes Ilva. Mais l'usine avait changé de nom. Elle pouvait le faire, elle. Esquiver les noms avec désinvolture, échapper au Jugement dernier.

« Tu sais ce que ça veut dire ? » lui avait demandé Elena, un jour, après l'amour. Ils étaient couchés dans les draps au milieu de ses peluches dans sa petite chambre. Pourquoi, ça veut dire quelque chose ? Elena avait ri, comme à son habitude, un peu pour le mettre en boîte, un peu parce qu'elle était amoureuse. Comme elle seule savait rire, comme elle seule savait dire : tout a un sens.

Ilva, elle avait dit en riant, à moitié nue. Ilva c'est l'ancien nom de l'île d'Elbe, son nom étrusque.

Putain ! Comme de dire que le paradis et la merde s'appellent pareil, il avait lâché, surpris. Il tenait son corps à elle, léger, dans le sien tout rêche et mal dégrossi.

Et tu sais comment elle s'appelait au début, au tout début début ? Vas-y, dis-moi. En 1865, à sa fondation, ça s'appelait les Usines Persévérance.

La vache ! Persévérance... On dirait une poésie de Carducci.

Quand il avait été embauché, lui, en 98, c'était devenu Lucchini. On ne savait même pas si c'était masculin ou féminin. Mais au moins le paradis et la merde n'avaient plus le même nom.

Je te jure, j'ai cherché « acier » et ça veut rien dire. C'est un alliage, avait-elle dit en fronçant les sourcils. Ouais, mais j'ai cherché dans le dico et ça veut rien dire. C'est pas un mot qui cache un autre mot. Ça veut dire cette chose-là. Basta.

C'est de l'histoire, Ale, c'est parce que dans l'île d'Elbe il y a des mines de fer, et c'est là que tout a commencé.

Maintenant Alessio était au centre du terrain vague, le soleil dans la gueule et son portable à la main, sans même savoir pourquoi tout ça lui revenait en mémoire.

Cristiano lui expliquait, en gueulant, comment faire la photo.

« T'appuies dessus ! hurla-t-il. Non, pas maintenant, après ! Mais t'appuies sur le bouton du haut ! »

Ces portables qui prennent des photos, c'était tout nouveau, et Alessio n'y comprenait rien. Pendant ce temps, Cristiano se mettait à poil et faisait l'imbécile. Complètement nu, il grimpait sur un Caterpillar et agitait les bras.

« Vas-y, Alessio ! Appuie ! »

Alessio appuya sur la touche et une image apparut sur l'écran du téléphone.

L'image d'un corps rose en mouvement, la bite à l'air, dans une cage jaune et noire, comme un animal de science-fiction.

« Vas-y, on la fera encadrer ! »

Deux ou trois ouvriers s'étaient arrêtés dans un coin et regardaient : la scène hallucinante d'un con en train de photographier un autre con qui faisait des huit sur un bulldozer, la pelle dressée à la verticale.

Cristiano manœuvra comme s'il s'apprêtait à prendre son élan, avec cet engin qui pesait Dieu sait combien de tonnes. Et tout à coup, il le dressa sur deux roues.

« Regarde, il cabre son Cater ! »

Alessio, qui continuait à prendre des photos, hochait la tête avec amusement.

Cristiano hurlait comme un fou en pleine crise. Il prenait vraiment son pied à risquer sa vie comme ça sur sa pelleteuse et à lever le godet le plus haut possible, comme l'antenne d'une sauterelle géante.

Tous étaient bouche bée. Les ouvriers arrêtaient de bosser, laissaient tourner leurs engins sans surveillance, les grues, les ponts-roulants. Ils levaient la tête pour jouir du spectacle et appelaient les autres.

« Oh, l'enculé ! dit l'un. Regarde-moi ce con ! »

Mattia accourut. « C'est ça, retourne-toi ! »

Cristiano continuait à le cabrer sur les roues arrière, mais il ne se retourna pas, n'alla pas s'écraser au sol, coincé sous son engin. Il le tenait comme on tient un taureau, et les ouvriers commençaient à applaudir.

« Je rigolerais qu'il se retourne, dit Mattia en arrivant près d'Alessio.

— Il fait ça pour son fils, répondit l'autre.

— Ou pour le vendre dans les sex-shops ! »

Mais Cristiano fit plus que cabrer son Cater.

Il virevolta sur place : une, deux, trois fois. Il tournait vite, comme une toupie, et la poussière s'élevait, et dans le ciel bleu s'élevaient des nuages de limaille de fer. Il fit encore tourner sur ses énormes roues le grand animal de métal, puis tira un coup sec sur le frein à main, pour la quatrième fois. Et ce fut un délire général. C'est à ce moment qu'arriva le chef d'équipe, bien décidé à lui défoncer la gueule.

Ilva, c'est le nom secret de l'Elbe. Le secret qui tient l'usine dans son poing.

Alessio vit le chef d'équipe attraper Cristiano par la peau du cou, comme un chat. Il vit l'énorme étendue de hangars et de cheminées, avec au milieu le concasseur. Un robot-monstre qui broyait les restes de cheminées et les semi-finis défectueux à l'aide de sa longue trompe terminée de dents et de piques.

C'était vraiment difficile de relier tout ça à une dizaine de radeaux étrusques transportant du fer, à des petits bonshommes fondant des haches de guerre. Mille ans, pas loin. Et Cristiano, nu comme un ver, qui se battait avec le chef d'équipe, lui balançait son poing pile entre les deux yeux.

« Je te jure que t'es viré, tête de nœud ! »

9

À neuf heures elle le fit se lever. « Doucement », dit-elle.

Les os craquaient et la peau sous les bras était flasque. Les draps, ceux du trousseau de sa mère avec les initiales brodées sur le rabat, sentaient mauvais. Elle n'avait aucune intention de les laver.

Elle le soutint jusqu'à la cuisine. Le fit asseoir et lui noua la serviette de table par-dessus son pyjama. Depuis des mois, il ne prenait plus que du bouillon, au déjeuner comme au dîner. Sa masse musculaire avait implosé.

« Tu veux que je t'aide ? » demanda-t-elle, en voyant de quelle façon il tenait la cuillère.

Il ne s'était pas encore habitué à tenir les objets avec quatre doigts au lieu de cinq.

Il fit non de la tête. Leva les yeux vers sa fille puis les baissa sur la tasse. Il regardait le niveau du lait dans le récipient. Vérifiait du bout de la langue qu'il n'était pas tourné.

Il aurait voulu bouger le doigt, le passer dans l'anse de la tasse. Un mouvement simple, la différence entre une main et une patte d'animal. Mais le doigt du milieu manquait. Il y avait un trou, la peau toute rentrée vers l'intérieur.

En mars, ils lui avaient envoyé une équipe de psychologues. À leurs questions il avait opposé son visage amaigri et pâle. C'est vrai qu'il ne comprenait pas ce qu'ils attendaient de lui. L'usine venait le voir, lui envoyait la médecine du travail. Lucchini S.p.A. commençait à s'impatienter, voulait y voir clair dans cette histoire. Y voir clair, dans un enchevêtrement de hiéroglyphes : il était incapable de lire le questionnaire qu'ils lui avaient donné à remplir.

Sa fille restait debout à côté de la table, guidait tous ses mouvements. C'était pénible, et agréable aussi, de lui prouver qu'il n'était plus capable de sucrer son lait.

La perte du majeur représente une perte symbolique pour le patient. Dépression, c'était l'hypothèse. Le géant s'était amenuisé, il s'était enterré vivant dans son appartement à la peinture écaillée, qui n'était pas à lui d'ailleurs, mais à la municipalité. Les autres, les voisins, s'étaient foutus de sa gueule les premiers temps. À présent, il n'avait même plus de nom ni de prénom.

Machin, ils l'appelaient.

Elle ôta la cuillère de la main amputée de son père et lui sucra son lait.

Le sujet refuse les traitements. Le sujet est atteint d'analphabétisme réactionnel.

Afo 4. Pourquoi 4 ? Enrico nouait des fils fragiles entre un segment de sa mémoire et un autre. Parce que c'est le quatrième des quatre hauts-fourneaux, c'est aussi le seul qui reste. Enrico était devenu un cas à traiter, un dossier médical. En deux décennies, le fléchissement du marché de l'acier avait entraîné le démantèlement d'Afo 1, 2 et 3.

Ils n'étaient plus là. Comme son doigt. Un trou énorme dans la terre gorgée de poisons.

Enrico aspirait le lait dans la tasse.

« Tout, bois tout. »

Au milieu du crâne, il perdait ses cheveux.

Francesca lui nettoya la bouche. Elle l'accompagna dans la salle de bains, l'aida à s'asseoir sur les waters. Elle tira elle-même le papier toilette du rouleau. Et quand il eut fini, elle l'emmena dans le salon. Elle le mit sur le canapé où sa mère était assise, finissant un napperon, le chat enroulé sur ses genoux. Face à la télévision, Enrico enfonçait le crâne dans la têtière et baissait les paupières.

Qu'il ne faisait pas semblant, ils le comprirent début avril. Enrico avait réellement régressé jusqu'à cet état pitoyable où sa fille devait le nourrir et le laver. Une décomposition. Peut-être qu'il existe un gène douteux où c'est marqué que tu pourriras.

Ce fut Elena qui s'en occupa. Pendant tous ces mois, elle avait déplacé plusieurs fois le dossier d'Enrico Morganti d'un tiroir à l'autre de son bureau. Ce qui comptait, pour l'entreprise, c'était de s'assurer que leur responsabilité n'était pas engagée. C'est quoi, exactement, un nul qui déprime ? Un homme qui peut être remplacé par vingt mille Marocains, Roumains, Italiens qui font la queue devant la porte. Un jour, ils entrèrent dans le bureau d'Elena et lui dirent de préparer le dossier de mise à la retraite anticipée.

Un nul dans un système en dépression.

Ce matin-là, Francesca débarrassa plus vite que d'habitude. Elle lava les tasses n'importe comment, se dispensa de les essuyer, fourra les serviettes de table tachées dans le tiroir. Ramassa les miettes par terre pour donner une idée de propre, ça lui était bien égal que ça soit sale ou pas, cette baraque. Elle courut refaire les lits.

Le temps, dans cet appartement, passait par les voies mystérieuses de la poussière accumulée sous les meubles. Les moutons, comme on dit : laine grise où les parasites font leurs nids. Le temps incrustait de calcaire et de moisissures les angles de la douche, du plafond. Enrico souriait maintenant quand le chat venait sur lui et ronronnait.

Ça n'était pas difficile de trouver un prétexte. Dire qu'elle était partie une demi-heure alors qu'elle partait deux heures. « Il manque du lait », ou bien : « Il faut de l'aspirine. Je vais payer la taxe, l'assurance, la facture de gaz. » Pas difficile de sortir, surtout la nuit, surtout depuis que son père prenait des comprimés pour dormir et piquait du nez dès sept heures.

Les lits retapés, elle fila dans la salle de bains et s'y enferma.

Penchée sur le bidet, elle se rasa le pubis. C'était la première fois qu'elle le faisait. Elle s'était dit, sans raison, que c'était mieux. Elle s'épila les jambes, les aisselles et les bras. Passa une grande quantité de crème hydratante sur son corps blanc. Elle força un peu ce matin-là sur le maquillage des yeux, le rouge lui faisait des lèvres plus grosses.

Elle portait, comme toujours, des talons hauts. Frôlait le mètre quatre-vingts. Marchait comme les silhouettes filiformes des artistes de rue. Des échasses pour cueillir les cerises sur l'arbre. Tous les mercredis matin, au marché, elle achetait des minijupes, des tops ajustés et des ensembles de lingerie à un étal qui vendait aussi des dessous coquins.

Il suffisait de lui apporter un café, de lui tenir la tasse près des lèvres et de lui passer la main sur la tête, et il sombrait, comme masturbé, dans un état de torpeur.

Ce matin-là, Francesca sortit à onze heures et demie. Pressée, un sourire rusé sur son visage emplâtré de fard. Elle aimait se répéter qu'elle ne pensait même plus à Anna, que c'était comme un paquet de biscuits laissé plusieurs jours ouvert. Tout secs, qui attirent les mites.

Elle se retrouva dehors, dans le monde ensoleillé, et prit par la via Marconi. À sa gauche, la surface de la mer mobile et vivante. La lumière y pleuvait, faisant naître reflets et mouvements. Elle achetait ses minijupes avec le fric des médicaments. Économisait sur la nourriture pour des guêpières et des strings à paillettes qu'elle essayait ensuite seule devant la glace.

Elle marchait maintenant d'un pas vif vers le bar d'Aldo, sur ses talons hauts qui lui faisaient mal aux pieds. C'était une de ces journées où l'Elbe se détache, découpée sur la ligne entre les deux bleus. Tu peux distinguer les villages dans les criques, les falaises en surplomb et les taches vert d'ombre de la végétation. Intacte, en cette saison, l'île appartient aux animaux, aux anciens, aux racines et aux graines. Francesca ne regardait pas de ce côté-là.

Elle tentait de se convaincre, elle voulait se convaincre. Se retournait quand une camionnette de plombier ou d'électricien longeait le trottoir pour lui dédier un coup de klaxon. Et souriait.

La chaleur revenait. En sourdine, mais elle revenait. Elle aurait presque pu enlever sa veste et rester les épaules nues. Avril est vraiment le mois le plus cruel.

Avant d'entrer, elle s'arrangea les cheveux dans le reflet de la vitrine. Une mèche refusait de rester derrière l'oreille. La cabane en bois, l'odeur de bois mouillé. Elle ne voulait pas y penser. Francesca se recoiffa devant la vitrine du bar, avec le soleil de midi, et plein de choses mortes qui ressuscitaient sans qu'on leur demande. Ça serait notre maison… Derrière elle, la rue se gonflait de gaz d'échappement et de klaxons. Un souvenir, c'est une merde morte. Elle voulait entrer mais restait sur le seuil. La terre tiède sous son dos et la moiteur de l'herbe, même sans le vouloir elle s'en souvenait. *C'est impossible à vivre*, avait dit Anna ce jour-là. *C'est une chose qui va contre mon avenir…* Va te faire foutre.

Elle entra, toisée de pied en cap par la demi-douzaine de bons à rien qui bivouaquaient dans la puanteur obscure des cigarettes.

Comme si elle avait dix-huit ans. Comme si on ne pouvait plus la regarder comme avant.

L'avenir, ça n'existe pas, c'est juste de l'égoïsme. Strictement rien à foutre du futur et de l'égoïsme d'Anna.

Hier, elle avait passé ce coup de fil, avec sa carte de téléphone, depuis la cabine. Elle avait tapé le numéro marqué sur l'annonce du gratuit et dégluti très fort quand ça avait répondu.

La voix cachée dans le combiné avait été aimable. Avait écouté patiemment les informations qu'elle donnait, les détails, mensurations gonflées, 90-60-90. Puis la voix avait même accepté une rencontre à Piombino, parce que aller jusqu'à Follonica, pour Francesca c'était un problème.

Francesca s'était assise sur un tabouret au comptoir et tapait du talon contre le sol à un rythme régulier. Elle avait très peur que l'homme ne vienne pas. Elle regardait fixement en direction de la porte, et de temps en temps, à la dérobée, regardait Aldo. Il était comme tous les patrons des bars mal fréquentés, il se gardait bien de poser des questions. Il y avait une mineure assise à son comptoir, qui aurait dû être en classe, et qui en plus n'avait rien commandé.

Ce n'était pas la première fois. Ça faisait un bout de temps qu'elle venait, aux heures les plus variées, et bavardait avec celui-ci ou celui-là. Aldo l'avait vue, quelquefois, aller dans les toilettes avec des types.

Depuis que son père ne pouvait plus la cogner. Incapable même d'aller pisser tout seul. Et sans raison physiologique. Sans explication logique.

La petite cabane, maintenant, après cet hiver, elle est sûrement envahie par la boue et les orties...

Elle tambourinait du bout des doigts sur le marbre du comptoir. Fixait obstinément la porte en comptant jusqu'à dix. Puis recommençait à compter.

L'homme arriva.

Francesca sursauta et se mit debout, qu'il puisse la voir en entier. Il était habillé avec élégance, veste et pantalon noir. Visage aux UV et une paire de Ray-Ban tape-à-l'œil.

Il vint vers elle, lui tendit la main d'une manière à la fois professionnelle et désinvolte.

« Roberta ? Non. Francesca... Francesca, c'est ça ? » Il sourit généreusement.

L'homme lança un coup d'œil à cet endroit sordide et commanda un, puis, se ravisant, deux cocktails sans alcool, à la fraise.

Le visage de Francesca se couvrit d'une saine rougeur. On voyait sa petite culotte, mais elle n'y faisait pas attention. Elle se tenait jambes ouvertes devant un homme adulte, et n'avait même jamais fait l'amour.

« Alors ? » dit l'homme en s'asseyant.

Ça ne l'intéressait pas de savoir – ça ne faisait pas partie de son boulot – pourquoi une fille aussi jeune et aussi gracieuse lui avait donné rendez-vous dans un bar aussi pourri.

« Excuse-moi, je n'ai pas beaucoup de temps... Dis-moi ce que tu sais faire exactement. Ou plutôt », il sourit, « ce que tu aimerais faire... »

Francesca se surprit à être embarrassée. Elle ne s'en était jamais trop bien tirée avec les mots, et voilà que sa langue se collait à son palais, ses mains tremblaient autour de son verre. Pas bon signe, pensa l'homme. Francesca se corrigea de nombreuses fois, une succession de voilà, bon, c'est-à-dire d'une minute et demie, avant de commencer à parler vraiment.

« Je peux travailler seulement la nuit », réussit-elle enfin à dire.

L'homme aspira bruyamment, à travers sa paille, la bouillasse de fraises et de lait que Francesca était incapable d'avaler.

« Ça, c'est pas un problème », il s'essuya la bouche, « au contraire. »

Elle voulait dire quelque chose, elle se creusait les méninges : quelque chose qui pourrait le conquérir, faire que l'homme, après, ne lui offre pas un poste de serveuse ou de souillon. Il était si élégant, si bien élevé. Elle voulait être sauvée, prise et adorée par cet homme, par l'inconnu, par n'importe qui.

Elle laissa échapper : « Mon rêve, c'est le Tartana. »

La phrase sortit creuse. Elle se mordit les lèvres et eut aussitôt honte d'avoir dit une connerie pareille.

L'homme l'examinait, la détaillait derrière les Ray-Ban. Et elle savait, au moins, qu'elle pouvait compter sur son corps.

« Je voudrais faire modèle », elle corrigea le tir, « je voudrais danser sur l'estrade, ou en privé. Enfin, où vous voulez. Mais danser. »

Elle avait cette expression sur le visage de petit animal traqué. Il ne s'était jamais retrouvé devant un cas aussi désagréable. Mais elle était vraiment canon.

« Tu es majeure, naturellement... »

Francesca fit oui de la tête. Tout en elle était docile et mielleux. Aucune défense, se dit l'homme. Celle-là, tu la prends, tu la balances contre le mur, et en plus elle te dit merci.

« Tu es mignonne, lui dit-il sans ôter ses lunettes, très mignonne », d'une voix qui était en même temps velours et papier de verre.

« Le Tartana, tu dis. C'est un bon établissement. Tout le monde nous connaît en Italie, et même à l'étranger. »

Francesca sourit, embarrassée. « À vrai dire, j'y suis jamais allée. Mais j'ai vu les photos... »

Tu la prends par tous les trous et elle te mange dans la main. L'homme rit de toutes ses dents blanches, deux fines moustaches de lait au-dessus de la lèvre.

« J'ai juste le problème de la voiture, j'ai pas encore passé mon permis.

— T'as pas à t'inquiéter pour ça. On s'occupe de tout. »

Sacré morceau. Bandante au-delà du possible. Jolies jambes, joli cul. Un peu petits les seins, peut-être. Mais bon, on pouvait passer là-dessus. Une Italienne, visiblement mineure, tu l'envoies à Punta Ala sur les yachts de la jet-set et tu la refiles aux nababs à cinq cent mille lires le coup.

L'homme posa son verre et ôta ses lunettes noires pour mieux la regarder. Elle avait deux petites boursouflures sous les yeux, deux traces tuméfiées.

« Tu sais, j'ai déjà beaucoup de filles au Tartana, je ne peux pas en embaucher une de plus. J'espère que tu n'es pas trop déçue », ajouta-t-il avec un sourire salaud.

Francesca vacilla sur son tabouret. Elle s'efforça de contenir le grumeau vaseux qu'elle sentait monter de son estomac.

« Mais j'ai une autre boîte, toujours à Follonica... »

Elle s'accrocha tout entière à cette phrase. Elle aurait été incapable de dire pourquoi elle tenait tant à ce travail, sans même savoir ce que c'était. Elle non plus n'arrivait pas à lire en elle-même, déchiffrer cet agglomérat de désirs incompréhensibles qui la tenait là, agrippée au comptoir. L'homme en veste et cravate pensait à tout autre chose. Il pensait : Je te parie que tu la fourres et qu'elle en redemande.

« C'est un bel établissement, crois-moi, très connu... Plus que le Tartana. » La fille en tombait littéralement à ses pieds. « Fréquenté par des gens importants, tu vois, des noms qui se retrouvent ensuite dans toute la presse du samedi... *Novella 2000*, je sais pas si tu connais, c'est pas rien...

— J'aimerais, dit Francesca rayonnante, j'aimerais faire de la télévision un jour...

— T'as raison ! fit l'homme en se levant. La route est longue mais tu dois y croire, et moi, je t'assure que je t'aiderai... Tu es gracieuse, comment tu t'appelles déjà ? Francesca... » l'homme pensait manifestement à autre chose, « tu es merveilleuse, Francesca. Dans mes établissements, n'oublie pas, il ne vient que des gens importants. Veste et cravate exigées à l'entrée. Des gens de Milan, de Rome, beaucoup d'agents de la télé... que je connais tous personnellement. »

Il s'était levé de son tabouret et l'invitait de la main à en faire autant.

Il la toisa une dernière fois : « Quelqu'un pourrait te remarquer. »

Francesca sourit, de son sourire plein, virginal, magnifique.

« Alors c'est oui ? »

L'homme sortit un gros portefeuille en croco et paya avec un billet de cent.

« Je te fais faire un bout d'essai. » Il remit ses lunettes, acheva de se repaître d'elle derrière ses verres sombres. « La semaine prochaine. Nous t'appellerons, Francesca. Francesca comment ?

— Morganti.

— Bien, Francesca Morganti. Tu me plais. Tu as du talent. Moi, c'est quelque chose que je sens d'instinct. On va faire de grandes choses, toi et moi. Mais il faut qu'on te voie danser, avant. Qu'on voie comment tu t'en sors, *en général*. Tu me donnes ton téléphone ? »

Francesca hésita. Le téléphone des parents. Pire que lui donner sa petite culotte sale.

« Parfait. Magnifique. Tu es magnifique. Rappelle-toi que l'apprentissage est long, mais à la fin, tu verras, tu y arriveras. Tu seras la blonde de *Striscia la notizia* ! »

Avant qu'il ne disparaisse derrière le reflet des vitres, Francesca l'appela, timidement.

« Excusez-moi, comment vous avez dit qu'il s'appelle, votre établissement ? »

Il ne l'avait pas dit.

L'homme se retourna une dernière fois avant de monter dans une Mercedes SLK d'un noir d'encre.

« Le Gilda. Ça s'appelle le Gilda. »

10

Le pré devant le lycée était parsemé de marguerites, la haie de lauriers-roses avait fleuri, et même les deux bouleaux qui poussaient de travers devant les fenêtres de la classe s'étaient couverts de feuilles. Ça la mettait de bonne humeur de les regarder. Lisa prenait acte de l'explosion du printemps, et l'événement lui insufflait du courage.

Anna n'était pas venue en scooter ce matin. C'était peut-être l'occasion. Par la vitre du bus, elle l'avait vue à pied dans la montée de Montemazzano. Sa tête frisée toute gonflée de soleil et son sac énorme sur les épaules.

Pendant que la prof expliquait la *consecutio temporum* et que personne ne l'écoutait, Lisa avait pris sa décision. Une décision irrévocable.

Dès que la cloche sonna la récré, elle se racla la gorge plusieurs fois. Puis elle sortit dans la cour. Anna était là, à faire l'idiote avec les garçons. Elle attendit le bon moment. La regarda longtemps jouer les coquettes au milieu d'un groupe qui se dandinait, slip dépassant du pantalon, en se disant qu'elle était vraiment énervante quand elle jouait les bécasses. Mais elle tint bon. Quand elle la vit s'écarter de la petite bande pour allumer une cigarette, elle pensa : un, deux, trois... Et se planta devant elle.

Elle s'était préparé des tas de phrases, les avait même écrites sur son cahier pendant le cours, mais quand elle se trouva à deux doigts d'elle, renfrognée et irritée, elle en oublia toutes ses périphrases. Tout à trac, elle lui dit : « On rentre ensemble ce soir ? »

Anna, sur le moment, contracta son minois couvert de taches de rousseur dans une expression de surprise. Vraiment, elle ne s'attendait pas à cette proposition de la part de ce boudin. Lisa la bossue, la baleine, avec son appareil dentaire. Sans y penser elle répondit : « D'accord. » Comme si elle n'avait attendu que ça.

De retour en classe, elles se guettèrent l'une l'autre avec des regards en coin et l'agitation à fleur de peau.

Ça faisait bizarre de se retrouver à une heure devant la grille. Elles avaient toujours été dans les mêmes classes, chacune à espérer voir l'autre se rétamer quand on l'interrogeait. Il leur avait fallu neuf ans pour arriver à ce sourire timide à la sortie des cours.

Lisa souriait avec son appareil dentaire, ses cheveux fins rassemblés en queue-de-rat sur la nuque. Anna, vaporeuse, venait à sa rencontre. Troublée, mais un peu curieuse aussi, dans le va-et-vient des cyclomoteurs, des parents et des petits copains qui attendaient, essayant de reconnaître leur amour dans la foule des élèves.

Elles marchèrent ensemble dans la descente panoramique de Montemazzano. La lumière claire ressuyait la plage, les collines et même l'usine, y infusant une anticipation de l'été. Elles marchaient l'une à côté de l'autre d'un pas rapide, la svelte et la rondouillarde. L'Elbe impossible et radieuse, immobile sur la ligne d'horizon.

Anna restait silencieuse, en attente. Lisa ne savait par où commencer.

Devant elles s'étendaient des kilomètres de béton armé, les quartiers ouvriers de Salivoli et Diaccioni, carrés, soviétiques, grouillants de gens aux fenêtres, les petits points des femmes étendant leur linge sur les toits-terrasses et au milieu le centre commercial de la Coop.

Anna observait tout ça d'en haut.

« Ça a marché, l'interro ? »

Lisa avait beaucoup réfléchi avant d'opter pour le devoir d'histoire, sur les guerres puniques. Un début neutre, en sourdine.

« Bien, je crois, répondit Anna. Je savais même avec combien d'éléphants Hannibal est parti d'Espagne... » et elle rit, « Trente-sept ! »

Pas une once d'hostilité dans la voix. Lisa pouvait continuer.

« Elles disent toutes que Mazzanti est super mignon... Moi je trouve que c'est un super con. »

Anna se tourna vers elle et la regarda, amusée. « Moi aussi ! Quand il nous fait commenter les articles sur Berlusconi et qu'il nous dit : "Alors, qu'en pensez-vous ?" Mais qu'est-ce que tu veux que j'en pense, pauvre con ! Si tu nous parlais plutôt de Scipion l'Africain, on serait moins en retard sur le programme. »

Elles avaient ralenti le pas. Échangèrent un regard joyeux. Puis regardèrent de nouveau les silhouettes des barres d'immeubles, ceux de via Stalingrado plus hauts que tous les autres.

« Mais toi, après, tu veux aller à l'université ? »

Anna se tourna vers elle, les yeux vifs et brillants. « Je crois, oui. Et je voudrais aller loin... à Turin, à Milan. Partir à mille kilomètres d'ici.

— Moi aussi, dit aussitôt Lisa. J'attends que ça. »

Pendant qu'elles descendaient par la route panoramique, une voiture ralentissait parfois en jouant du klaxon, et seule Anna se retournait. Lisa l'observait avec admiration. C'était chouette de rentrer avec elle.

« Et toi, qu'est-ce que tu veux faire quand tu seras grande ? »

Lisa, gênée, gesticulante, fit une grimace comique.

« J'aime les poésies, les romans… Quand je serai grande, je voudrais devenir écrivain ! »

Anna écarquilla les yeux. « Mais c'est pas un travail ! Et tu écriras quoi ? »

Le visage de Lisa s'illumina un instant. Malgré ses boutons, son appareil, ses lèvres fendillées, ses sourcils en broussaille qui se réunissaient au milieu, elle parut presque jolie. « Je la sais déjà, l'histoire. J'ai même commencé… Mais je peux pas te le dire, c'est un secret. »

Quand elles arrivèrent au croisement avec Villa Marina, elles s'arrêtèrent au feu dans un nid de silence cristallin. Elles attendaient que le rouge devienne vert.

Anna dit : « Moi, en fait… je sais pas bien ce que je veux faire, mais je veux faire quelque chose d'important. Peut-être architecture, comme ça je dessinerai des beaux immeubles, genre avec des jardins suspendus et des balcons et des vérandas… Peut-être que quand ils démoliront les nôtres, c'est moi qui construirai les nouveaux…

— Peut-être ! » s'exclama Lisa.

Elles traversèrent.

« Ou bien je fais la fac d'éco, et après je deviens ministre du Travail. » Anna, un fleuve en crue. « Maman dit qu'ils sont en train d'emmener toutes les usines ailleurs, en Thaïlande ou en Pologne… Et qu'ici, on va rester le bec dans l'eau. Alors je serai ministre du Travail ou du… comment on dit, du Welfare[1] ? Et comme ça, j'empêcherai que ça arrive.

— Moi, répéta Lisa, je veux raconter une histoire. »

C'est bizarre. Parfois il faut un tremblement de terre, un cataclysme. Comme dans les éclipses de soleil, quand tout est bouleversé et que les animaux se sauvent, que la nature s'affole. Les éléments étrangers se rapprochent.

Arrivées en face de la Coop bourrée de gens avec des caddies et des sacs de courses, Anna eut un geste surprenant. Tout à coup, elle prit Lisa par le bras, tourna dans une rue latérale au lieu de continuer tout droit et dit : « Viens, je vais te montrer quelque chose... »

Lisa n'avait aucune idée de l'endroit où Anna l'emmenait mais elle se laissait faire, curieuse et presque contente. Parce que la température avait monté, qu'elles avaient même ôté leur veste et qu'il y avait autour d'elles une foule de mères qui tenaient des enfants par la main, des groupes d'écoliers en rang par deux qui sortaient de la maternelle.

Anna s'arrêta devant une haie, retenant son souffle.

« Par ici », dit-elle. Et elle se glissa à travers la végétation. Les feuilles lisses et odorantes du laurier se multipliaient sur les branches emberlificotées. Lisa la suivait, débouchait, émerveillée, dans un minuscule parc de jeux avec deux arbres au milieu, un toboggan, un tourniquet et deux balançoires rouillées.

Anna éclata de rire, toute contente. « Tu vois, tout peut changer, il peut arriver n'importe quoi,

---

1. Ainsi s'appelle depuis 2001 le ministère italien des Affaires sociales.

ici rien ne changera jamais ! » Elle laissa tomber son cartable dans l'herbe. « Cet endroit-là, ça restera toujours pareil. »

Lisa regardait autour d'elle, le rectangle de verdure caché au cœur du béton armé. Elle ne pouvait pas comprendre, bien sûr, elle ne pouvait pas imaginer. Une petite chose tendre, une poignée de petits points jaunes disséminés dans l'herbe qui arrivait aux genoux.

Elles s'assirent ensemble sur un banc. Lisa attendait qu'Anna lui révèle le mystère de cet endroit abandonné qui n'avait absolument rien de spécial, mais l'autre alluma une cigarette et resta comme en suspens.

« Tout est pareil, je te jure », répétait-elle à voix basse.

C'était comme si Francesca était couchée là, au milieu de la pelouse à l'abandon pleine d'épillets. Comme s'il y avait là son visage et que le soleil pleuvait dessus, au milieu des jeux qui grinçaient à chaque foulée. Francesca était restée la même, inchangée, dans cet endroit qui faisait rire Anna maintenant, et Lisa ne comprenait pas ce qui se passait car il ne se passait rien.

« Voilà la cabane ! » Anna la montra de l'index tendu, une sorte d'enthousiasme dans la voix comme pendant un match. « Il y a une fourmilière à l'intérieur ! Tu ne peux pas imaginer combien d'heures j'ai passées cachée là-dedans... »

Francesca montrait le bout de son nez à l'entrée du nid de bois odorant.

« Alors, comme ça, tu veux devenir ministre... » dit Lisa en revenant au sujet précédent, car elle était prise à contre-pied et ne savait plus comment se comporter.

« Oui, acquiesça l'autre d'un air décidé, ministre, député, législateur.

— Et tu veux sauver aussi l'usine de Piombino ?

— Tout, je veux tout sauver ! Et ce parc de jeux aussi, et aussi la Lucchini ! »

Lisa aurait eu envie de dire plein de choses. Que Donata allait très mal, qu'avec Francesca elles n'étaient plus amies. Mais pour le moment elle se sentait bien, sur ce banc.

Il n'était pas nécessaire de la nommer. Anna la reconnaissait dans les buissons, assise sur le tourniquet. La créature blonde. La plus belle.

« Et de quoi ça parle, ton histoire ? » Elle lui donna une petite bourrade. « Allez, t'es obligée de le dire, maintenant, puisque je t'ai amenée ici ! »

Lisa baissa les yeux.

Elles étaient monstrueusement en retard, il y avait à la maison deux mamans furieuses qui avaient depuis longtemps égoutté les pâtes.

« Ça parle d'une amitié, bredouilla Lisa. Une amitié entre deux filles, une blonde et une brune, et un jour elles se fâchent. »

Anna changea de visage.

« Mais ensuite elles se retrouvent, s'empressa d'ajouter l'autre, à la fin elles se retrouvent et elles découvrent...

— Ne me dis rien », fit Anna, bondissant sur ses pieds et attrapant son cartable. « Je te promets de la lire, quand tu l'auras finie.

— Mais je ne sais pas quand je la finirai ! s'écria Lisa en rougissant. J'ai écrit seulement le début... Je la finirai à l'université...

— Alors on ira ensemble à l'université, dit Anna en souriant. Mais pour le moment magne-toi le cul, sinon ma mère va être furieuse. »

En effet, quand Anna rentra, sa mère était furieuse et les pâtes étaient trop cuites.

Son frère était là, débraillé, les pieds sur la chaise d'en face, à changer sans arrêt de chaîne.

Sandra remplit les assiettes et les apporta sur la table.

« Anna, dit Alessio en mâchant, je voulais te dire que Francesca, elle a des problèmes... » Il engloutissait ses pâtes en une bouchée et continuait de parler quand même. « J'ai entendu dire des choses, si c'est vrai, dis donc ! On raconte des trucs vraiment lourds sur elle, moi je sais pas mais... » il leva la tête de son assiette, « si j'étais toi, j'irais lui parler. »

Anna était restée la fourchette à la main. Elle ne mangeait pas.

Sandra écoutait sans rien dire, elle repensait à Rosa, ces grands airs qu'elle s'était donnés l'autre jour... surtout venant de sa part !

« A', reprit Alessio, je l'ai vue chez Aldo... Je voulais pas t'en parler, mais je te jure, elle s'habille comme une pouffiasse. »

Sa meilleure amie. Une pouffiasse. Anna avait l'estomac tout petit petit, tout resserré sur lui-même.

« Crois-moi, redit Alessio, va lui parler... » Puis il finit d'un trait sa canette de Coca-Cola et rota comme si de rien n'était. « C'est vraiment devenue une pétasse. »

Anna se sentit rougir d'un coup, elle l'aurait tué sur place.

« Oui, eh ben alors », cria-t-elle, furieuse, « puisque t'es pas capable de te mêler de tes oignons, je vais te dire un truc moi, et on verra ! Il y a deux semaines, c'était quoi ? L'autre samedi... piazza della Costituzione, j'ai vu papa ! »

Sandra blêmit.

Alessio devint vert.

« Je l'ai vu ! » Anna se leva, au comble de l'exaspération. « Il avait une bouteille de mousseux à la main ! Ça t'apprendra à te mêler de tes oignons, pauvre connard. Francesca, t'as même pas le droit de prononcer son nom. »

Anna disparut dans sa chambre en claquant la porte. Elle se jeta sur son lit et pleura, pendant que dans la cuisine explosait un grabuge infernal. Sa Francesca, habillée comme une pouffiasse... Pas possible ! Enrico était un monstre.

Enrico, le seul homme au monde qui ne soit pas humain.

11

Son tour d'équipe fini, il était tout crasseux, comme le vilain bonhomme noir qui fait peur aux enfants. Il se glissa dans les douches, où les vieux comme les ados se lavaient nus côte à côte. Il gratta la fine poussière sur sa peau avec l'éponge à gommage qu'utilisent les femmes. Ça pénètre profond, cette merde, tu comprends pas comment mais ça rentre même dans ton slip.

Il se coiffa avec soin avant de sortir. Échangea quelques phrases avec les autres sur la vague de licenciements. Deux ou trois jurons en enfilant ses chaussettes, mais en se marrant, dans le vestiaire de la Lucchini qui était resté le même depuis les années 70 : les portes de placards tombaient en morceaux et les robinets fuyaient.

Dehors c'était une magnifique journée de mai.

À deux heures de l'après-midi, la température dépassait déjà les trente degrés. La saison avait commencé : presque partout les plages avaient été débarrassées des algues sur les côtes fréquentées par les touristes, les établissements balnéaires ouvraient. Les parasols avaient reparu, et les chaises longues, et les vendeurs de noix de coco qui criaient : « *Cocco, cocco bellooo !* »

Alessio pointait à la machine, saluait cordialement la dame âgée dans sa cabine. Il n'avait pas vu qu'il était suivi. Il escalada la barrière autorisant l'accès des camions.

Il marchait entre les carrosseries chauffées à blanc du parking à moitié désert, sous un soleil ardent. Le vacarme de l'usine pesait de partout, l'empêchant d'entendre derrière lui les pas de la personne qui le suivait. Des talons nets sur l'asphalte bouillant.

Il ouvrit la portière de la Golf GT, qui brillait comme un miroir. Lança sur la banquette arrière son sac avec son gel douche et son bleu de travail tout graisseux roulé en boule. S'entendit salué par quelques collègues : « Salut merdeux ! » Mais ses clés étaient tombées sous le siège et il dut se pencher pour les récupérer. « Eh, mignonne ! Qu'est-ce t'as à lever le cul comme ça ? »

C'est alors qu'il entendit un « Salut » différent.

Il leva les yeux. La vit à travers le pare-brise. Elle souriait poliment, sanglée dans un tailleur noir. Habillée avec ce truc, loin du rayon d'action de toute climatisation, il devina qu'elle crevait de chaud.

Il sortit de l'habitacle au ralenti (Pas de blagues, dit Tom à Jerry, retourne-toi lentement, les mains sur la tête). Dans ses jambes un fourmillement instantané s'était déclenché, façon Pavlov. Tu prends Alessio, tu lui mets Elena devant, et tu peux être sûr, quoi qu'il lui passe par la tête, qu'il aura des fourmis dans les jambes, la salive qui s'altère, le rythme cardiaque qui s'accélère et qu'il se maudira intérieurement.

« Je peux te voler cinq minutes ? »

Il la regarda avec méfiance. Ce ton formel qu'elle avait ces derniers temps, les rares fois où ils se croisaient sur le parking, avait le don de l'indisposer. Elle avait de minuscules gouttes de sueur sur le front, son fond de teint avait un peu coulé aux coins du nez et de la bouche. Elle était belle quand même. À part ses manières de femme d'affaires.

« Tu rentrais chez toi ? Tu es pressé ? » Elena n'attendit pas la réponse. « Il faut que je te parle, Ale, c'est urgent. »

Ale. L'effet que ça lui faisait, de s'entendre appeler comme ça.

« Dis-moi.

— Oui, mais peut-être pas là... »

Ils s'abritèrent dans une misérable zone d'ombre sous la pancarte *Lucchini S.p.A. Piombino* en grands caractères noirs sur fond blanc. Alessio laissa sa voiture ouverte, avec son portefeuille et son portable bien en vue. Elena, pendant ce temps, déboutonna sa veste et, avec un soulagement évident, resta en corsage à moitié transparent.

Ils se tinrent face à face. La dentelle de son soutien-gorge accrochait l'étoffe de son corsage, rendant visibles au-dessus les formes familières, vivantes dans le souvenir, à nouveau là, dans toute leur évidence. Alessio détourna le regard.

« C'est à propos des licenciements. Les trois cent cinquante que nous avons mis au chômage technique ne seront pas réintégrés, et nous devons en licencier d'autres. Les partenaires russes posent des conditions très dures. Ils veulent diversifier les produits, délocaliser une partie de la production à l'Est, une partie importante, je veux dire... Et nous ne sommes pas en mesure de nous y opposer. »

Parler avec elle de production et de licenciements. Une nouveauté qui l'énervait au plus haut point.

« L'Italie est chère, tu le sais : le coût de la main-d'œuvre, le coût des transports et des matériaux...

— Bon. » Alessio se mit à jouer avec son porte-clés, « et moi là-dedans ? »

Elena changea de visage.

« Toi là-dedans, Alessio », et voilà qu'elle recommençait à parler pointu, « tu es concerné, ô combien », la petite institutrice, l'institutrice-femme d'affaires, « parce que je ne suis certainement pas en train de servir mes intérêts, et encore moins de faire mon devoir, en te dévoilant les plans de l'entreprise.

— Je te remercie, alors ! » s'exclama-t-il avec cette tête à claques qu'il savait si bien prendre et qui avait le don d'énerver Elena. « Les plans de l'entreprise, ben dis donc ! »

Elena ne riait pas. Elle le regarda de travers, nerveuse et agacée. Mais raide comme elle était dans son petit corsage, avec sa jupe longue au genou qui la serrait aux cuisses et sur les hanches, et puis tout ce bazar à tenir dans les bras – la veste, les dossiers, les fiches, sa mallette –, elle ne pouvait guère que hausser les sourcils et souffler, pour exprimer cet agacement.

« Ale, continua-t-elle en s'efforçant de paraître compréhensive, là il s'agit de ton avenir, pas du mien. Je veux te parler franchement. J'ai besoin de savoir jusqu'à quel point tu es prêt à t'engager pour continuer à travailler avec nous, dans notre entreprise... » *notre* entreprise, carrément, « en d'autres termes, pour te le dire plus simplement... est-ce que tu veux rester avec nous jusqu'à ta retraite, ou bien as-tu l'intention de chercher un autre emploi ?

— Pourquoi tu me poses la question ?

— Parce que c'est important. Parce que c'est moi qui m'occupe des embauches et des licenciements, et que je peux décider dans quelle rubrique te mettre. Effacer ton nom d'une liste, le mettre dans une autre, *you understand ?* »

Les condamnés, et les sauvés. Et en plus, elle fait de l'esprit. Une femme puissante, les gars...

Attention ! Mon nom sur la liste, elle l'efface, elle le remet. C'est elle qui décide, compris ? L'aurait mieux fait d'épouser le crapaud d'Unicredit.

« Un paradis pareil ? Et qui voudrait le quitter ? » Alessio eut un rire amer. Il irradiait d'hostilité, de rage pure. « Je vois que tu as su y prendre ta place, *in the paradise*... »

Elena encaissa le coup et continua : « Ton nom est parmi les prochains qui seront mis au chômage technique. Je veux juste t'aider. »

Chômage technique. T'aider.

« Écoute, Elena, parlons clair. J'en veux pas, de tes faveurs. J'en ai pas besoin. »

Elle se mordit la lèvre. « J'ai été maladroite ? Si je t'ai offensé, je te demande pardon. Ce n'était pas mon intention...

— C'est quoi, alors ? Tu me repêches et tu vires à ma place un autre pauvre con, juste parce que tu le connais pas, un qui a peut-être des mômes ? » Il était en train de s'énerver. Clair comme l'eau de roche qu'il était en train de s'énerver, et elle aurait mieux fait de tourner sa langue dans sa bouche sept fois, non, sept mille, avant de l'ouvrir.

« J'ai appris pour ton père... » éluda-t-elle à l'improviste, « je sais que ton salaire, ça compte beaucoup maintenant pour ta famille, et j'ai pensé...

— T'as penséé ? Et qu'est-ce que t'as donc pensé ? rugit Alessio. T'as pas besoin de penser, t'entends ? T'en as un culot, ma salope ! Mon père ? » comme un fou, « Qu'est-ce qu'il a à voir dans cette merde, mon père ? Tu veux me dire ce qu'il a à voir avec moi ? ! Connasse ! »

Elena ferma les yeux : mon Dieu mais qu'est-ce que j'ai dit, mon Dieu mais qu'est-ce que j'ai fait.

« Tu n'as pas compris, Ale... essaya-t-elle de dire. Excuse-moi. »

Mais il avait le visage en feu. Il aurait pu se jeter d'un instant à l'autre sur un panneau routier, sur les containers à ordures ou sur une voiture garée, n'importe quoi, et les réduire en miettes : elle le connaissait bien, Alessio. Alors elle s'approcha pour lui prendre les mains, tenta de le calmer comme elle l'avait déjà fait des millions de fois jusqu'à il y a quatre ans.

« Laisse-moi », gronda-t-il, blessé, en dégageant ses mains.

« Je me suis mal exprimée, je te jure. » Elle mit une main devant sa bouche, puis dans un filet de voix : « Je voulais juste t'aider...

— Et moi je veux pas qu'on m'aide, nom de Dieu ! » lui cria-t-il au visage, un visage défait par la chaleur et par la peur. Puis il se tut.

Il lui tourna le dos. « Salut », il s'apprêtait à partir.

Elena le retint. Lui attrapa le coude, le serra fort. Et il le sentit dans tout son corps. Il ne bougea pas.

« Ton super poste, il t'a monté à la tête », dit-il.

Elena fit un pas en avant jusqu'à couvrir la dizaine de centimètres qui les séparait, jusqu'à l'annuler pour s'appuyer de la joue, de la poitrine, du ventre contre son large dos à lui.

Ce fut quelque chose de spontané qui les raidit tous les deux.

« Ton super poste, il t'autorise pas à traiter les autres comme des pauvres types. Tu connais rien à rien, oublie pas ça. »

Un instant d'incrédulité à se retrouver ainsi après toutes ces années, en pleine dispute, en pleine conscience d'être désormais deux étrangers imperméables, inaccessibles l'un à l'autre, avec un mur de bile au milieu.

Ce contact était beau et chaud. Il sentait son cœur battre contre son dos. Elle sentait l'agitation et le tremblement, et toute sa présence à elle s'insinuer sous sa peau, se promener dans tout le réseau de son sang.

« S'il te plaît », lui dit-elle.

Sans le lâcher, elle l'obligea à se retourner et à la regarder.

« T'as vraiment changé, t'es devenue une pute.

— S'il te plaît », elle lui tenait les mains et il la laissait faire, « c'est tellement difficile de parler avec toi... Je ne savais pas comment te prendre, je me suis trompée. Quand j'ai vu ton nom aujourd'hui sur la liste, j'ai eu peur. Crois-moi, j'ai cru que j'allais en faire une crise cardiaque... Et je t'assure que j'ai pensé à tout à ce moment-là, sauf à mon super poste. »

Alessio s'écarta au bout d'une seconde de cette étreinte absurde.

« Ok, Elena, dit-il du ton le plus neutre possible, fais ce que tu veux, fais ce qui te fait te sentir le mieux avec ta conscience. Et maintenant, salut », il se tourna vers sa voiture, « bonne journée », et il commença à marcher.

« Attends ! »

Alessio avançait d'un pas vif vers sa Golf GT, et elle le suivait, incrédule. Des feuilles tombaient de ses dossiers, s'envolaient partout, et elle les laissait tomber et s'envoler.

« Je ne veux pas qu'on se quitte comme ça. » Elle posa la main sur le capot dans un geste décidé. « Attends un instant. Je ne veux pas que ça se termine comme ça, après toutes ces années... »

Alessio ouvrit sa portière, vérifia que son portefeuille et son portable étaient là.

« Je peux t'inviter à déjeuner ? » elle le suppliait maintenant. « Déjeunons ensemble, s'il te plaît, ce serait bien de pouvoir dialoguer... »

Dialoguer ? Mais qu'est-ce que je raconte ? Elena débitait des banalités effroyables sur un ton implorant qui frisait le ridicule. Elle s'en rendait compte et s'en voulait à mourir. Pourtant, elle ne lâchait pas.

« Chez moi, c'est les hommes qui invitent les femmes à déjeuner », gronda Alessio.

La vitre était baissée et il la remonta. Clore au plus vite cette scène pathétique, l'enfermer hermétiquement à l'extérieur. Il évitait de la regarder en face.

« Alors tu n'as qu'à m'inviter à déjeuner ! »

Elle s'était plaquée à la carrosserie, maintenant, elle criait contre la vitre qui remontait.

« On ne s'est pas compris, Ale, je t'en supplie. Tu ne peux pas t'en aller. Ça ne peut pas finir comme ça ! »

Il démarra. Poum : net et incisif. Clé dans le contact, embrayage, accélérateur. Il passa la seconde, troisième et quatrième sur une distance de trois cents mètres, lançant un vrombissement effroyable qui ne parvenait pourtant pas à exprimer toute sa colère.

Après toutes ces années, ça ne peut pas finir comme ça. Fallait y penser avant, connasse ! Une salope de merde, t'es devenue. Avec ta foutue mallette, ton foutu corsage, mais va te faire enculer ! Madame me fait l'aumône. Fille à papa de merde. Tu peux te la foutre au cul ton aumône de petite conne.

« Tu peux te la foutre au cu-u-ul ! » cria-t-il tout seul dans l'habitacle.

Elena était restée au milieu du parking, sur l'asphalte qui bouillait au soleil. Elle essayait de ne pas crier. Plantée là, les yeux fixés sur le point où la voiture d'Alessio avait disparu. Les employés qui entraient ou sortaient la regardaient d'un air curieux.

Merde merde merde ! À quoi ça t'a servi bordel toutes ces putains d'études, à devenir une baudruche ? Je peux te changer de liste. Madame prend mon nom, elle le déplace, et hop ! chômage technique. Les impératifs du marché. « Les Russes nous imposent des conditions très dures », fit-il en l'imitant d'une voix de fausset. « Allez tous vous faire foutre, connards ! »

Au carrefour, il pila. Le conducteur derrière lui dut braquer violemment et faillit le percuter. Alessio fixa le feu orange pendant une fraction de seconde, le temps qu'il passe au rouge. Puis il démarra et fit un demi-tour complet au milieu de la circulation.

Devant le bar Elba, Alessio déchaîna une tempête en provoquant l'ire des automobilistes, contraints à freiner brutalement, tamponner un réverbère, un panneau routier. Les hurlements des klaxons, et les gens devant le bar à regarder.

Il prit la rue en sens interdit, refit le chemin, entra comme une bombe dans le parking où Elena était restée immobile dans son tailleur Gucci, avec sa mallette ouverte et son visage de madone postmoderne, genre sculpture de Cattelan.

« Allez, monte », dit-il en ouvrant grand la portière.

Une madone défigurée, travestie en femme d'affaires, exactement comme à la Biennale de Venise.

« Monte, j'ai faim. »

Il jouait les durs maintenant, une main sur les vitesses et l'autre sur le volant, le type qui ne te regarde pas et qui enfonce l'accélérateur pour bien te faire sentir la rage du moteur. Elena se laissa tomber sur le siège, fila son collant, et Alessio partit avant qu'elle ait fermé la portière. En une rafale, le parking fut tapissé de formulaires de licenciement.

À présent ils étaient assis, muets, à l'intérieur de l'habitacle qui sentait l'Arbre Magic.

À la sortie du parking, Alessio tira sur le frein à main, comme au bon vieux temps. La voiture fit un tour sur elle-même et Elena ne put retenir un sourire – inconscient, affirmatif. Affirmatif de quoi ? Elle ne le savait pas, ne voulait pas le savoir, tout en attachant sa ceinture parce qu'il fonçait comme un taureau et se jetait à brûle-maquis par les routes, les échangeurs, les carrefours engorgés par la circulation.

Ils risquaient l'accrochage tous les vingt mètres. Alessio conduisait sans la regarder. Elle non plus ne le regardait pas, mais elle avait une envie folle de se jeter à son cou. L'envie délirante de tout envoyer promener. Elle avait filé son collant, son maquillage avait coulé, son corsage était déboutonné. Qu'est-ce que j'en ai à foutre ? Lui, avec elle à côté pendant qu'il conduisait, se moquait bien de s'écrabouiller l'instant d'après.

La ville, les maisons, les magasins, les kiosques à journaux, les balcons, des mères avec poussette, des vieux avec chien, des enfants, des élèves sortant de l'école : le monde zigzaguait de l'autre côté des vitres, bondissait de l'une à l'autre, du pare-brise au rétroviseur. Un chaos total. Alessio virait en chassant sur les roues arrière, Piombino devenait Guernica.

Elena retenait sa respiration, mais uniquement parce qu'elle s'amusait comme une folle. Alessio le savait, qu'elle riait, sur le siège du passager. *Elle*, le passager.

Son cœur faisait ce qu'il voulait, ses poumons aussi, les muscles de ses jambes s'étaient barrés.

Combien de temps ça durerait ? Un quart d'heure, une demi-heure, un après-midi entier ? Aucune importance. Le temps est resté dehors, avec le profit, et le capitalisme, et les poches de coulée. Passé, futur : adieu.

« À quelle heure je dois te ramener ?

— Aujourd'hui, c'est vacances. »

Alessio se tourna pour la regarder.

Ils sourirent, complices, pendant que le soleil inondait de tous ses rayons l'habitacle parfumé à l'Arbre Magic.

« Allons à la Vecchia Marina », hasarda-t-elle.

Elle était surexcitée, elle était trop vivante pour s'en inquiéter.

« Tu plaisantes ? demanda-t-il.

— Absolument pas. »

Alessio actionna la fermeture automatique, lança un regard de supériorité vers le panneau blanc et rouge qui indiquait ZTL[1] gros comme une maison, puis la regarda, elle...

Il y avait du silence dans la vieille ville. Un silence de filets de pêche abandonnés sur les quais, de fontaines sculptées dans le marbre et de bateaux de bois qui se balançaient. La Rocchetta était l'antique refuge des pêcheurs et des couples d'adolescents le samedi après-midi. Sur la piazza Padella, une place grande comme un cagibi, Alessio et Elena s'étaient donné leur premier baiser.

Ils entrèrent dans le restaurant au moment où les cuisines fermaient.

« Bon, on va s'arranger... » dit le garçon. Autour, sur les tables vides, il y avait des restes de pain,

1. *Zona a Traffico Limitato* : zone urbaine où n'ont le droit de pénétrer que les voitures des riverains.

des serviettes de table dépliées et des carafes avec deux doigts de vin. Un homme dans la soixantaine finissait de manger seul, coupant quelque chose avec soin entre couteau et fourchette.

Ils s'installèrent : pas à la table où il lui avait demandé de l'épouser, à une autre... mais toujours avec la vue sur l'île.

Elena avait les cheveux en désordre, elle tripotait un gressin. Alessio prit le menu et commença à lire sans rien comprendre. Il n'y avait pas un seul sujet, pas un seul dans tout le royaume des sujets de conversation, dont ils pussent parler.

Ils commandèrent deux assiettes de *spaghetti alle vongole* et une bouteille de Greco di Tufo.

Tantôt ils se regardaient, tantôt ils regardaient la ligne de l'Elbe, que le soleil à cette heure nimbait d'argent. La tension se diluait dans l'alcool, le monsieur solitaire reposait son verre de *limoncello* et se levait en attrapant sa veste.

Maintenant, dans le restaurant vide, c'était totalement tranquille. Ils éprouvaient une sensation de calme et de reddition. Les garçons déboutonnaient leur veste, la cuisinière accrochait son tablier : le calme et la reddition de ces heures de l'après-midi, en ce lieu qui appartenait au passé et regardait vers la mer.

Des choses à dire, il n'y en avait qu'une. Mais aucun des deux ne le fit.

Ils se levèrent presque en même temps. Alessio alla payer, Elena resta en arrière sans oser l'arrêter.

Ils sortirent et marchèrent côte à côte vers le phare, le point où l'Elbe était la plus proche de Piombino.

La Golf était toujours là, on ne l'avait pas embarquée à la fourrière. Mais il y avait une amende bien en vue sous l'essuie-glace.

La femme qui se promenait en ce moment à côté de lui, en tailleur noir et corsage léger, était la responsable du personnel de la Lucchini. L'homme qui se promenait à côté d'elle était un métallo, en jean trop large qui lui descendait sur les fesses. Pourtant, quelque part sur ces bancs, il y avait sûrement encore leurs deux noms gravés.

Ils s'accoudèrent au parapet de granit. La place dédiée à Giovanni Bovio, éminent républicain, homme du Risorgimento voué à l'idée d'un monde juste, était devenue avec le temps une terrasse pour les amoureux.

Les vagues se brisaient sur les trois côtés. On avait l'impression qu'on pouvait la toucher, qu'il suffisait de tendre le bras pour la saisir... Ilva.

Le nom secret, se dit Alessio à mi-voix, la vraie *signification*.

12

Les lumières s'éteignirent d'un coup.

« On veut-d'la-chatte, on veut-d'la-chatte, on veut-d'la chatte ! »

À ce chœur de supporters un peu rauque, dans la partie gauche de la salle, un autre fit écho sur la droite : « Du-cul, du-cul, du-cul, du-cul ! »

Elle les entendait s'agiter derrière la porte. Le bétail qui presse contre la clôture. Elle les entendait taper du poing sur les tables, claquer les billets sur le comptoir. Un, deux, trois… Elle les comptait.

Elle se tenait l'oreille collée à la porte. Entendit des verres se briser, un commencement de bagarre. Puis l'intervention des videurs style Bud Spencer.

À dix heures, elle s'éclipsa de la loge, traversa la salle sur la pointe des pieds, attentive à ne pas trébucher. Un léger déplacement d'air.

Elle entra sur la piste. Le public impatient distingua sa silhouette en mouvement dans l'obscurité dense et malodorante. Les voix se turent peu à peu. Le scintillement ténu de son string dans la lueur des écrans de portables allumés les ensorcelait. Les chœurs cessèrent.

Elle prit place sur le piédestal. Saisit de ses deux bras tendus la barre métallique avant d'éclore en position de départ.

Rhythm. Elle renversa la tête en arrière. *Rhythm*. Écarta les jambes.

Le projecteur au centre du plafond s'alluma d'un coup, et la matérialisa.

You can feel the, you can feel the... Noyée de lumière blanche.

Entassés les uns contre les autres, ils transpiraient. Ils étaient plus de deux cents. Ils poussèrent un grognement de surprise. L'instant d'après, la musique explosa. *Rhythm is a Dancer*. Sa chanson.

Et elle, elle était nue, et regardée.

L'an dernier, elle aurait dansé devant la fenêtre de la salle de bains, au quatrième étage du bâtiment sept, et Lisa l'aurait guettée derrière le rideau le cœur battant et son oncle aurait interrompu exprès son petit déjeuner.

Mais ici ce n'est pas le même genre d'endroit, ici des métallos bourrés tapent dans leurs mains et cassent des verres. C'est devant ces hommes, à présent, qu'elle se matérialise.

Elle pivote, elle s'ouvre, autour du mât d'acier, en talons aiguilles et en string. Rien d'autre.

Elle n'est pas comme les autres. Elle est vivante, elle. Envoie des coups fermes de son bassin qui se déhanche. Rien ne la bride. Sous ses cils, la candeur d'une petite fille. Quand elle monte la jambe très haut, jusqu'à toucher sa tempe avec sa cheville, alors on dirait vraiment ta gamine toute désarticulée sur le tapis de mousse pendant l'épreuve de gymnastique artistique.

Écarter le bord du string du bout de l'index. On voit qu'elle a peur de le faire. Elle sourit, embarrassée. C'est son embarras qui effraie, c'est sa grâce qui déchaîne les ouvriers de la Lucchini et de la Dalmine. Et c'est émouvant de voir un papy la bouche ouverte, la main mal assurée autour de son verre, parce que en réalité elle ne connaît pas le métier. Et elle s'embrouille au meilleur moment, celui du string.

Elle s'accroche à la barre, se laisse tourner autour en faisant pleuvoir la cascade de ses cheveux. Et les applaudissements arrivent. Elle est heureuse, elle a tout à fait l'air d'une pute heureuse. Elle frotte ses fesses contre le mât, courbée en avant sur ses genoux. Une fois, deux fois, trois fois. Les ouvriers en perdent la tête, ils sont debout, sortent leur fric. Ce sont leurs vacances.

Il y a une fureur en elle quand elle danse. La concentration et le manque d'assurance d'une première fois. Par moments elle a envie de rire, quand elle se trompe : c'est une chose que nulle part au monde, dans un spectacle de lap dance, tu ne verras jamais. Il faut venir ici, dans cette périphérie de merde, dans ce trou glauque en sous-sol pour voir pareille chose bouger, une chose vraie qui tombe parfois, qui se relève, qui agite son cul à la façon d'un animal.

Elle le sait bien : elle ne verra personne de chez Canale 5. Ils ne viennent pas jusqu'ici. C'est un bouge. Ici viennent ceux qui triment huit heures de rang, qui ne se lavent pas trop, qui ont une famille, une baraque minable. Le point de vue stratégique derrière le rideau.

Elle aime être regardée. Mais pas par un seul homme. Elle reconnaît le râle derrière la porte, la main qui se glisse dans la poche pour frotter le sexe. Elle sait qu'elle en est la cause. Elle sait qu'elle en porte la faute. Mais ici, sur la scène du Gilda, elle s'amuse.

L'oncle de Lisa multiplié par cent. L'homme caché dans l'immeuble d'en face, derrière la porte... Elle n'est pas comme l'*autre fille*. Elle ne joue pas. Elle fait venir deux cents personnes dans cette boîte tous les vendredis soir, et soutire bien plus de fric de leurs portefeuilles gonflés que toutes les autres réunies.

La moue vulgaire sur le joli petit visage propre de lycéenne. Mais pas seulement. Elle est la perle dans le tissu limoneux, baveux, du mollusque.

You can feel it everywhere.

L'homme caché. Cette chose inavouable, la face congestionnée, la fermeture éclair baissée. Tous ils étaient immensément fiers, orgueilleux, paternels : le gérant, le propriétaire, le conseiller municipal chargé du tourisme et la foule hallucinée des touristes, des métallos, des retraités à deux pas de la tombe.

Un premier homme monte sur scène, brise la glace. Elle se penche en avant et lui met ses fesses sous le nez. Elle veut son petit billet. Il le glisse dans son string. Elle se penche à nouveau, elle en veut encore. Le vieux con, peut-être Gianfranco, peut-être pas, s'affole. Glisse les billets, l'un après l'autre.

La caisse enregistreuse tinte. Les applaudissements crépitent. Elle est la reine incontestée du Gilda.

Les jambes longues, vertigineuses. Le buste mince, osseux. Ce visage de star du cinéma des années 30, auréolé d'une vapeur dorée. Pas besoin d'un diplôme pour comprendre. Le fin sillage de son odeur, le mouvement adolescent du corps qui se trémousse contre la barre verticale. L'erreur, la rougeur de la petite voisine de palier malicieuse. Elle est universelle.

On l'emmène à des partys, quelquefois, sur des yachts ancrés à Punta Ala. On lui achète des vêtements raffinés pour qu'elle ait belle allure, qu'on ne voie pas d'où elle vient. C'est son employeur qui l'a dépucelée dans un motel un après-midi d'avril, et elle était restée impassible sous lui, les yeux au plafond.

Mais sur scène tout est différent. La chanson l'habite tout entière. *Rhythm is a Dancer* est son triomphe. Un aiguillon qui la cambre, l'incarne, elle en frétille. Regarde-la. Elle rit. Elle caracole et chante à pleine voix. *Ooh, it's a passion.*

Regarde-la qui joue... comme n'importe quelle adolescente qui danse devant la glace en imitant Britney et qui s'enferme à clé dans la salle de bains pour se déshabiller.

À la moitié de son numéro, Cristiano entra.

Il avança dans l'obscurité et la cohue, les yeux irrités par la fumée. On n'y voyait rien.

À tâtons il rejoignit Gianfranco au premier rang, non sans heurter cinq ou six tables. Son Negroni à moitié renversé.

« Hello, demi-portion ! » ricana le chef en le voyant.

Cristiano s'assit. Six ou sept ouvriers de sa boîte étaient là, saouls comme des ados. Pas lui, il était lucide, merde. Il avait fallu faire des prouesses d'acrobatie pour sortir du lit de Jennifer sans la réveiller. Et demander à Alessio qu'il lui prête la Golf, pas facile ça non plus.

« Celle-là, c'est de la bombe », dit son chef en la montrant du doigt.

Cristiano jeta un coup d'œil distrait, tracassé par l'endroit où il avait garé la bagnole, est-ce que c'était interdit de stationner ou pas. Faire embarquer la Golf d'Alessio à la fourrière : un cataclysme national.

« Celle-là je veux me la faire, bordel. Je la baise debout ! » criait Gianfranco survolté dans sa chemise rose à carreaux, et toujours le même bide proéminent que l'an dernier.

« C'est pas ça qu'elle dit, hein, "baise-moi" ? Avec sa petite frimousse, là, ses airs de chienne en chaleur… »

Les autres rigolaient.

Cristiano ruminait, sans arriver à se rappeler exactement si là où il s'était garé c'était interdit ou pas. Est-ce qu'y avait une pancarte ? Et en même temps il apercevait, un peu floues, une paire de jambes qui s'agitaient mais pas comme d'habitude.

« Elle a de la classe, dit quelqu'un, je sais pas où ils l'ont pêchée, mais les autres elles peuvent aller se rhabiller.

— Sûr qu'on la retrouvera sur Canale 5 ! »

Cristiano leva les yeux.

« Regarde ça comme elle balance son petit cul… C'est pas de la télé qu'elle devrait faire, c'est de la politique ! »

Regarda le cul qui se trémoussait sous ses yeux.

« Au gouvernement ! Au gouvernement ! »

Deux fesses rondes, fermes qui s'agitaient comme pas permis. Et un dos magnifique, une peau uniformément blanche, avec juste un sillon vertical le long de la colonne vertébrale. Une marée de cheveux, tantôt couvrant une épaule, tantôt l'autre.

Cristiano se mit à sourire comme un idiot. C'était vrai, nom de Dieu, elle savait y faire. Elle bougeait son corps à un rythme d'enfer, celle-là elle te chevaucherait sans problème même une heure d'affilée, rapide et dure.

Elle se retourna.

Pivotèrent le buste filiforme, les hanches à peine esquissées, les petits seins fermes.

Son visage.

Cristiano resta paralysé. Une remontée d'acide le long de son œsophage. Non, impossible… Sa gorgée de Negroni dans la bouche, qu'il n'avait pas le courage d'avaler. L'envie de la cracher, de tout cracher. Une sensation de peur, évidente.

« Francesca », balbutia-t-il.

Dans un filet de voix, que nul n'entendit.

13

« Jeudi dernier, on est allés à Milan pour la maintenance », disait Mattia, histoire de dire quelque chose. « Une usine plus petite que la nôtre, mais plus propre. Après on est allés faire un tour en ville. Je te dis pas le bordel... Et tu sais pas ce que j'ai vu ?

— Quoi ? » demanda Anna d'une voix neutre.

Elle était couchée dos tourné, ne fit même pas l'effort de lever le visage.

« Dans les boîtes, tu trouves ce que tu veux. Des extas, du speed, de la kéta, un max de trucs à des prix hallucinants ! C'est hyper pété de monde, même dans la rue... Pas comme ici, où ils sont tous couchés à onze heures du soir », Anna écoutait sans écouter, assommée par le soleil, « bref, à un moment on arrive sur un genre de grande place, avec l'église, le campanile et tout le truc. Y avait des jeunes couchés par terre, d'autres avec des guitares et des bongos à une heure du mat... Et là, qu'est-ce que je vois ? Tu me croiras jamais !

— Quoi ? » fit-elle en bâillant.

Mattia explosa : « Deux nanas en train de s'embrasser ! »

2 juin, jour de fête nationale. La plage était infestée d'enfants et de vieux à la peau flasque sous les

parasols. Des restes de lasagnes dans des barquettes aluminium, des trognons de pommes jetés dans le sable et d'autres déchets. Tous ceux de via Stalingrado étaient là.

Tous sauf *une*.

Anna ouvrit les yeux derrière ses lunettes de soleil, ce nouvel écran qui lui donnait des airs de demoiselle. Se tourna sur la hanche et le regarda.

« Deux nanas, je te jure, deux filles ! s'exaltait Mattia. T'aurais dû les voir assises sur le bord d'une fontaine, à s'embrasser au clair de lune... avec la langue ! »

Elle resta dans cette position, comme si quelqu'un l'y avait clouée. Son cœur, absurdement, battait la chamade.

« Y a qu'à Milan qu'on voit des trucs pareils. Je te jure, ils sont archibarrés, tu te croirais à Amsterdam. N'empêche, deux filles qui se roulent une pelle devant tout le monde... Ça, c'est du lourd. »

Tout de suite, elle l'avait cherchée des yeux. Pendant qu'elle descendait l'escalier, qu'elle traversait la passerelle de planches entre les cabines, qu'elle étendait sa serviette de bain, enlevait sa robe de plage.

La voir, là, à la lisière de l'eau, à sa place de toujours.

Mattia parlait de Milan, que ça n'avait pas de sens là-bas tout ce fric, les transsexuels alignés sur les trottoirs, les gens qui en avaient à mort après les Roumains aux arrêts de bus, et les mecs qui pouvaient crever en boîte pour un comprimé, un coup de couteau, la chronique des faits divers, et la seule chose qui n'avait pas de sens pour elle c'était que Francesca ne soit pas là.

Peut-être qu'elle n'avait pas bien regardé. Et que pendant ces dix minutes où elle était restée couchée à prendre le soleil, *elle* était arrivée.

Anna se rassit. Recommença à passer la plage au crible, chaque parasol, chaque chaise longue, chaque coin du bar où elle aurait pu être. Quel rapport, ces deux filles à Milan. L'animal, d'un seul coup, se réveillait en elle.

Mattia, il est comme les autres.

Le type qui se pose pas de questions.

Tu dois avoir le courage de regarder devant toi. Pas vers les serviettes de bain, pas là où pourrissent les vieux, les boudins et les petits couples, dont tu fais partie maintenant, toi aussi. Regarder devant toi, regarder la mer. Les groupes d'ados qui jouent au ballon. En prendre acte.

L'île dormait, virginale, sur la ligne estompée de l'horizon.

Elle repéra Nino et Massi. Ils jouaient dans l'eau comme l'an dernier. La tête mouillée, les cheveux ébouriffés, les muscles tendus. Elle vit Nino tirer une chandelle vers le ciel, le ballon tracer une parabole précise qui vint mourir sur le talon de Massi.

Elle les entendait crier : « À moi ! À moi ! » et pourtant de là-bas, les voix étaient presque inaudibles.

Le soleil à pic sur la tête et les épaules. Les yeux rougis par le sel, les pupilles comme des fentes. C'était la perfection. Les mouvements vifs des corps à peine développés, encore en devenir, des petites filles qui courent. Anna en vit une crier parce que le sable entrait dans sa culotte de maillot, elle s'asseyait dans l'eau pour l'enlever.

De larges cercles se font et se défont. Le ballon de volley qui rebondit sur la pointe des doigts, bras tendus, le smash qui donne la victoire. Et cette clameur, typique des presque adolescentes quand elles courent se jeter à l'eau. Plongent, puis réapparaissent.

Nino et Massi s'étaient fiancés, mais pas pour de vrai. Deux gamines de quatrième ou de troisième, qui en ce moment sur le rivage se les montraient du doigt et applaudissaient quand ils marquaient.

Anna les vit se chuchoter quelque chose à l'oreille. Corps fuselés, cheveux trempés de mer, longs jusqu'aux fesses. Des seins encore petits, des hanches inexistantes. Elle nota chez l'une le triangle du bas tout de travers, les fesses rondes presque entièrement découvertes. Elle les vit s'élancer soudain. Se jeter dans la mêlée, s'accrocher aux épaules des garçons.

Mattia avait cessé de parler, il feuilletait *La Gazzetta dello Sport*. Il lui avait peut-être posé une question. Elle n'avait pas envie de répondre. De mettre fin à cette torture de regarder le royaume dont Francesca ne faisait plus partie. Dont ni Francesca ni elle ne faisaient plus partie.

Et personne ne s'en était aperçu.

Anna fixait la ligne d'horizon, l'Elbe maudite où elle n'était jamais allée. Et elle sentait une grande colère, une envie de les regarder de travers, ces gamines plus jeunes, qui gardaient les jambes bien droites en faisant le poirier dans l'eau.

Projetée à l'extérieur. Exclue. Comme à la maternelle quand on te montre du doigt et qu'on te dit sèchement : « Toi non, tu joues pas. » Une expérience qu'elle n'avait jamais connue. Qu'elle n'imaginait même pas. Parce qu'elle n'était pas *une* mais *deux*. N'était pas *tu* mais *vous*. Vous ne jouez pas. *Annafrancesca* ne joue pas. Mais elles s'en fichaient bien, toutes les deux : elles avaient leurs plages secrètes, des cabanes en bois, des caves, des bancs, la côte de Salivoli tout entière pour elles seules.

Cruelles, se dit Anna. Elles étaient cruelles, ces adolescentes qui marchaient vers elle à présent, main dans la main, cette espèce de défilé imbécile, cette déambulation magnifique de culs, de seins, tout cet attirail qui déclenche les bouffées d'hormones et de jalousie.

Jouer à faire des pirouettes, à qui tiendra le plus longtemps sous l'eau sans respirer ! Francesca avait raison, le temps est quelque chose de terrible. Et maintenant, où est-elle ? Que fait-elle ?

Mattia sortait un jeu de cartes. Le sourire bête : « Une petite partie ? »

Avoir été au cœur de la vie, et ne pas l'avoir su.

Anna ramassa ses treize cartes, les rangea dans sa main. Commença la partie de *scala quaranta* avec son copain.

Ce n'est pas toi qui a perdu quelque chose. C'est toi qui est perdue pour ce quelque chose.

Mattia sur la serviette de bain continuait d'ouvrir : brelan de valets, suite à carreau, brelan de dames. Et elle regardait les grains de sable sur les cartes qui la distrayaient des cris des nouvelles petites putes, sans se décider à faire son écart.

Si elles étaient nées à Milan... Si elles étaient parties vivre à Milan, elles se seraient peut-être embrassées devant tout le monde, elles aussi, sur une grande place, avec la lune qui pointe derrière le campanile.

« Trois à zéro ! » triompha Mattia.

Au loin on cria : « But ! »

« J'ai plus envie de jouer. »

Anna jeta les cartes et s'étendit à nouveau sur sa serviette.

« Qu'est-ce que t'as ? »

Il vint sur elle, commença à lui masser la nuque : un prétexte pour glisser les doigts dans son maillot.

« Arrête, siffla Anna.

— Ce que t'es devenue bégueule... »

Il se releva, retourna à sa place mais continua pendant cinq bonnes minutes encore à la palper, en sifflotant. Tout content. En paix avec le monde, c'est sûr.

« Viens, on va se baigner ! »

Une phrase qu'il n'était même pas nécessaire de lui dire, l'an dernier.

Mattia se levait d'un bond, s'élançait en courant sur le sable brûlant puis se retournait et l'appelait.

Anna n'avait pas envie de se lever. N'avait envie de rien. Ils auraient mieux fait de rester enfermés, tous les deux, volets baissés, elle lui en aurait moins voulu, peut-être.

Elle marcha vers le rivage, à contrecœur. Il nageait tranquille, comme un bienheureux. Anna entra dans l'eau. Se mouilla le ventre puis les épaules, et sentit le froid. Nagea deux brasses pour se dérouiller. Rejoignit Mattia : ce garçon comme tous les autres, ce garçon en paix avec le monde, qui voulait baiser dans l'eau, maintenant. Elle lui fit non, de l'index.

Elle se laissa flotter à la surface. Joua à faire la planche. À ouvrir bras et jambes dans la mer comme un cadavre qui ne pèse rien.

Où était-elle maintenant ? Où vont les choses qu'on a perdues ?

Les tennis abandonnées sous la barque, à la plage aux algues...

Anna ferma les yeux. Si elle se concentrait, elle pouvait entendre la voix de Francesca, qui montre la bouée là-bas, infime point jaune qui danse, un but insignifiant mais énorme pour elles, en 2001… Francesca qui prend son élan et plonge la tête la première dans l'eau puis réapparaît et crie : « Allez, on va jusqu'à l'Elbe ! »

14

Alessio marchait vite, dans le contre-jour, à six heures du matin.

C'est l'heure des bêtes, l'heure des museaux pointus. Elles sortent des égouts, remontent par les tuyaux, les créatures secrètes qui grouillent sous les hangars de la Lucchini.

Alessio en vit un, un rescapé, qui sortait d'un buisson desséché pour s'arrêter aussitôt. Il n'avait rien à lui donner mais se baissa, genoux pliés. Il aimait leur nez, à ces petites bêtes, le triangle humide et rose. Le chat tigré resta pétrifié, à le regarder de ses grands yeux jaunes. Il avait la queue coupée. Alessio tendit la main presque à le toucher, mais l'animal arqua le dos et disparut.

Le soleil se levait, déployant sous le regard les dix kilomètres carrés de l'usine.

Alessio arriva au pont-roulant, sa bête à lui, et se dit que peut-être aujourd'hui son père reviendrait à la maison.

Il salua le collègue qui débauchait et partait se coucher. Empoignant le clavier, il vérifia que tout était en place. Ok, soldat Ryan, tu peux y aller. Soulever les poches de coulée, les déplacer, les envoyer mentalement se faire foutre.

Alessio s'enfonça les écouteurs dans les oreilles. La techno hardcore lui explosa les tympans. Pas facile de régler le tempo de ton existence sur le temps que l'acier met à fondre, se solidifier, recevoir une forme.

Ça mérite bien une ligne, ça.

Tapi dans un coin, il sortit son bout de miroir, roula un billet de cinq et s'envoya son salaire dans les narines, sa dose quotidienne. Il prenait son poste dans la guerre permanente, avec fierté. Quelquefois en rigolant, quand le hardcore pulsait au même rythme. Ça aurait marché aussi, aujourd'hui, sauf qu'Elena lui torturait la cervelle.

À un kilomètre et demi de là, Mattia arrivait tout essoufflé au train à fil : le laminoir qui transforme les billettes en fils d'acier ou en tubes, lourds à crever. C'était à lui de les charger sur le chariot-élévateur, à la sortie du laminoir, et de les transporter à la halle de contrôle des surfaces.

Il salua Eva Henger sur la page de juin du calendrier. Grimpa sur le chariot garé là pour lui, pour qu'il s'y installe et qu'il se crève le cul tranquille pendant huit heures d'affilée.

La lumière éclaboussait, fertile et chaude, les cheminées et les ponts-roulants. Mattia pensait à Anna, sa petite chérie qui dormait comme une bienheureuse, à ses taches de rousseur, ses boucles sur l'oreiller.

Son pyjama d'été, celui de la première fois. La peau plus claire à l'aine. Mattia pensait à Anna, tiède et vaporeuse sous les draps. Et son corps répondait.

Ça arrive, oui, ça arrive, pendant que tu charges des tonnes d'acier, ton corps qui s'insurge dans le bleu de travail. Du profond remonte le flux de lymphe, tes artères s'ouvrent, pompent. Le muscle caché, le moins civilisé. Tu dois chercher des toilettes, un coin derrière un buisson. Baisser ta fermeture éclair, te rebeller.

Dans un tout autre endroit de l'usine, à sa frontière occidentale, Gianfranco engueulait Cristiano, encore arrivé en retard ce matin.

« Arrête avec le Gilda ! criait-il. Regarde dans l'état que t'es... Et regarde-moi ce bordel ! » Il montrait une montagne de résidus. « Va te laver la gueule, nom de Dieu ! »

Cristiano bâillait, frottait ses paupières chassieuses.

« *Fly down*, chef... marmonna-t-il. L'autre soir oui, mais hier j'y étais pas.

— Alors freine un peu sur la branlette ! »

Deux nuits de suite, la pensée de Francesca l'avait empêché de dormir. Il la revoyait nue, fluorescente sous les projecteurs, et ça le torturait. Parce qu'il savait bien qu'elle n'avait pas dix-huit ans mais quatorze. Sa petite voisine de palier, merde. Il l'avait vue partir à l'école en tablier rose à carreaux, main dans la main avec Anna. Deux petites mômes, le cartable en couleur sur les épaules.

Mais pour l'instant, il y avait ce magnifique Caterpillar qui l'attendait. Une montagne de gravats, sur cinq ou six mètres, fraîchement concassés. C'était ça, son problème, pour l'instant : les gravats.

Il positionna le godet de la pelleteuse et commença à creuser la montagne, retirant de tout : des restes de cheminées démolies, des barres de fer tordues, des briques réfractaires éclatées, des cadavres de rats, même des morceaux de cuivre quelquefois.

Du cuivre : l'impératif catégorique est d'arrêter le moteur, descendre calmement, récupérer dans la pelle l'équivalent de cinquante mille lires le kilo et le cacher dans un coin discret pour l'emporter en partant.

Cristiano, l'impératif kantien, il l'appliquait à la lettre.

Ce matin-là, comme d'habitude après même pas un quart d'heure de boulot, voilà qu'il devenait sentimental. La sueur aux tempes, la terre qui entre dans ta bouche, ce goût de copeaux de fer sur la langue, ça lui faisait toujours cet effet-là.

Il téléphona à Jennifer, la fit sortir du lit pour qu'elle lui amène le bébé. Au kilomètre cinq, à côté du poste d'essence.

Alessio était énervé. Mattia avait sommeil. Cristiano bouillait d'impatience à la pensée des tête-à-queue qu'il ferait faire à son Cater devant son fils. 3 juin 2002, sept heures du matin.

Une vraie chance qu'ils soient dans l'équipe du matin, tous les trois. Ils se retrouveraient à deux heures dans les vestiaires *vintage*, sous les douches à jet intermittent. Après, ils iraient à la plage de via Stalingrado, ils débouleraient au milieu des cabines : garez-vous, on arrive !

Une poche énorme : dix-neuf tonnes six. À charger, soulever, déplacer, et pareil jusqu'à midi, après ça serait la pause-déjeuner et il resterait encore une heure à se casser le cul. Juin : la brune pulpeuse de *Striscia la notizia* le cul à l'air sur un rocher.

Le soleil se levait sur le promontoire. D'ici, on ne voit pas l'Elbe. Juste le golfe qui s'ouvre depuis l'usine jusqu'à Follonica, avec les silhouettes de la Dalmine et de l'Enel au milieu. La rangée de pylônes dénudés : Cristiano et Alessio, à eux deux, ils te changent un paysage.

D'accord, je t'appelle demain pour te dire. Elena avait écrit ça, dans son message d'hier.

Et alors, pourquoi t'appelles pas ? Tu dois pas être levée, t'as pas encore pris ton petit déj... Mais il ne pouvait pas attendre. La veille, il avait pris son courage à deux mains pour lui demander par texto si elle voulait venir déjeuner avec lui aujourd'hui, ça lui avait pris une heure pour taper ce foutu message.

Alessio levait les yeux, son regard se perdait sur les cuves de fioul, les vapeurs roses et mauves qui surchauffaient l'atmosphère. Puis revenait sur le levier de commande, le geste élémentaire. Le truc qui fait pression sur un autre truc. Le truc qui fait pivot.

Il transpirait, respirait du plomb, maudissait les mille cinq cent trente-huit degrés de la température de fusion du métal. Près de lui passaient les poches incandescentes. À trop s'approcher, les vêtements pouvaient prendre feu.

Faut aller à la gare pour l'apprécier vraiment. Prendre l'Intercity et te pencher à la fenêtre du train : là, tu le sens vraiment, l'acier qui crisse, la friction, l'étincelle qui fait crépiter le voyage. Dans ta tête, tu revois tout le parcours : de la cokerie au haut-fourneau, du haut-fourneau à l'aciérie, et de là aux convertisseurs, aux poches de coulée, aux laminoirs...

Les rails sur lesquels le train roule : c'est toi qui les as fabriqués.

Alessio n'en pouvait plus d'attendre une réponse. Le soleil lui tapait sur la tête. Son portable ne vibrait pas. Une chaleur étouffante stagnait partout, comme un marécage de rouille. Où il était son salaud de père, est-ce qu'il allait revenir ? Ce culot, la fois où il avait débarqué ; non, décidément, il pourrait pas lui pardonner.

Huit heures du matin. Les poches de coulée continuent d'arriver. Les ombres ont raccourci de quelques centimètres. Et t'es là avec tes problèmes. La main énervée qui tape sur le clavier, il faut absolument que tu saches si ton fumier de père va rentrer, si Elena viendra déjeuner à la cantine. Les minutes, tu les comptes avec le passage des poches. Tu les détestes, ces minutes. Ta main a un geste de colère. Cette salope de poche, elle se met à tressauter. Et les câbles d'acier se chevauchent tout à coup, tu les vois se chevaucher…

Tu te mets à jurer comme un charretier. « Merde merde merde ! »

Alessio gueula et balança le clavier par terre.

Calme-toi. C'est des trucs qui arrivent. Un sursaut de la poche, les câbles qui se chevauchent, il faut tout arrêter avant que ça empire. C'est des trucs qui peuvent arriver n'importe quand. Oui, mais pas aujourd'hui.

Alessio jurait tant qu'il pouvait.

La coke lancée dans tes veines, ton père qui a téléphoné hier et qui va peut-être rentrer aujourd'hui et toi qui voudrais vachement lui pardonner. Avec rage, il arracha ses écouteurs. Nom de Dieu, c'était pas le moment : une heure de boulot en plus, peut-être deux. Pour des conneries, à te filer l'envie de tout envoyer péter. Parce qu'il faut que tu la voies, Elena, à la pause, t'as un putain de besoin de la voir, tu vas pas rater une occasion pareille rien que pour une saloperie de poche de coulée merdique.

Il lui fallut descendre la charge suspendue, la décrocher du palan puis partir à la recherche du chef de zone, jurant tout ce qu'il pouvait. Dans n'importe quelle situation, même si t'es au bord de la crise de nerfs, tu dois respecter les consignes de sécurité. Alessio respectait les consignes. En fureur, il cherchait le chef de zone.

Il mit vingt minutes à le trouver, cet animal velu qu'on voyait souvent chez Aldo, où il s'asseyait dans un coin à l'ombre sur un tabouret pliant.

« J'ai les câbles qui se sont emmêlés, dit-il.

— C'est la merde », se lamenta l'autre.

Ventre commodément posé sur ses cuisses écartées. Ruisselant de sueur, à rester assis à rien foutre.

« Faut faire fissa. » Alessio en pleine montée de coke.

« Oh le pois chiche, rota l'animal, on se calme, je t'envoie la maintenance. »

Ça lui prit bien trois minutes pour se lever de sa chaise. Toute cette graisse qui dégoulinait dans la chaleur. L'homme tendit le doigt vers le calendrier Maxim accroché à la porte de son hangar. Cul, chevelure rousse.

« Pas mal, hein ? » Son sourire édenté.

Alessio l'aurait tué sur place.

Jennifer se présenta tout ensommeillée à huit heures et demie, le bébé dans les bras. Cristiano sauta de la pelleteuse et se précipita vers eux d'un pas léger. James eut un renvoi de lait sur le chemisier de sa maman. Ils se parlaient à travers le grillage.

« C'est depuis ce matin qu'il vomit, souffla-t-elle.

— Mon bonhomme ! Mon petit homme ! faisait Cristiano. Regarde-moi, regarde-moi… »

Le visage du bébé virait au vert. Ses yeux, quoi qu'il soit en train de penser à cet instant, demandaient seulement qu'on ait pitié et qu'on le remette au lit. À la énième grimace de son père, il parut sur le point de pleurer.

Cristiano, enthousiaste : « Tu veux la voir, la grosse bête de papa ? » Ton flûté : « Tu veux le voir, le taureau de papa ? »

Ni Jennifer ni James n'avaient envie de voir le « taureau de papa ».

Mais Cristiano, forcément, courut à son bulldozer, mit le transistor à plein volume et attaqua le numéro de cirque que tout le monde connaissait par cœur.

« La course ! La course ! cria-t-il à son collègue. On fait la course, comme ça mon fils il nous voit !

— T'es malade », répondit le collègue.

Pendant ce temps, James continuait de vomir sur le chemisier de Jennifer. Et Jennifer était mécontente et en même temps un peu dégoûtée, et puis elle avait mal au ventre, elle aussi.

Au bout de cinq minutes, elle rentra avec l'enfant et Cristiano les regarda s'en aller, avant d'éteindre le moteur. Ils étaient partis sans même lui dire au revoir.

Deux papys, deux vieux nazes. Voilà ce qu'ils lui envoyaient, après plus d'une demi-heure d'attente, quand il s'était déjà bouffé toutes les petites peaux sur ses doigts calleux.

« Faut voir à se grouiller maintenant, déclara Alessio.

— Eh, dis donc, dit l'un d'eux en montant, c'est pas moi qu'a fait la connerie ! »

Les yeux exorbités, il regarda les deux types de la maintenance grimper sur le pont-roulant. Le temps qu'ils déroulent les câbles, qu'ils les démêlent et qu'ils les réenroulent sur le tambour, j'ai plus qu'à me tirer une balle.

Ça lui ferait sauter la pause-déjeuner, rater une chance de manger à côté d'Elena, avec les autres qui chuchoteraient dans son dos : « Ben mon salaud, on se farcit la chef ? »

« Alors ? »

Les gars de la maintenance venaient à peine de se pencher sur un des tambours pour dévisser les boulons.

« Cool, mon grand... »

Cool mon cul. Il n'avait aucune envie d'être obligé de s'avaler un sandwich sur le pont-roulant pour récupérer la cadence. Aucune intention de rater l'entrée d'Elena en tailleur dans la cantine des minables. Il regardait les deux autres et mentalement leur donnait des coups de fouet.

Une faille dans le système, une seule. Et tout part en couilles.

« Vous en avez encore pour longtemps ? »

Ils se soulevèrent sur leurs genoux grinçants. « Ehhh... Une petite heure, quoi.

— Peut-être deux...

— Deu-eu-eux ? » Alessio se prit la tête dans les mains.

C'était Anna qui appelait. Mattia répondit en calant son portable entre épaule et mâchoire. Il conduisait le chariot-élévateur en zigzaguant entre les hangars. Des tubes d'acier jusque devant le pare-brise, il n'y voyait quasiment rien.

Mattia, j'ai trop peur. De quoi ? Faut que j'aie une super note sinon c'est la merde. Mais qu'est-ce tu racontes, tu sais tout par cœur... Hé, dis donc, je te rappelle qu'on a pas baisé de toute la semaine parce qu'il fallait que t'apprennes tes foutus verbes de merde. Quoi, ce que je dis ? Ouais, je le dis. Tu comprends pas... Mais arrête. Tout ce drame pour une conjugaison... Tu préférerais peut-être conduire un chariot-élévateur dans ce putain de bordel. Ma puce, je t'entends pas. Je suis à côté des convertisseurs... Je dis que je dois retourner en classe, y a la sorcière qui arrive.

Alors merde. Puissance infinie.

Il irradiait de colère. Irradiait d'exaspération. Incapable de rester en place.

« Je vais faire un tour… » leur cria Alessio d'en bas, les mains en cornet.

« C'est ça, répondirent les deux autres. Et tâche de moins te droguer. »

Le soleil était un disque de béton armé posé sur son crâne. Le casque, c'est en option. Y a que les nazes qui le mettent. À condition qu'on t'en file un, d'ailleurs. Ce qui voudrait dire soustraire trois ou quatre mille lires à la fantastique montagne du profit.

Deux mille corps qui pulsent au rythme des machines. Au milieu de ça, Alessio qui marchait, à la torture, son portable à la main. Elle appelait toujours pas. Soif à crever.

Il partit vers le train à fil. Il avait besoin de se défouler. Ce connard qu'a jamais rien foutu de sa vie… voilà qu'il m'achète la Golf, non mais je te jure ! Il est allé voler pour m'acheter une Golf.

Mattia, lui, il comprendrait.

Il devait être en train de se gratter les couilles. À l'ombre, débraillé, la clope au bec. En train de feuilleter ses revues à la con : comment faire jouir les femmes, comment trouver à coup sûr le point G pour provoquer des orgasmes à répétition. En train de faire n'importe quoi sauf bosser.

Alessio franchissait les rails des wagons-torpilles, passait sous les grues toutes-puissantes et les bandes transporteuses chargées de coke. Mattia n'était qu'à un kilomètre et demi. Le bleu de travail dégoulinant de sueur, le soleil qui te liquéfie et qui t'écrase. Mais Alessio avait une telle fureur en lui que marcher, courir, transpirer…

Mattia, écoute, faut que je te dise. Tu vois Elena, cette salope, celle qui nous sauve ou qui nous licencie. Bon. Tu vois ? Eh ben je peux pas l'encadrer. Je la déteste. Sauf que je suis raide dingue d'elle, putain de merde, je suis comme un môme avec elle ! Viens, on va se taper une bière, voilà ce qu'il me dirait. Ils en vendent au poste d'essence.

Pourquoi on n'irait pas faire un casse ? Quand t'as les câbles qui se chevauchent et que les Russes te suppriment ton poste, tu vas quand même pas aller bosser en Pologne ?

Tout ça, il y pensait sérieusement, ou à moitié. Il pensait à son pont-roulant en maintenance, à son paternel de mes deux, à son ex-fiancée qu'il aurait voulu plaquer à l'instant même dans un coin, contre une poche de coulée incandescente, pour lui arracher son joli corsage, sa jolie petite mallette, l'avoir tout entière à lui, nue.

Il arriva à la halle du contrôle qualité. Les tubes s'empilaient plus haut qu'un immeuble. Un type fumait une clope, un type qu'il connaissait vaguement.

« Mattia est par là ?

— Sur le chariot-élévateur, répondit l'autre en regardant sa montre. Il est parti y a une demi-heure au train à fil pour charger… Il devrait pas tarder.

— Me dis pas qu'il bosse ! »

L'autre rigola. Le regarda mieux. « Eh, je te connais…

— Ah ouais ? » fit Alessio en levant un instant les yeux de son portable qu'il tenait à la main comme un idiot en attendant qu'il vibre.

« T'allais pas au Body Gym l'an dernier ?

— Ouais. » Qu'est-ce qu'il en avait à foutre du Body Gym.

« Moi aussi j'y allais, on a fait un combat de kick-boxing toi et moi ! » Il souriait. « T'es le copain de Mattia, c'est ça. On s'est croisés au Gilda, je crois bien… Alessandro ?

— Alessio. »

Il n'arrivait pas à tenir en place, à suivre cette conversation à la con.

« Ok, faut que je passe un coup de fil. » Il le salua. « À plus. »

Il se mit à tourner comme un malade autour de la halle de contrôle, en regardant fixement l'écran de son portable. Allez, appelle. Allez. Qu'est-ce que ça te coûte ? Tu veux me faire crever, putain de merde. Appelle ! Bon, j'appelle.

Alessio fit le numéro d'Elena, celui du bureau, pour être sûr qu'elle répondrait. Le soleil de juin au milieu des fours, même à dix heures du matin ça te transperce le crâne. Comme dans un four, pareil. Sauf qu'il y avait tout à coup la voix d'Elena dans son portable.

Allô ? Elena, c'est Alessio. Ale... Je t'aurais appelé plus tard. Là, j'ai une masse de choses à faire... Mais j'ai pas le temps, moi ! Quoi ? J'entends pas bien... Attends, je change d'endroit... Mais où tu es ? Je suis au fil machine et y a un bordel pas possible.

Alessio hurlait, s'accroupissait par terre pour échapper à l'apocalypse de bruits qui s'élevaient sans discontinuer vers le ciel blindé de fumée.

T'es là ? Je suis là. Écoute, je ne peux pas rester au téléphone, si ça se savait, je serais mal... Mais t'es là ? Bien sûr que je suis là.

Mattia se disait qu'après-demain ça serait férié, il pourrait faire la surprise à Anna et l'emmener à l'Elbe.

Ça faisait un an qu'ils avaient envie d'y aller. Il achèterait deux billets de la Toremar, aujourd'hui même. En attendant, il alluma une cigarette. Pour tout dire, il n'y voyait rien. Il avait chargé quatorze tonnes de tubes au lieu de douze, pour finir plus vite et aller buller à l'ombre. Anna dans son petit pyjama tout doux...

Mattia conduisait, pensait à tout ça et de temps en temps se versait une bouteille d'eau sur la tête. Le soleil, ça te met en lambeaux, l'acier en fusion, l'acier incandescent sous le soleil qui tombe à pic. Ça te réduit en miettes.

Alors, t'es d'accord pour déjeuner aujourd'hui ? Ale, je voulais te demander de m'excuser... T'excuser de quoi ? Pour l'autre jour, quand je t'ai parlé des licenciements... Attends, j'entends pas... Licenciement ? Nom de Dieu, qu'est-ce que tu dis ? Non, pas toi ! Enfin, je veux dire... Il est pas question de te licencier ! Ah ! Je préfère... Et pour aujourd'hui, alors ? À vrai dire... C'est impossible. Comment ça impossible ? Ale, je t'entends très mal... Attends, je me déplace...

Mattia conduisait vers la halle de contrôle, au pif et de mémoire, en tirant à fond sur sa Pall Mall bleue. Il n'y voyait rien mais il connaissait le chemin par cœur. La jungle d'acier, le crissement incessant, les rugissements, l'éjaculation des machines.

Alessio changeait d'endroit, allait s'accroupir plus loin.

Tu disais ? Je disais qu'aujourd'hui c'est compliqué, j'ai des tas de dossiers à remplir, il faut absolument que ça soit fini pour ce soir...

Alessio genoux pliés se bouchait une oreille pour mieux entendre la voix d'Elena dans le grand vacarme, sur l'étendue de terre sèche au milieu des titans.

T'es rudement devenue bureaucrate, tu peux pas les envoyer chier pour une fois ? Ces chefs de merde... Allez, c'est important pour moi. Trouve une demi-heure, même cinq minutes...

Elena, à l'autre bout du fil, prenait son temps.

Elena, tu me réponds, merde ? Ok, écoute, je vais voir... Qu'est-ce que ça te coûte, allez ? J'ai un truc important à te dire...

Mattia accélérait parce qu'il voulait se mettre à l'ombre pour buller et boire au moins un litre d'eau bien fraîche.

Dis-moi qu'on se verra à déjeuner...

Alessio torturait un brin d'herbe desséché d'une main frémissante qui aurait voulu toucher autre chose.

Ale, écoute... Elena, le cœur qui s'affole.

Et même... Écoute un peu ! Au lieu de déjeuner dans cette cantine de merde, on prendrait le ferry, on irait à l'Elbe ! À l'Elbe ? Ale, mais qu'est-ce que tu dis ? Je sais pas, je sais pas ce que je dis. Il riait.

Mattia appuyait sur l'accélérateur et imaginait Anna à l'Elbe, qu'est-ce qu'elle serait contente...

Et puis on irait faire un tour à l'Elbe dans la journée... Pourquoi ? Comme ça. D'accord, on verra, peut-être après-demain. Mais on se voit à déjeuner ? Je ne sais pas. Et pourquoi tu le s...

Quelque chose comme un bruit. Mais pas un bruit reconnaissable. Pas une voix, non. Un bruit sourd. Une erreur. C'est ça. Un genre d'interférence... Ale, allô... Alessio ? Alessio ? Allô ? Allô ! Allô allô allô allô allô...

Combien de fois tu peux le dire, combien de fois tu peux le répéter ce mot-là qui ne veut rien dire, en sachant qu'à l'autre bout personne ne t'entend. Tu peux le dire une minute entière, avant de reposer le combiné n'importe comment et de blêmir. Parce qu'à une chose pareille, on n'est jamais prêt.

Une minute entière : le portable d'Alessio transmit la voix d'Elena pendant une minute encore, ce matin-là, entre dix heures six et dix heures sept.

Anna toute contente sur le ferry pour l'Elbe...

Mattia sentit un truc dur et volumineux sous la chenille, qui se bloqua. Il ne comprit pas tout de suite. Mit du temps avant d'éteindre le moteur. Descendit du chariot-élévateur, assommé par la chaleur. Prêt à se foutre en rogne, quand il vit un filet rouge couler de sous la chenille.

Le soleil cognait à rendre fou. Mattia resta les bras ballants, à regarder. Une sourde colère, mêlée à l'étonnement parce qu'il se serait attendu à un caillou, une poutre, une saloperie quelconque qu'il n'aurait pas vue, à cause du pare-brise encombré par les tubes. Il resta ainsi quelques minutes, à essuyer la sueur sur son front avec l'avant-bras.

Puis il entendit quelqu'un derrière lui.

« Mattia ! »

Un mec qui sortait du hangar et lui criait : « Y a ton copain qui te cherchait... »

Un mec qui approchait à grands pas, puis à pas plus petits.

Il disait : « C'est Alessio, il était par ici... »

Silence.

« Qu'est-ce qui s'est passé ?

— Je crois que j'ai écrasé un chat. »

Un chat. Un de ces machins poilus, sans queue, sans oreilles. Une de ces bêtes de merde aux yeux atteints de cataracte qui vivent dans les tuyaux, sous les hangars, et quelquefois, à force de vivre dans les poisons, naissent avec une patte en moins. Un chat. Sauf que le filet rouge s'élargissait de plus en plus, formait une flaque sous le soleil brûlant.

« Bouge le chariot, s'te plaît », la voix étranglée du collègue.

Mattia, sans dire un mot, monta dessus, alluma le moteur, fit marche arrière.

Redescendit. Un chat ça fait pas autant de sang quand tu l'écrases. Une semelle. Ça ressemblait à une chaussure humaine. Et quelque chose comme de la peau sèche avec des cheveux.

Il vit ces trucs informes. N'arrivait pas à comprendre. Il vit le collègue devenir tout blanc, regarder autour de lui, crier : « Alessio ! Alessiooo ! » Devant le hangar, derrière. Téléphoner au chef de section. Et revenir, revenir près de lui qui était là debout, comme un piquet, à côté du chariot-élévateur. Dire : « Bon Dieu. »

Dire : « Qu'est-ce que t'as fait. Bon Dieu. »

Ce n'était pas une pensée. C'était une bribe de pensée qui tournoyait dans son cerveau, comme dans l'écoulement de la douche. La bouillie par terre, un chat.

Qu'est-ce que t'as fait bon Dieu qu'est-ce t'as fait. Quelqu'un balbutiait quelque chose, de plus en plus bas. Les yeux écarquillés, fixés sur la flaque de sang qui brille sous le soleil incandescent. Des grumeaux, des esquilles d'os au milieu des tubes d'acier, les tonnes d'acier argenté qui étincellent. Ça peut pas être un homme.

Elena était restée assise à son bureau, la main sur le combiné et le regard vide fixant le mur d'en face, dans cette pièce où la clim donnait froid. Puis, au ralenti, elle s'était levée. S'était précipitée dans l'escalier. Elle courait, de plus en plus vite, se tordait les pieds sur ses talons. Elle s'était mise à crier aux collègues, à ceux qui étaient là. Elle criait, faillit tomber : envoyez-moi une voiture, s'il vous plaît. Criait, tomba dans l'escalier. Vite, je vous en supplie. Se releva, criait. Au train à fil, je vous en supplie.

Pétrifié, Mattia fixait le vide rouge, éblouissant. La flaque, les détritus, les restes qui étaient sûrement ceux d'un chat. Une de ces bêtes tachées pleines de gale, toutes pareilles parce qu'elles se croisent entre elles, qui ont toutes la gale, et le sida, et la rage. Le renard, celui qui sort à six heures du mat, le renard de la fosse, celui dont Alessio parlait tout le temps. Alessio que tout le monde cherche en ce moment.

Pas lui, les autres.

Lui, pourquoi il l'aurait cherché, il savait bien qu'à cette heure-là il était sur le pont-roulant, ils se retrouveraient dans les vestiaires à deux heures, et après le déjeuner ils fumeraient une clope ensemble devant la cantine et il savait bien que cette chaussure, cette flaque. Son cerveau continuait à dire « chat ». Son cerveau continuait à répéter uniquement et seulement « chat ».

Le collègue était parti téléphoner au pont-roulant. Alessio y était pas, puisqu'il y avait les gars de la maintenance. Ils l'avaient vu partir y avait une demi-heure. Et le collègue, lui, l'avait vu y avait pas trois minutes.

Il était là, merde ! Nom de Dieu, il était là, en train de téléphoner ! criait le gars au bord de la crise de nerfs à son chef de section.

Mon Dieu, ne prononce pas son nom. *Ne nous pardonne pas* – écriraient demain, sur la cinquième page du *Tirreno*, les collègues du train à fil. *Ciao Alessio, et ne nous pardonne pas.*

Ils lui posèrent la main sur l'épaule. Mais Mattia restait là à transpirer, un trognon de pomme jeté dans un coin. Il s'était bloqué sur le mot « chat ». Et le collègue courait chercher du secours. À dix, à vingt, ils couraient chercher du secours, appelaient Alessio, comme dans les sorties de classe quand quelqu'un s'est perdu.

Peu à peu, les ouvriers levaient la tête. Éteignaient leur machine, abandonnaient leur poste, accouraient sur le terre-plein qui séparait le train à fil de la halle de contrôle, là où il y avait un type en train de téléphoner et qui maintenant n'y était plus.

« Qu'est-ce que tu dis ? » rugit Cristiano à l'adresse de Gianfranco.

Il éteignit le moteur du Caterpillar.

Peu à peu, tout le secteur du train à fil cessait de fonctionner. La rumeur se répandait, gagnait les autres secteurs. Et tous accouraient à l'endroit où Alessio avait cessé d'exister et cessé d'être un corps, où Alessio était devenu une flaque de sang qui s'étalait au milieu des tubes, comme une source aveuglante.

Alessio, non. C'est un chat.

Qui c'est ? Sur toute la chaîne de travail, le long de tout le cycle de production, l'effort phénoménal. Ils arrivaient, essoufflés, en bleu de travail, de tous les coins de la Lucchini. En groupe, ou tout seuls. À pied, sur les trains, en bagnole. Son nom. Dites-nous son nom.

Elena descendit de voiture et se fraya un chemin dans la foule. Quand elle arriva au centre, elle poussa un hurlement inhumain. C'était un instant sans durée. Les travailleurs en cercle, tête dans les mains. Mattia, l'axe immobile. Un truc qui fait pression sur un autre truc. Suffit d'une fois, une seule faille dans le système, une seule distraction. Appeler la morgue. Le légiste. Avertir la tour de la direction. Les syndicats. La police. Le maire de Piombino.

« Son nom. On veut son nom. »

Et le nom passait de bouche en bouche, rebondissait entre les murs, touchait le sommet des cheminées pour retomber au sol dans les caillots, les restes impossibles à rassembler d'un corps qui forcément, forcément, était celui d'un chat.

« Qu'est-ce que tu dis, merde ? » Cristiano descendait du Caterpillar. « Des Alessio y en a une plâtrée. Le nom de famille ? C'est quoi le nom de famille ?

— Je sais pas, balbutia Gianfranco.

— Ça s'est passé où ?

— Au train à fil.

— Il travaille pas là, Alessio. C'est Mattia qui travaille là-bas. » Il se prit la tête entre les mains. « Gianfranco, merde, qu'est-ce que tu racontes ? Il travaille au pont-roulant, Alessio !

— S'il te plaît, faut que t'ailles voir. Le pont-roulant il était en maintenance... »

Tu le sais tout de suite. Tu l'as toujours su, dans tes entrailles, dans ton sang. Alors tu te mets à courir. Tu ne montes pas dans la bagnole avec les autres. Tu te mets à courir comme un dératé, et tu te répètes ce mot dans ta tête, c'est ton dernier mot, celui que tu dois lui dire absolument, tu ne sais pas à qui mais tu dois le dire.

Non.

Cristiano criait et courait dans l'avenue interminable surplombée par l'Afo 4.

Ce prénom lancinant. Le prénom qu'on entend siffler sur tout le périmètre des aciéries. Ils ont téléphoné à la police. Dans quel état est le cadavre ? Mais il n'y a pas de cadavre.

Il avait besoin de le serrer dans ses bras, d'être sûr qu'il allait bien. Cette trouille qu'ils m'ont foutue, ces espèces de connards... Une bonne claque sur l'épaule. C'était de ça qu'il avait besoin.

Des flots et des flots d'ouvriers. Le chef de zone, le chef d'équipe ont appelé l'ambulance. Ils ont appelé l'inspection du travail, le délégué de la Fédération des métallos, la FIOM. Ils ont déjà téléphoné aux sections syndicales : CGIL, CISL et UIL. Tu veux me dire à qui ça va servir une ambulance, crétin ?

Appelez les contrôleurs des services sanitaires. Touchez à rien, touchez à rien. La zone va être sécurisée. La police arrive, les carabiniers arrivent. Le procureur viendra ce soir de Livourne. Vous entassez pas ici, laissez passer, écartez-vous… Quelqu'un doit avertir la famille.

Mattia était debout. Il n'avait pas bougé d'un millimètre.

Ne lui posez pas de questions, s'il vous plaît, pas maintenant. C'est le seul témoin oculaire. C'était lui qui conduisait ? Vous voyez pas dans quel état il est ?

Cristiano arriva, à bout de souffle. Il y avait une dizaine de flics, entre la police et les carabiniers. La tour de la direction refusa de laisser passer le délégué régional à la sécurité. Cristiano poussait les autres pour voir. Alessio. Où il est Alessio ? Il regardait à droite, il regardait à gauche. Passait en revue, les yeux exorbités, chaque visage de ceux qui étaient là.

Cri, tu te rappelles ? C'était quoi ? 94, 95… Il neigeait. Tu te rappelles ? Les flocons de neige. Dedans, si tu regardes bien, il y a le symbole de l'Ilva.

Il vit Mattia, debout. Voulut le rejoindre. Flanqua une beigne à un carabinier qui voulait l'arrêter. Réussit à arriver près du chariot-élévateur. Prit Mattia par les épaules, le secoua, lui plaqua la gueule contre le chenillard. Mattia, il est où Alessio ? Écoute-moi, dis-moi où il est Alessio et on rentre à la maison.

Mattia chancela à peine. Il fixait ce qui ne pouvait pas avoir de nom.

« Un chat », dit-il.

Cristiano sentit s'ouvrir une crevasse dans sa poitrine.

Emmenez-le. Donnez-lui un calmant. Emmenez-le d'ici.

Cristiano baissa les yeux et alors seulement vit la flaque, la source rouge, la réalité crue qui coagulait sous le soleil brûlant.

Et il lança un hurlement.

« C'est pas lui ! cria-t-il en montrant l'amas de chair. C'est pas lui ! »

Avec toute la force qu'il avait dans le corps et au-dehors, avec toute la force qu'il y avait dans ces visages hagards incrustés de fonte, et les carabiniers en uniforme qui faisaient évacuer les lieux.

« C'est pas lui. Ça peut pas être lui, c'est pas possible. C'est pas lui. Vous comprenez rien. »

On emportait Mattia. On l'emportait comme un tronc. Les coups de fil à la mairie, à la région, à la province. Cristiano avait son nom dans la gorge. L'État italien, le procureur, les magistrats. C'est pas lui. Il fallut intervenir. Le tenir, à deux, puis à trois. Mais Cristiano se dégagea.

Il se précipita sur le chariot, tête en avant. S'acharna dessus à coups de pied, à coups de poing, à coups de tête. Dix, vingt coups de tête, jusqu'à ce que son front s'ouvre et qu'un flot de sang lui coule dans les yeux.

Personne ne l'avait balancé, même pas Pasquale. L'avocat lui avait dit : « Félicitations, cette fois encore tu t'en es bien tiré ! » Arturo rentrait chez lui clean, et content. Il montait l'escalier quatre à quatre : à partir de demain... Il enfilait la clé dans la serrure, la tournait. À partir de demain, tout allait changer... Sa main tremblait. Il attendait ça depuis des mois. Dorénavant... il y croyait lui-même. Sandra, je te le jure. Il répétait les phrases dans sa tête et il se montait le bourrichon tout seul, il ouvrait la porte, tellement content de retrouver son couloir, son salon, sa femme debout, le téléphone à la main. Arturo s'arrêta net, son sourire extravagant s'effaça de son visage. Sandra laissait tomber le combiné, elle dit : « Alessio est mort. »

Le lendemain, le maire et le conseil municipal annuleraient les feux d'artifice prévus pour la fête de l'été du 21 juin. Les syndicats annonceraient une grève de toute l'usine, de seize à vingt-deux heures, sous-traitants inclus.

Une grève générale de six heures. Seul marcherait le haut-fourneau.

QUATRIÈME PARTIE

L'Elbe

L'île flottait au milieu de l'eau comme un biscuit.

Anna la regardait, penchée au balcon, les coudes sur la rambarde.

En bas dans la rue, un petit groupe d'enfants jouaient au ballon, avec un Super Santos tout neuf. Un bloc plus loin s'ouvrait, en grinçant, le rideau métallique de l'épicerie.

Anna regardait, tout juste réveillée, en pyjama. Pieds nus sur les dalles froides, elle se frottait les yeux. L'Elbe était si proche en ce moment, dans l'air limpide. Les petits villages rassemblés dans les golfes, les falaises à pic sur la mer, les bateaux à voile naviguant autour.

Stalingrado, déjà inondé de lumière, se réveillait peu à peu. Par une fenêtre du bâtiment huit une télévision à plein volume parlait de guerres en Afghanistan et au Moyen-Orient. Des tasses et des couverts tintaient sur le balcon d'à côté. Anna suivit du regard la parabole du ballon qui frôlait un bord de fenêtre avant de tomber dans un buisson d'agaves.

Ce bout de monde compris entre la via Nenni et la via Togliatti, c'était le sien. Elle vit les enfants courir tous à la fois d'un trait pour récupérer le ballon.

« Nooon ! entendit-elle l'instant d'après. Il est crevé ! »

Bientôt ces rues et ces cours seraient emplies d'ados avec la serviette de bain sur l'épaule, il y aurait des vélomoteurs enfourchés à deux sans casque, des femmes avec les sacs des courses et des voitures aux vitres baissées. Une chanson de Laura Pausini arrivait de quelque part, peut-être la camionnette du marchand de fruits qui passait.

Il fallait qu'elles fassent la paix. Il le fallait, il n'y avait pas d'autre solution.

À Carlo Pisacane, aux Frères Rosselli[1], à Karl Marx, dans tous les bâtiments, les persiennes étaient ouvertes, on battait les tapis aux fenêtres, des bandes de mômes s'amusaient à sonner à l'interphone.

Anna vit le camion des poubelles s'arrêter devant les containers à ordures, deux Maghrébins en combinaison orange fluorescente en descendaient. C'est la réalité qui veut ça. La réalité elle gagne toujours, quoi que tu fasses, quoi que tu penses. Les enfants avaient recommencé à jouer avec leur ballon dégonflé.

Maintenant Jennifer traversait la rue avec James dans les bras. Elle s'asseyait à l'arrêt du bus. Anna observait la scène, accoudée à la balustrade. Tout compte fait, elle n'avait pas envie de partir d'ici. Elle entendait sa mère s'affairer dans la cuisine, le minuscule James taper dans ses mains et crier de toutes ses forces le seul mot qu'il était capable de dire.

Elle essayait de l'imaginer. Quelque part, n'importe où. Assise à une table dans un bar en train de petit-déjeuner, ou bien au lit, endormie.

---

1. Carlo Pisacane fut un socialiste utopiste et un patriote italien de la première moitié du XIXe siècle ; Carlo et Nello Rosselli, socialistes exilés à Paris pour fuir les persécutions fascistes, y furent assassinés en 1937 par la Cagoule, sans doute sur ordre de Mussolini.

À l'étage en dessous, paupières closes, le ventilateur sur sa table de nuit. Ou dans une avenue ombragée à Follonica, perchée sur ses talons hauts. N'importe où.

Quand elles s'amusaient à pêcher des crabes dans les rochers, Francesca les attrapait d'un geste vif comme l'éclair, elle savait comment ne pas se faire mal avec les pinces. Elles avaient un seau en commun, petites : elles y mettaient de l'eau et du sable, et une fois la pêche terminée, elles le rapportaient à la maison rempli de tellines, de baveuses, sûres que ça pourrait servir pour la sauce des pâtes.

C'était ça l'important, maintenant.

Ces enfants qui jouaient au foot au milieu de la rue, entre les voitures, avec leur ballon dégonflé. L'important, c'était que Francesca soit là, quelque part. Là, et vivante.

C'était un matin comme les autres. Sandra passait la serpillière. Rosa, à l'étage en dessous, arrosait ses plantes. Et Anna était accoudée, immobile, à un balcon du bâtiment numéro sept.

Sur la départementale Grosseto-Livourne, pendant ce temps, un autobus roulait en grinçant.

Au fond, recroquevillée dans la dernière rangée, l'unique personne présente regardait dehors, la tempe contre la vitre.

Il y avait un tracteur sur le bord de la route, chargé de balles de foin. Entre les rangées de pastèques et de tomates, des jeunes Ghanéens.

Le chauffeur lança un coup d'œil dans le rétroviseur : il ne voulait pas d'un passager qui dorme et loupe son arrêt. Rencogné dans un siège du fond, les genoux au menton, dans sa bulle de silence.

Après Follonica, en allant vers Piombino, la campagne était d'abord marécageuse puis parsemée de ronciers. Des arbustes bas et secs. Le long des rails de sécurité, des cadavres de hérissons.

Francesca regardait, tout ensommeillée. L'Enel et la Dalmine-Tenaris dominaient cette partie dépeuplée de la côte. Entre deux cannaies, entre deux pinèdes, à Torre Mozza, à Riva Verde, à Perelli, elle entrevoyait la mer, à cette heure-là ne naviguaient que les bateaux de pêche qui rentraient. Un navire de croisière glissait lentement vers l'horizon de la mer Tyrrhénienne.

On avait dépassé le Gagno et on approchait du Cotone, Francesca pouvait distinguer les grues et les hautes cheminées. Les grands bras de tôle et les fours couverts de rouille, les uns en marche, les autres pas. On commençait déjà à parler d'assainissement, de démantèlement. D'une reconversion de l'économie locale, de s'orienter vers le tourisme et le tertiaire. Francesca suivait des yeux la silhouette crénelée de l'usine. Comme le Colisée, comme les coques de bateaux échouées sur la plage, dans une décennie le haut-fourneau deviendrait à son tour le territoire des chats.

Elle avait tellement sommeil. Frottait ses yeux bouffis, le visage contre la vitre où la buée se condensait. Elle rentrait chez elle.

À l'échangeur vers le port, une file de voitures pare-chocs contre pare-chocs avançait à pas d'homme. La queue pour le ferry. Les vélos fixés sur les galeries par des cordes, les scooters d'eau, les planches à voile empilées sur des remorques. Francesca détourna les yeux.

Il y avait tellement de choses à regarder, partout. Tout était si rempli, entre les hangars, les stations d'essence et le petit terrain de foot où quelqu'un s'entraînait, peut-être que Nino et Massi y étaient aussi.

Elle restait recroquevillée. En jean troué aux genoux, chaussures de sport et tee-shirt large. Rudement secouée par moments dans le Menarini orange qui avait bien vingt ans. Son petit sac à dos près d'elle avec ses affaires du Gilda, sa trousse de maquillage, ses strings, ses petites robes courtes en strass qui laissent le dos nu.

Les trucs sans importance roulés en boule, à mettre à la machine, à ramener chez elle, dans l'appartement du troisième étage où son père et sa mère passent la journée sur le canapé, un comprimé dissous dans un verre.

La ville apparaissait, royaume des toits et des paraboles.

Si le temps pouvait se glisser dans les maisons, sous les portes, sans que personne le sache. Si tout pouvait se terminer avec cette position de la tête renversée contre le dossier du canapé, mains sur les cuisses, oublieuses de ce qu'elles ont fait, n'en portant plus trace, comme si jamais elles n'avaient construit de maison, fabriqué de rails d'acier, roué de coups des corps humains, marqué leur descendance au plus profond.

Francesca bâillait, effaçait la buée avec la manche de son tee-shirt. Ses longs cheveux blonds en chignon sur la nuque, du vernis rouge écaillé aux ongles. Elle n'avait pas de spectateur, en ce moment. À part le chauffeur, qui la regardait de temps en temps dans le rétroviseur et se demandait ce que pouvait bien faire toute seule dans son car vide, si tôt le matin, ce croisement de petite fille et d'ado.

Elle n'avait personne d'autre au monde. Même à le sillonner en tous sens, le monde, de Milan jusqu'à Palerme. Ça n'avait pas été facile de l'épier dans le cimetière ouvrier, près des abattoirs, derrière un cyprès. Pas été facile de se planquer sous l'escalier, la fois où elle l'avait entendue sortir. Même si elle s'enfuyait, même si elle ne revenait plus jamais dans le petit Stalingrado, là où elles étaient nées : il n'y avait pas d'autre endroit.

L'autobus freina aux feux, devant le concessionnaire Piaggio. Au vert, il tourna à droite vers Salivoli.

Francesca se leva, appuya pour demander l'arrêt. Elle regarda le front de mer Marconi défiler derrière la vitre, les haies de lauriers-roses, les cabines téléphoniques vandalisées à coups de barre de fer. La lumière éclairait sans pitié son visage chiffonné. La route faisait deux épingles à cheveux dans la descente avant d'arriver à Stalingrado, tout près du promontoire.

Elle descendit du car.

S'arrêta un instant sous l'abribus, étourdie par le soleil et par le voyage. Elle vit un groupe d'enfants qui jouaient au foot au milieu de la rue avec un ballon tout dégonflé. Elle vit Jennifer qui grimpait dans le car avec son bébé dans les bras, et James qui riait, montrant sa dent unique. Il criait fort en tapant dans ses mains, répétant le premier mot que disent tous les enfants. Les éboueurs remontaient sur le camion des poubelles, le camion repartait.

Elle leva les yeux. Au balcon du quatrième étage, elle vit Anna.

Deux autos passèrent devant elle, et un vélo, avant qu'elle traverse la rue. Qu'elle comprenne.

Anna était appuyée à la rambarde, claire comme un drap mis à sécher. La seule silhouette dans toute cette paroi grise et écaillée. Petite et bouclée.

Elles se regardèrent. Dans la lumière du petit matin, avec les cris des enfants qui tapaient dans le ballon. Et le ballon rebondissait sur le mur, s'en allait finir contre le banc de l'arrêt du bus, un enfant tombait et s'écorchait le genou, deux autres s'envoyaient une bourrade, et c'était si réel qu'Anna soit là, au balcon, comme une fiancée qui attend, pendant qu'elle, elle rentrait à la maison.

Cela dura un instant. Francesca eut l'impression qu'Anna avait souri en la reconnaissant. Alors elle leva le bras et lui fit un signe de la main : c'était venu spontanément. Et Anna avait répondu par le même geste. Ça s'était passé là, à cet instant-là.

Francesca traversa la rue et la cour. Sans même s'en apercevoir, elle s'était mise à courir. Elle était pressée maintenant. Elle voulait aller dans sa chambre, se jeter sur son lit et garder en elle ce moment. C'était un jour quelconque. Peu importe la date. Il n'était rien arrivé, c'était juste l'ordre des choses : descendre du bus, voir Anna, lui faire un signe de la main...

Pourtant elle courait. Elle courait pour tenir la bride à son émoi. Elles s'étaient regardées et saluées, de part et d'autre de la via Stalingrado. Il y avait un groupe de morveux casse-pieds : les gosses qui sonnent aux interphones avant de s'enfuir à toutes jambes, rien de plus habituel.

Francesca montait les marches quatre à quatre.

Sur le palier du troisième, quand elle eut retrouvé son trousseau de clés parmi ses vêtements sales, elle s'arrêta brusquement. La main sur la poignée, elle entendait le bourdonnement vain de la télévision de l'autre côté de la porte.

Ça n'était pas si difficile. Un étage, c'est trente-cinq marches. Une année, trois cent soixante-cinq jours. Ce ne sont pas des chiffres énormes.

Francesca s'approcha de la rampe sur la pointe des pieds, regarda plus haut dans la cage d'escalier. Un type criait « Salope ! » à une femme. Un bruit sec de claque, et aussitôt après un enfant qui se mettait à pleurer. Francesca retint son souffle. Un miaulement. Le frottement léger d'un balai sur un carrelage.

Les choses qui ne changent jamais. L'écume blanche de la mer, l'écume dans les artères, c'était tellement simple à penser, tellement exact. Ça n'était pas difficile.

Elle monta la volée de marches jusqu'au quatrième. Arriva devant la porte, vit la sonnette avec l'étiquette collée et *Sorrentino* marqué en lettres penchées. Sonna. Ce son-là, c'était réel. Réel, le paillasson marqué *Welcome* sur lequel elle posait les pieds.

Anna se figea, indécise, dans la cuisine. Ce fut juste une seconde d'égarement, un instant d'étonnement et de peur où elles se regardèrent dans les yeux, sa mère et elle. Sandra mettait la table pour le petit déjeuner. Elle resta ainsi, une tasse à la main, le sucrier dans l'autre.

Le soleil éclairait la pièce d'une lumière blanche, ça sentait les biscuits et le lait chaud. Dans un coin d'ombre du séjour, Arturo était assis, muet, en robe de chambre. L'air ailleurs, il feuilletait *La Repubblica*, depuis un mois il ne parlait plus.

La sonnette retentit une seconde fois.

« C'est France », dit Anna.

Ces mots-là étaient restés si longtemps dans sa gorge, ils sortaient de ses lèvres avec une sorte de sourire incrédule.

Anna traversa le couloir pieds nus, comme toujours. Tourna le verrou. Ouvrit grand la porte.

Ce ne fut pas simple. Rien, aucun des traits de son visage n'était simple.

Ses taches de rousseur asymétriques sur le nez, ses yeux pailletés de jaune. Les regarder, les retrouver, marqués, oui, mais pareils. Et les fossettes à ses joues, ses cheveux comme des œufs montés en neige, vaguement dépeignés. Le visage pâle, comme ébréché.

On est aussi grandes l'une que l'autre. Ce fut la première pensée de chacune.

On est aussi grandes, les cheveux presque de la même longueur.

Alors que Francesca entrait, chancelant un peu en passant la porte, leurs vêtements, leurs bras se frôlèrent.

Anna referma la porte. Elle se retourna pour la regarder, comment elle marchait dans le couloir, timide et pourtant élancée. La forme de son dos, la colonne vertébrale à peine esquissée sous le coton du tee-shirt.

Elles arrivèrent dans la cuisine, la mine de deux écolières prises en flagrant délit par la maîtresse. Sandra avait posé tasse et sucrier sur la table. Elle les regardait, les yeux écarquillés.

Ses cheveux avaient blanchi sur les tempes. Sandra avait vieilli, ses mains étaient mal assurées. Mais elle savait encore sourire.

« Bonjour, Francesca, dit-elle. Tu as déjà déjeuné ? »

Francesca resta silencieuse à côté d'Anna, elle regardait le buffet, le frigo avec les magnets collés, les photographies accrochées au-dessus des casseroles en cuivre – Alessio et Cristiano sur le tractopelle, Arturo tenant dans ses bras une Anna minuscule, et tous les quatre ensemble, à la plage en bas –, elle regardait la disposition des bibelots sur l'étagère, les crochets en forme de champignon avec les maniques suspendues, l'ordre des grandes cuillères et des louches au-dessus de l'évier : tout était exactement comme cela devait être.

Elle fit non de la tête.

« Alors assieds-toi. » Sandra lui indiqua une chaise. « Tu sais comment c'est ici, c'est toujours un peu le désordre... »

Elle ouvrit un tiroir, prit une autre serviette de table. Son dos s'était un peu courbé, oui. Sur le manteau de la hotte au-dessus de la cuisinière, elle avait ajouté une photo d'Alessio à sa première communion. Elle posait maintenant sur la nappe une autre tasse et une petite cuillère.

Francesca s'assit à côté d'Anna. Elle ne voulait pas la regarder, juste sentir son coude contre le sien et son genou sous la table. Ses mouvements à elle à côté des siens pendant qu'elles trempaient un biscuit dans le lait.

Anna non plus ne se tournait pas vers elle. Mais elle approchait son mollet sous la table. Un frisson soudain, un chatouillis. Francesca lui donnait un petit coup de genou. Et elle savait qu'Anna, maintenant, avait envie de rire.

« C'est une belle journée », dit Sandra tout à coup, en les regardant l'une après l'autre. « Vous allez à la mer ? »

Anna et Francesca restèrent le biscuit à la main. Comme prises à contre-pied.

« Et d'ailleurs, disait Sandra en commençant à débarrasser, pourquoi vous n'iriez pas à l'Elbe ? »

Elles cessèrent de mâcher. Se tournèrent l'une vers l'autre, au même instant. Puis regardèrent Sandra toutes les deux, abasourdies, sourcils froncés.

Sandra éclata de rire et montra la pendule. « Vous avez le temps. Il suffit que vous soyez rentrées pour dîner. En une heure, vous êtes à Portoferraio. À trois pas du port, vous avez la plage des Ghiaie, juste là, derrière. Vous vous baignez et vous reprenez le ferry. Franchement, c'est pas le bout du monde ! »

Elles continuèrent à la fixer quelques instants, muettes. Elles réfléchissaient. C'est vrai, t'enfiles un maillot, une robe de plage, tu fourres ta serviette dans ton sac, des jus de fruits et un sandwich, et t'es prête. C'est vrai, en bus on est au port en un quart d'heure. Elles prendraient les billets, monteraient sur le ferry. Et à dix heures et demie elles seraient à l'Elbe.

« J'ai pas de maillot, dit Francesca.

— Je t'en prête un », dit tout de suite Anna.

Elle se leva d'un bond et fonça dans la salle de bains.

« Maman, prépare-nous un sac ! » cria-t-elle en ouvrant le robinet et en attrapant le dentifrice et la brosse à dents. Francesca l'avait suivie, elle était là, encadrée dans la porte.

Anna leva la tête, cessa un instant son brossage de dents.

Francesca s'appuyait au chambranle, un peu déhanchée, ce qu'il y avait au monde de plus rayonnant. Elles partaient. Elles iraient nager à l'île d'Elbe. Comme les Allemands, comme les touristes de Milan ou de Florence. À l'Elbe aussi il devait y avoir une place avec une église, un campanile et tout le reste.

Elles souriaient, ne parlaient pas. L'une avait la bouche pleine de dentifrice, l'autre les lèvres entrouvertes, un peu gercées.

Elles étaient parfaitement accordées l'une à l'autre.

Table

PREMIÈRE PARTIE : Amies pour la vie...... 9

DEUXIÈME PARTIE : Algues........................ 119

TROISIÈME PARTIE : Ilva............................ 263

QUATRIÈME PARTIE : L'Elbe...................... 399

10353

Composition
NORD COMPO

Achevé d'imprimer en Slovaquie
par NOVOPRINT SLK
le 26 novembre 2014.

1er dépôt légal dans la collection : mars 2013.
EAN 9782290054727
L21EPLN001202C004

ÉDITIONS J'AI LU
87, quai Panhard-et-Levassor, 75013 Paris

Diffusion France et étranger : Flammarion